Jar

Raison et Sentiments

Books On Demand

I

La famille Dashwood était établie depuis longtemps dans le Sussex. Son domaine était vaste, et sa résidence était à Norland Park, au centre de la propriété, où, depuis de nombreuses générations, elle avait vécu d'une façon si bienséante qu'elle s'était acquis d'une façon générale la bonne opinion de ses connaissances à la ronde. Le défunt propriétaire de ce domaine était un célibataire, qui vécut jusqu'à un âge fort avancé, et qui, pendant de nombreuses années de sa vie, eut en la personne de sa sœur une compagne et une maîtresse de maison constante. Mais la mort de celle-ci, qui eut lieu dix ans avant la sienne, produisit un grand changement dans son intérieur ; car, pour suppléer à la perte de sa sœur, il invita et reçut chez lui la famille de son neveu, Mr. Henry Dashwood, l'héritier légal du domaine de Norland, et la personne à qui il se proposait de le léguer. Dans la compagnie de son neveu et de sa nièce, et de leurs enfants, les jours du vieux gentleman s'écoulèrent agréablement. Son attachement envers eux tous s'accrut. L'attention constante de Mr. et de Mrs. Henry Dashwood à ses désirs, laquelle procédait non pas simplement de l'intérêt, mais de la bonté du cœur, lui donna la pleine mesure de réconfort solide que pouvait recevoir son âge ; et la gaieté des enfants ajouta de la saveur à son existence.

D'un mariage antérieur, Mr. Henry Dashwood avait un fils ; de sa femme actuelle, trois filles. Le fils, jeune homme sérieux et respectable, était amplement pourvu par la fortune de sa mère, qui avait été considérable, et dont la moitié lui était revenue lors de sa majorité. Par son propre mariage, également, qui eut lieu peu après, il ajouta à sa richesse. Pour lui, en conséquence, le droit de succession au domaine de Norland n'était pas véritablement aussi important que pour ses sœurs ; car leur fortune, abstraction faite de ce qui pourrait leur revenir du fait que leur père héritât de cette propriété, ne pouvait être que petite. Leur mère ne possédait rien, et leur père n'avait que sept mille livres[1] en propre, car la moitié restante de la fortune de sa première femme était également assurée

---

[1] 175000 francs-or. *(N. du Tr.)*

3

à l'enfant de celle-ci, et il n'en possédait que l'usufruit viager.

Le vieux gentleman mourut, on procéda à la lecture de son testament, et, comme presque tous les autres testaments, il donna autant de déception que de plaisir. Il ne fut ni assez injuste ni assez ingrat pour priver son neveu de son bien ; mais il le lui laissa moyennant des conditions qui détruisirent la moitié de la valeur de ce legs. Mr. Dashwood l'avait désiré plutôt pour sa femme et ses filles que pour lui-même ou son fils ; mais c'est à son fils et au fils de celui-ci, enfant de quatre ans, qu'il fut assuré, d'une façon telle, qu'elle ne lui laissait nul moyen de pourvoir à ceux qui lui étaient le plus chers, et qui avaient le plus besoin qu'on assurât leur avenir, par quelque privilège grevant le domaine, ou par quelque vente de ses bois précieux. Le tout était réservé au profit de l'enfant, qui, lors des visites qu'il avait faites occasionnellement avec son père et sa mère à Norland, avait à tel point gagné l'affection de son oncle, grâce aux attraits qui ne sont nullement rares chez les enfants de deux ou trois ans – une articulation imparfaite, un désir instant d'en faire à sa tête, quantité de petits tours malins, et beaucoup de bruit –, qu'elle l'avait emporté sur toutes les attentions que, depuis des années, il avait reçues de sa nièce et des filles de celle-ci. Il n'avait toutefois nulle intention de se montrer désobligeant, et, comme marque d'affection envers les jeunes filles, il leur laissait à chacune un millier de livres.

La déception de Mr. Dashwood fut, au premier abord, fort vive ; mais son caractère était enjoué et optimiste, et il pouvait raisonnablement espérer vivre de longues années, et, en vivant économiquement, mettre de côté une somme considérable à provenir du produit d'un domaine déjà vaste, et susceptible d'une amélioration presque immédiate. Mais cette fortune, qui avait tant tardé à venir, ne fut sienne que pendant une année. Il ne survécut pas davantage à son oncle ; et il ne resta que dix milles livres[1], y compris les legs récents, pour sa veuve et ses filles.

Il fit venir son fils dès qu'il se sut en danger, et Mr. Dashwood lui recommanda, avec toute la force et l'insistance que pouvait exiger la maladie, l'intérêt de sa belle-mère et de ses sœurs.

---

[1] 250 000 francs-or. *(N. du Tr.)*

Mr. John Dashwood n'avait point les sentiments profonds des autres membres de la famille ; mais il fut touché par une recommandation d'une telle nature en un tel moment, et promit de faire tout ce qui était en son pouvoir pour les mettre à l'aise. Son père fut soulagé par une pareille assurance, et Mr. John Dashwood eut alors le loisir de réfléchir à ce qu'il pourrait être prudemment en son pouvoir de faire pour elles.

Ce n'était pas un jeune homme malintentionné, à moins que le fait d'avoir le cœur assez froid et d'être assez égoïste ne constitue de la malveillance ; mais il était, d'une façon générale, fort respecté ; car il se conduisait avec bienséance dans l'exercice de ses devoirs ordinaires. S'il avait épousé une femme plus aimable, on eût pu le rendre encore plus respectable qu'il ne l'était ; on eût même pu le rendre lui-même aimable ; car il s'était marié fort jeune, et il aimait beaucoup sa femme. Mais Mrs. John Dashwood était une caricature vigoureuse de ce qu'il était, lui ; plus étroite d'esprit et plus égoïste.

Lorsqu'il fit sa promesse à son père, il débattit en son for intérieur le projet d'accroître la fortune de ses sœurs par un présent de mille livres à chacune. Il se sentit alors véritablement de taille à le faire. La perspective de quatre mille livres par an, en plus de son revenu actuel, outre la moitié restante de la fortune de sa propre mère, lui réchauffa le cœur et le rendit capable d'un sentiment de générosité : « Oui, il leur donnerait trois mille livres ; voilà qui serait libéral et généreux ! Cela serait suffisant pour les mettre complètement à leur aise. Trois mille livres ! Il pouvait, avec peu de gêne, se priver d'une somme aussi considérable. » Il y songea toute la journée, et durant bien des journées consécutives, et il ne se repentit point.

Aussitôt terminées les obsèques de son beau-père, Mrs. John Dashwood, sans adresser le moindre avis de ses intentions à sa belle-mère, arriva avec son enfant et leurs domestiques. Nul ne pouvait contester son droit de venir ; la maison appartenait à son mari dès l'instant du décès du père de celui-ci ; mais l'indélicatesse de sa conduite en était d'autant plus grande, et, pour une femme dans la situation de Mrs. Dashwood et ne possédant que des sentiments ordinaires, elle devait être éminemment déplaisante ; mais il y avait dans son esprit, à elle, un sentiment si vif de l'honneur, une générosité si romanesque, que toute offense de ce genre, quel qu'en fût l'auteur ou la victime, était pour elle une source de dégoût incoercible. Mrs. John Dashwood n'avait jamais été fort appréciée d'aucun des membres de la famille de son mari ; mais elle n'avait jamais eu l'occasion, jusqu'à celle-ci, de leur montrer avec combien peu d'égards pour les convenances d'autrui elle pouvait agir lorsque les circonstances l'exigeaient.

Mrs. Dashwood ressentit d'une façon si vive cette conduite peu aimable, et elle en méprisa avec une telle vigueur sa belle-fille, que, lors de l'arrivée de celle-ci, elle aurait quitté la maison à jamais, si les supplications de sa fille aînée ne l'avaient incitée à réfléchir au préalable à la convenance de ce départ ; et l'amour plein de tendresse qu'elle éprouvait pour toutes ses trois enfants la détermina ensuite à rester, et à éviter, par égard pour elles, une rupture avec leur frère.

Elinor, cette fille aînée dont les conseils furent si efficaces, possédait une vigueur de compréhension et une froideur de jugement qui la qualifiaient, bien qu'elle n'eût que dix-neuf ans, pour être la conseillère de sa mère, et lui permettaient de neutraliser à leur avantage à tous, cette ardeur d'esprit chez Mrs. Dashwood, qui eût en général conduit nécessairement à quelque imprudence. Elle avait excellent cœur, son caractère était affectueux, et ses sentiments étaient vifs ; mais elle savait les gouverner ; c'était là une connaissance que sa mère avait encore à acquérir, et que l'une de ses sœurs était résolue à ne jamais se faire enseigner.

Les capacités de Marianne étaient, à bien des égards, largement égales à celles d'Elinor. Elle était sensible et intelligente, mais ardente en toute chose ; ses douleurs, ses joies, étaient incapables de modération. Elle était généreuse, aimable, intéressante ; elle avait toutes les qualités, sauf la prudence. La ressemblance entre elle et sa mère était extrêmement frappante.

Elinor voyait avec inquiétude l'excès de sensibilité de sa sœur ; mais Mrs. Dashwood le prisait et le chérissait. Elles s'encouragèrent mutuellement, à présent, dans la violence de leur affliction. La douleur torturante qui les terrassa tout d'abord fut volontairement renouvelée, fut recherchée, fut mainte et mainte fois recréée. Elles s'abandonnèrent totalement à leur chagrin, cherchant un surcroît de misère dans toute réflexion qui le permettait, et résolues à ne jamais admettre de consolation à l'avenir. Elinor, elle aussi, était profondément affligée, mais elle put cependant lutter, elle fut capable de se démener. Elle put consulter avec son frère, recevoir sa belle-sœur à son arrivée, et la traiter avec les égards convenables ; et elle put s'efforcer d'inciter sa mère à s'employer de même, et l'encourager à une tolérance analogue.

Margaret, l'autre sœur, était une fille enjouée, au caractère facile ; mais elle s'était déjà imprégnée d'une bonne part du romanesque de Marianne, sans posséder beaucoup de son bon sens ; il ne semblait pas qu'elle dût, à l'âge de treize ans, égaler ses sœurs dans une période plus avancée de sa vie.

II

Mrs. John Dashwood s'installa dès lors comme maîtresse de Norland, et sa belle-mère et ses belles-sœurs furent rabaissées à la condition d'invitées. Toutefois, en tant que telles, elles furent traitées par elle avec une civilité paisible ; et, par son mari, avec toute la bonté qu'il lui était possible d'éprouver envers qui que ce fût, en dehors de lui-même, de sa femme, et de leur enfant. Il insista véritablement auprès d'elles, avec une certaine ferveur, pour qu'elles considérassent Norland comme leur foyer ; et, comme aucun projet ne parut aussi convenable à Mrs. Dashwood que d'y rester jusqu'à ce qu'elle pût s'accommoder d'une maison dans le voisinage, son invitation fut acceptée.

Continuer à demeurer dans un lieu où tout lui rappelait la joie d'antan, c'était là exactement ce qui convenait à son esprit. Aux périodes de gaieté, nul caractère ne pouvait être plus joyeux que le sien, ni posséder dans une mesure plus considérable cette attente confiante de bonheur qui est le bonheur même. Mais, dans la douleur, il fallait qu'elle fût également emportée par son imagination, et tout autant au-delà de toute consolation que, dans le plaisir, elle l'était de tout mélange.

Mrs. John Dashwood n'approuvait nullement ce que son mari avait l'intention de faire pour ses sœurs. Enlever trois mille livres à la fortune de leur cher petit garçon, ce serait l'appauvrir dans la mesure la plus épouvantable. Elle le supplia de réfléchir à nouveau sur la question. Comment pourrait-il en répondre devant lui-même, s'il dépouillait son enfant – enfant unique, qui plus est – d'une somme aussi considérable ? Et quel droit pouvaient bien avoir sur sa générosité, dans une telle mesure, les demoiselles Dashwood, qui ne lui étaient apparentées que par la consanguinité, ce qu'elle considérait comme n'étant nullement une parenté ? On savait fort bien qu'aucune affection n'est jamais censée exister entre les enfants d'un homme quelconque, provenant de mariages différents ; et pourquoi devrait-il se ruiner, et ruiner leur pauvre petit

Harry, en donnant tout son argent à ses demi-sœurs ?

– Ça a été la dernière requête que m'ait adressée mon père, répondit son mari, que j'aide sa veuve et ses filles.

– Il ne savait pas de quoi il parlait, j'en suis persuadée ; il y a dix à parier contre un, qu'il n'avait plus toute sa tête, à ce moment-là. S'il avait eu tous ses esprits, il n'aurait pas pu lui venir à l'idée de te supplier de donner la moitié de ta fortune en l'enlevant à ton propre enfant.

– Il n'a stipulé aucune somme déterminée, ma chère Fanny ; il m'a simplement prié, dans les termes les plus généraux, de les aider et de rendre leur situation plus aisée qu'il n'était en son pouvoir de le faire. Peut-être eût-il aussi bien fait de s'en remettre entièrement à moi. Il ne pouvait guère supposer que je les négligerais. Mais comme il a exigé la promesse, je n'ai pu moins faire que de la lui donner : c'est, du moins, ce qu'il m'a semblé à l'époque. La promesse, donc, a été faite, et il faut qu'elle soit tenue. Il faut donc qu'on fasse quelque chose pour elles, le jour où elles quitteront Norland et s'installeront dans un foyer nouveau.

– Soit, donc ; qu'on fasse quelque chose pour elles ; mais il n'est pas nécessaire que ce quelque chose soit trois mille livres. Songe, ajouta-t-elle, qu'une fois cet argent sorti de nos mains, il n'y pourra jamais revenir. Tes sœurs se marieront, et il sera disparu à jamais. Si, en effet, il pouvait jamais être restitué à notre pauvre petit...

– Ah, certes, dit son père, fort gravement, cela ferait une différence considérable. Il peut se faire qu'il vienne un temps où Harry regrettera que nous nous soyons départis d'une somme aussi importante. Au cas où il aurait une nombreuse famille, par exemple, cela constituerait un supplément fort utile.

– Assurément.

– Peut-être, alors, vaudrait-il mieux pour tous les intéressés que la somme fût diminuée de moitié. Cinq cents livres, ce serait un accroissement prodigieux de leurs fortunes !

– Oh ! Au-delà de tout ce qu'on peut concevoir de grand ! Quel frère au monde en ferait seulement la moitié pour ses sœurs, même si c'étaient réellement ses sœurs ? Et, en l'espèce, il ne s'agit que de consanguinité !

Mais tu as le tempérament tellement généreux !

– Je ne voudrais rien faire de mesquin, répondit-il. On aimerait mieux, dans les cas de ce genre, en faire trop que trop peu. Personne, du moins, ne pourra penser que je n'en ai pas fait assez pour elles : pas même elles-mêmes, elles ne peuvent guère en espérer davantage.

– On ne sait jamais ce qu'elles espèrent, dit la dame, mais nous n'avons pas à nous préoccuper de leurs espérances ; la question est : ce que tes moyens te permettent de faire.

– Certainement, et je crois qu'ils me permettent de leur donner à chacune cinq cents livres. Dans la situation actuelle, sans aucun supplément de ma part, elles auront chacune plus de trois mille livres à la mort de leur mère : c'est là une fortune fort agréable pour une jeune femme, quelle qu'elle soit.

– Assurément, et, à dire vrai, l'idée me vient qu'elles pourront n'avoir besoin d'aucun supplément. Elles auront dix mille livres à partager entre elles. Si elles se marient, elles se tireront fort bien d'affaire ; et si elles ne se marient pas, elles pourront vivre fort confortablement, toutes ensemble, avec les intérêts de dix mille livres.

– Voilà qui est bien vrai, et c'est pourquoi je ne sais si, toute réflexion faite, il ne conviendrait pas plutôt de faire quelque chose pour leur mère pendant qu'elle vit encore, que pour elles : une chose dans le genre d'une annuité, c'est cela que je veux dire. Mes sœurs en sentiraient le bon effet tout autant qu'elle-même. Cent livres par an, cela les mettrait toutes parfaitement à l'aise.

Sa femme hésita un peu, toutefois, à donner son consentement à ce projet.

– Assurément, dit-elle, cela vaut mieux que de se défaire d'un seul coup de quinze cents livres. Mais alors, au cas où Mrs. Dashwood vivrait quinze ans, nous serions complètement bernés.

– Quinze ans ! ma chère Fanny, on ne saurait lui en donner la moitié à vivre.

– Certes ; mais, remarque-le, les gens vivent toujours indéfiniment quand il y a une annuité à leur payer ; et elle est fort grasse et bien portante, et a à peine quarante ans. Une annuité, c'est une affaire fort sérieuse ; cela se reproduit d'année en année, et il n'y a pas moyen de s'en débarrasser. Tu ne te rends pas compte de ce que tu fais. Moi, j'ai beaucoup d'expérience des ennuis que donnent les annuités ; car ma mère a été empêtrée par l'obligation d'en payer trois, en raison du testament de mon père, à de vieux domestiques qui avaient passé l'âge, et elle trouvait cela étonnamment désagréable. Ces annuités devaient être payées deux fois par an ; et puis, il y avait l'ennui de leur faire parvenir la somme ; et puis, on a dit que l'un d'eux était mort, et il s'est révélé après coup qu'il n'en était rien. Ma mère en était véritablement lasse. Son revenu ne lui appartenait plus, disait-elle, avec toutes ces charges qui le grevaient ; et ç'a été d'autant plus dur de la part de mon père, que, sans cela, l'argent eût été entièrement à la disposition de ma mère, sans aucune restriction. J'y ai pris une telle horreur des annuités que je ne voudrais certes pas m'astreindre à en payer une, pour rien au monde.

– Il est certainement désagréable, répondit Mr. Dashwood, d'avoir des saignées annuelles de ce genre à son revenu. La fortune d'une personne, comme le dit fort justement ta mère, ne lui appartient pas. Être astreint au paiement régulier d'une telle somme, lors de chaque terme, ce n'est nullement désirable : cela vous ôte votre indépendance.

– Incontestablement ; et en fin de compte, on ne vous en sait nul gré. Elles se sentent en sécurité, vous ne faites rien de plus que ce que l'on attendait, et cela ne suscite absolument aucune gratitude. Si j'étais de toi, tout ce que je ferais serait effectué entièrement à ma propre discrétion. Je ne m'astreindrais pas à leur allouer quoi que ce soit à titre annuel. Il se peut que ce soit fort gênant, certaines années, de distraire cent livres, ou même cinquante, de nos propres dépenses.

– Je crois que tu as raison, ma chérie ; il vaudra mieux, en l'espèce, qu'il n'y ait point d'annuité ; ce que je pourrai leur donner occasionnellement leur servira beaucoup plus qu'une allocation annuelle, car elles ne feraient qu'enfler leur train de vie si elles se sentaient assurées d'un revenu annuel, et n'en seraient pas plus riches de six pence au bout de l'année. Ce sera certainement, de beaucoup, le meilleur moyen. Un cadeau de cinquante livres, de temps à autre, les empêchera d'être à court d'argent, et je crois que j'exécuterai largement, ainsi, la promesse que j'ai faite à mon père.

– Assurément. Et même, à dire vrai, je suis convaincue, en mon for intérieur, que ton père n'avait pas la moindre idée que tu dusses leur donner de l'argent. L'aide à laquelle il a pensé n'était sans doute que celle à laquelle on pouvait raisonnablement s'attendre de ta part : par exemple, rechercher pour elles une petite maison confortable, les aider à déménager leurs affaires, et leur envoyer des cadeaux, du gibier et du poisson, et autres choses de ce genre, quand en revient la saison. Je mettrais ma tête à couper, qu'il n'a rien voulu dire de plus ; voire, ce serait bien étrange et déraisonnable, s'il avait eu d'autres intentions. Songe donc, mon cher Mr. Dashwood, à la façon extrêmement confortable dont pourront vivre ta belle-mère et ses filles, avec l'intérêt de sept mille livres, outre les mille livres appartenant à chacune des filles, et qui leur rapportent cinquante livres à chacune ; et, bien entendu, elles rembourseront à leur mère, là-dessus, le prix de leur pension. Tout compris, elles auront cinq cents livres par an, à elles toutes, et que peuvent bien désirer de plus quatre femmes ? Elles vivront à si bon compte ! Leur ménage ne sera rien du tout. Elles n'auront ni voiture ni chevaux, et guère de domestiques, elles ne recevront pas, et ne pourront faire de dépenses d'aucune sorte ! Mais conçois donc comme elles seront à l'aise ! Cinq cents livres par an ! Je sais bien que je suis incapable d'imaginer comment elles en dépenseront la moitié, et quant à leur en donner davantage, il est absolument absurde d'y songer. Ce seront plutôt elles qui seront en mesure de te donner quelque chose.

– Ma parole, dit Mr. Dashwood, je crois que tu as parfaitement raison. Mon père n'a certainement pu vouloir rien entendre de plus, par la requête qu'il m'a faite, que ce que tu dis. Je comprends nettement à présent, et je tiendrai strictement mes engagements par des actes d'assistance et de bienveillance tels que tu les as décrits. Quand ma mère déménagera pour habiter une autre maison, mes services lui seront volontiers acquis pour l'installer, dans toute la mesure où je le pourrai. Quelque petit cadeau en matière de mobilier, aussi, pourra être acceptable à ce moment-là.

– Certainement, repartit Mrs. John Dashwood. Il y a toutefois une chose à considérer. Quand ton père et ta mère se sont établis à Norland, encore que le mobilier de Stanhill ait été vendu, toute la porcelaine, l'argenterie, et le linge ont été conservés, et restent maintenant à ta mère. Sa maison sera donc presque complètement installée aussitôt qu'elle la prendra.

– C'est là une considération importante, sans aucun doute. C'est un legs de valeur, certes ! Et pourtant, une partie de cette argenterie aurait fort agréablement complété notre propre fonds, ici.

– Oui, et le service à déjeuner en porcelaine est deux fois plus beau que celui qui appartient à cette maison. Beaucoup trop beau, à mon avis, pour n'importe quelle demeure dans laquelle leurs moyens leur permettront jamais de vivre. Mais enfin, c'est comme cela. Ton père n'a pensé qu'à elles. Et il faut que je le dise, tu ne lui dois aucune gratitude particulière, et tu n'es pas tenu de te préoccuper spécialement de ses désirs, car nous savons fort bien que s'il l'avait pu, il leur aurait laissé à peu près tout au monde.

Cet argument fut irrésistible. Il donna aux intentions de Mr. Dashwood ce qui pouvait leur manquer, au préalable, de décision ; et il résolut en fin de compte qu'il serait absolument superflu, sinon éminemment malséant, d'en faire plus, pour la veuve et les enfants de son père, que les actes de bon voisinage du genre de ceux qu'avait indiqués sa femme.

III

Mrs. Dashwood resta plusieurs mois à Norland ; non par aucune aversion à déménager quand la vue de chaque endroit bien connu eut cessé de susciter l'émotion violente qu'elle produisit pendant quelque temps ; car quand elle se remit à prendre courage, et que son esprit fut capable d'autres efforts que de celui de rehausser sa douleur par des souvenirs mélancoliques, elle fut impatiente de partir, et infatigable dans ses recherches en vue de trouver une demeure convenable à proximité de Norland ; car il lui était impossible de s'installer loin de ce lieu bien-aimé. Mais elle n'entendit parler d'aucune résidence qui répondît à ses idées de confort et d'aise, tout en convenant à la sagesse de sa fille aînée, dont le jugement plus équilibré rejeta plusieurs maisons comme étant trop grandes pour leur revenu, alors que sa mère les eût approuvées.

Mrs. Dashwood avait été informée par son mari de la promesse solennelle faite par son fils en leur faveur, promesse qui avait donné un réconfort à ses dernières réflexions d'ici-bas. Elle ne douta pas plus qu'il ne l'avait fait lui-même de la sincérité de ces assurances, et elle y songea avec satisfaction pour ses filles, encore que, quant à elle, elle fût persuadée qu'un capital bien inférieur à sept mille livres la maintiendrait dans l'abondance. Elle s'en réjouit aussi pour leur frère, pour son cœur même ; et elle se reprocha d'avoir été naguère injuste à l'égard de son mérite, en le croyant incapable de générosité. L'attitude pleine d'égards dont il faisait preuve envers elle et envers ses sœurs la convainquit que leur bonheur lui était cher, et, pendant longtemps, elle compta fermement sur la libéralité de ses intentions.

Le mépris qu'elle avait ressenti, dès le début de leurs relations, pour sa belle-fille, fut fortement accru par la connaissance plus poussée de son caractère, que lui permit une résidence d'une demi-année dans sa famille ; et peut-être, en dépit de toutes les considérations de politesse ou d'affection maternelle de la part de la première, les deux dames eussent-elles trouvé impossible de vivre ensemble aussi longtemps, s'il ne s'était produit une circonstance spéciale rendant plus désirable, selon l'opinion de Mrs. Dashwood, que ses filles prolongeassent leur séjour à Norland.

Cette circonstance, ce fut une affection croissante entre sa fille aînée et le frère de Mrs. Dashwood, jeune homme distingué et agréable dont elles firent la connaissance peu après que sa sœur se fut établie à Norland, et qui avait passé là la plus grande partie de son temps.

Il est des mères qui eussent encouragé cette intimité pour des motifs intéressés, car Edward Ferrars était le fils aîné d'un homme qui était mort fort riche ; et il en est qui l'eussent réprimée pour des motifs de prudence, car, à part une somme insignifiante, la totalité de la fortune du jeune homme dépendait de la volonté de sa mère. Mais Mrs. Dashwood ne se laissa influencer ni par l'une ni par l'autre de ces considérations. Il lui suffisait qu'il parût aimable, qu'il aimât sa fille, et qu'Elinor payât cette préférence de retour. Il était contraire à toutes les doctrines dont elle était imbue, qu'une différence de fortune séparât deux êtres quelconques qu'attirait une similitude de caractère ; et que le mérite d'Elinor ne fût pas reconnu de tous ceux qui la connaissaient, c'était là, pour sa compréhension, une chose impossible.

Edward Ferrars ne se recommandait à leur bonne opinion par aucune grâce spéciale de sa personne ou de son abord. Il n'était pas beau, et ses façons exigeaient l'intimité pour les rendre agréables. Il manquait d'assurance pour se faire valoir équitablement ; mais, une fois vaincue sa timidité, sa conduite donnait toutes les indications d'un cœur ouvert et affectueux. Son intelligence était sérieuse, et son instruction l'avait solidement améliorée. Mais il n'était adapté ni par ses aptitudes ni par son caractère à répondre aux désirs de sa mère et de sa sœur, qui auraient ardemment voulu le voir se distinguer comme... elles ne savaient guère comme quoi. Elles voulaient qu'il fît belle figure dans le monde, d'une manière ou d'une autre. Sa mère désirait l'intéresser aux affaires politiques, le faire entrer au Parlement, ou le voir en rapport avec quelques-uns des grands hommes du jour. Mrs. John Dashwood le désirait également ; mais en attendant, jusqu'à ce qu'un de ces bienfaits supérieurs pût être obtenu, son ambition eût été satisfaite de le voir conduire une calèche. Mais Edward n'avait aucune disposition pour les grands hommes ni les calèches. Tous ses désirs se centraient sur le confort domestique et le calme de la vie privée. Heureusement, il avait un frère cadet, qui donnait plus de promesses.

Il y avait plusieurs semaines qu'Edward était dans la maison, avant qu'il n'attirât une part appréciable de l'attention de Mrs. Dashwood ; car elle était, à cette époque, dans une détresse telle qu'elle la rendait insensible à ce qui l'entourait. Elle vit seulement qu'il était paisible et discret, et elle lui en sut gré. Il ne troublait pas la tristesse de son esprit par une conversation importune. Elle fut pour la première fois incitée à l'observer de plus près et à l'approuver, par une réflexion qu'Elinor fit par hasard un jour, sur la différence qui existait entre lui et sa sœur. C'était là un contraste qui le recommanda fort vigoureusement à la mère de la jeune fille.

– Voilà qui suffit, dit-elle ; dire qu'il ne ressemble pas à Fanny, cela suffit. Cela sous-entend tout ce qu'il y a d'aimable. Je l'aime déjà.

– Je crois qu'il vous plaira, dit Elinor, quand vous le connaîtrez mieux.

– Me plaire ! répondit sa mère, avec un sourire. Je suis incapable d'éprouver aucun sentiment d'approbation inférieur à l'amour.

– Vous pourrez l'estimer.

– Je n'ai encore jamais su ce que c'était que de séparer l'estime de l'amour.

Mrs. Dashwood prit dès lors la peine de faire connaissance avec lui. Elle avait des façons attachantes qui bannirent bientôt la réserve dont il avait fait preuve. Elle comprit rapidement tous ses mérites ; la conviction de ses sentiments envers Elinor aida peut-être à cette pénétration ; mais elle se sentit réellement assurée de sa valeur ; et cette tranquillité même de façons qui militait contre toutes ses idées établies de ce que devait être l'abord d'un jeune homme ne fut plus inintéressante, lorsqu'elle sut qu'il avait le cœur chaleureux et le caractère affectueux.

À peine eut-elle perçu quelque symptôme d'amour dans son attitude envers Elinor, qu'elle considéra comme certaine leur liaison sérieuse, et se fit une joie de leur mariage comme d'un événement qui s'approchait rapidement.

– D'ici quelques mois, ma chère Marianne, dit-elle, Elinor sera, en toute probabilité, établie pour la vie. Elle nous manquera ; mais elle sera heureuse.

– Oh, maman, que ferons-nous, sans elle ?

– Ma chérie, ce sera à peine une séparation. Nous vivrons à quelques milles les uns des autres, et nous nous verrons chaque jour de notre existence. Tu y gagneras un frère – un frère authentique et affectueux. J'ai la plus haute idée qui soit du cœur d'Edward. Mais tu prends un air grave, Marianne ; trouves-tu à redire au choix de ta sœur ?

– Peut-être, dit Marianne, puis-je le considérer avec une certaine surprise. Edward est fort aimable, et je l'aime tendrement. Mais pourtant, il n'est pas un de ces jeunes gens... il lui manque quelque chose, il n'est pas imposant de sa personne ; il n'a rien de cette grâce à laquelle je m'attendrais chez l'homme qui pourrait sérieusement retenir l'affection de ma sœur. Ses yeux manquent de cette ardeur, de cette flamme, qui annoncent à la fois la vertu et l'intelligence. Et outre tout cela, je crains bien, maman, qu'il n'ait aucun goût véritable. La musique ne semble guère l'attirer ; et bien qu'il admire vivement les dessins d'Elinor, ce n'est pas l'admiration d'une personne capable d'en comprendre la valeur. Il est évident, malgré l'attention qu'il lui témoigne fréquemment pendant qu'elle dessine, qu'en fait il n'y connaît rien. Il admire en amoureux, et non en connaisseur. Pour me satisfaire, il faut que ces deux caractères soient réunis. Je ne pourrais pas être heureuse avec un homme dont le goût ne coïnciderait pas en tout point avec le mien. Il faut qu'il participe à tous mes sentiments ; il faut que les mêmes livres, la même musique, nous ravissent tous les deux. Ah, maman, comme Edward manquait d'entrain, comme il était terne, en nous faisant la lecture, hier soir ! Je prenais vraiment en pitié ma sœur. Et pourtant, elle a supporté cela avec un tel calme ! Elle semblait à peine s'en apercevoir. Moi, j'avais peine à tenir en place ! Entendre ces vers splendides, qui ont fréquemment failli me faire délirer, prononcés avec un calme aussi impénétrable, une indifférence aussi affreuse !

– Il aurait certainement mieux fait valoir une prose simple et élégante.

C'est ce que je me suis dit sur le moment ; mais tu as tenu à lui donner du Cowper.

– Voyons, maman, s'il ne s'enflamme pas avec du Cowper ! – mais il faut faire la part des différences de goût. Elinor n'a pas ma sensibilité, de sorte qu'il se peut qu'elle passe là-dessus, et qu'elle soit heureuse avec lui. Mais moi, cela m'eût brisé le cœur, si je l'avais aimé, de l'entendre lire avec si peu de sensibilité. Maman, plus je connais le monde, plus je suis convaincue que je ne verrai jamais un homme que je pourrai véritablement aimer. Je suis tellement exigeante ! Il faut qu'il ait toutes les vertus d'Edward, et que sa personne et ses façons ornent sa bonté de tous les charmes possibles.

– Rappelle-toi, ma chérie, que tu n'as pas dix-sept ans ! Il est encore trop tôt dans l'existence pour désespérer d'un tel bonheur. Pourquoi aurais-tu moins de chance que ta mère ? Puisse ta destinée, ma chère Marianne, ne différer de la mienne que par une seule circonstance !

IV

– Quel dommage, Elinor, dit Marianne, qu'Edward n'ait pas de goût pour le dessin.

– Pas de goût pour le dessin ? répondit Elinor ; qu'est-ce qui te porte à le croire ? Il ne dessine pas, quant à lui, certes, mais il prend grand plaisir à voir les exploits d'autrui, et je t'assure qu'il ne manque nullement de goût naturel, bien qu'il n'ait pas eu d'occasions de l'améliorer. S'il s'était préoccupé d'apprendre, je crois qu'il aurait fort bien dessiné. Il se méfie tellement de son propre jugement en ces matières, qu'il lui répugne toujours de donner son avis sur n'importe quel tableau ; mais il a une probité et une simplicité de goût innées, qui, en général, le dirigent d'une façon parfaitement juste.

Marianne eut peur de froisser sa sœur, et n'en dit pas davantage sur ce sujet ; mais le genre d'approbation qu'Elinor décrivait comme suscitée chez lui par les dessins d'autrui était bien éloignée de ce ravissement enthousiaste qui, à son avis, méritait seul le nom de bon goût. Pourtant, bien qu'elle sourît intérieurement de cette erreur, elle honorait sa sœur en raison de cette partialité aveugle à l'égard d'Edward, qui en était la cause.

– J'espère, Marianne, reprit Elinor, que tu ne le considères pas comme manquant de goût général. En vérité, je crois pouvoir dire que tu en es incapable, car ton attitude envers lui est parfaitement cordiale, et si c'était là ton opinion, je suis sûre que tu ne pourrais jamais être polie envers lui.

Marianne ne savait guère que dire. Elle ne voulait, pour rien au monde, blesser les susceptibilités de sa sœur, et pourtant, il lui était impossible de dire ce qu'elle ne pensait pas. Elle finit par répondre :

– Ne te froisse pas, Elinor, si mes louanges à son adresse n'arrivent pas en toute chose à la hauteur de ton appréciation de ses mérites. Je n'ai pas eu autant d'occasions que toi d'estimer les moindres tendances de son esprit, ses penchants et ses goûts ; mais j'ai la plus haute opinion qui soit de sa bonté et de son intelligence. Je crois qu'il est tout ce qu'il y a de digne et d'aimable.

– Je suis sûre, répondit Elinor avec un sourire, que ses amis les plus chers ne pourraient pas être mécontents d'un pareil éloge. Je ne perçois pas comment tu pourrais t'exprimer avec plus de chaleur.

Marianne fut ravie de constater que sa sœur était si facile à contenter.

– Quant à son intelligence et à sa bonté, reprit Elinor, nul, je le crois, ne peut en douter, qui l'a vu assez souvent pour entretenir avec lui une conversation à cœur ouvert. L'excellence de son entendement et de ses principes ne saurait être dissimulée que par cette timidité qui, trop souvent, le maintient silencieux. Tu le connais suffisamment pour rendre justice à son mérite solide. Mais en ce qui concerne ses moindres tendances, comme tu les appelles, tu en es restée, par suite de circonstances spéciales, plus ignorante que moi. Nous nous sommes, par moments, lui et moi, trouvés assez souvent en tête à tête, pendant que tu te consacrais totalement, d'après les principes les plus affectueux, à ma mère. Moi, je l'ai beaucoup vu, j'ai étudié ses sentiments et entendu son opinion sur les questions de littérature et de goût ; et, dans l'ensemble, j'ose avancer qu'il a l'esprit bien informé, qu'il prend un plaisir extrême aux livres, que son imagination est vive, ses facultés d'observation justes et correctes, et son goût délicat et pur. Ses capacités à tous égards s'améliorent à mesure qu'on le connaît mieux, tout autant que ses façons et sa personne. Au premier abord, il n'a certes pas l'aspect imposant ; et l'on ne saurait guère le qualifier de beau quant à sa personne, tant qu'on n'a pas perçu l'expression de ses yeux, qui sont exceptionnellement bons, et la douceur générale de sa physionomie. À présent, je le connais si bien, que je le trouve véritablement beau ; ou, du moins, presque. Qu'en dis-tu, Marianne ?

– Je le trouverai beau d'ici fort peu de temps, Elinor, si je ne le fais déjà. Quand tu me diras de l'aimer comme un frère, je ne verrai pas plus d'imperfections à son visage que je n'en vois maintenant à son cœur.

Elinor sursauta à cette déclaration, et regretta la chaleur à laquelle elle s'était laissé emporter en parlant de lui. Elle sentait qu'Edward occupait une situation très élevée dans son opinion. Elle croyait que l'estime était réciproque ; mais il lui fallait plus de certitude à cet égard pour lui rendre agréable la conviction de Marianne au sujet de leur affection. Elle savait que ce que Marianne et sa mère conjecturaient, un instant donné, elles le croyaient l'instant d'après ; que, pour elles, désirer c'était espérer, et espérer, prévoir. Elle essaya d'expliquer à sa sœur ce qu'il en était réellement.

– Je ne tente pas de nier, dit-elle, que je me fais une très haute idée de lui, que je l'estime fort, qu'il me plaît.

Marianne, à ce point de l'entretien, laissa éclater son indignation :

– Tu l'estimes ! Il te plaît ! Elinor au cœur froid ! Ah, pire que froid ! Honteuse d'être autre chose ! Prononce encore une fois ces mots-là, et je quitterai à l'instant cette pièce !

Elinor ne put s'empêcher de rire.

– Pardonne-moi, dit-elle, et sois assurée que je n'avais pas l'intention de t'offenser en parlant d'une façon aussi calme de mes propres sentiments. Crois bien qu'ils sont plus violents que je ne l'ai déclaré ; bref, crois bien qu'ils sont tels que peuvent le justifier, sans imprudence ni folie, son mérite et le soupçon – l'espoir – de son affection pour moi. Mais il ne faut pas que tu ailles plus loin dans ta croyance. Je ne suis nullement assurée de son estime pour moi. Il y a des moments où la mesure m'en paraît douteuse ; et tant que ses sentiments ne seront pleinement connus, tu ne saurais t'étonner si je désire éviter d'encourager mon propre penchant en le prenant pour plus qu'il n'est, ou en lui donnant un autre nom. J'éprouve en mon cœur fort peu de doute – c'est à peine si j'en ressens – quant à sa préférence. Mais il y a d'autres points dont il faut tenir compte, outre son inclination. Il est bien loin d'être indépendant. Ce qu'est réellement sa mère, nous ne pouvons le savoir ; mais d'après ce que dit de temps à autre Fanny de sa conduite et de ses opinions, nous n'avons jamais été portées à la croire aimable ; et je me trompe fort si Edward lui-même ne se rend pas compte qu'il y aurait beaucoup de difficultés en travers de son chemin, s'il désirait épouser une femme qui n'eût soit une grosse fortune, soit un rang élevé.

Marianne fut étonnée de découvrir à quel point l'imagination de sa mère et la sienne avaient outrepassé la vérité.

– Et tu n'es vraiment pas sa fiancée ? dit-elle. Pourtant, cela se produira certainement bientôt. Mais il résultera de ce retard deux avantages. Je ne te perdrai pas si tôt, et Edward aura plus d'occasions d'améliorer ce goût naturel pour ton occupation préférée qui doit être d'une nécessité aussi indispensable à ton bonheur futur. Ah ! s'il pouvait être à ce point stimulé par ton génie, qu'il en apprenne lui-même à dessiner, comme ce serait charmant !

Elinor avait donné à sa sœur son opinion sincère. Elle ne pouvait considérer son penchant pour Edward comme étant en un état aussi favorable que l'avait cru Marianne. Il y avait parfois, chez lui, un manque d'entrain qui, s'il ne dénotait pas l'indifférence, témoignait d'un quelque chose aussi peu prometteur. Un doute au sujet de l'estime d'Elinor, en supposant qu'il l'eût éprouvé, n'eût pas dû lui causer autre chose que de l'inquiétude. Il ne lui aurait vraisemblablement pas occasionné cet abattement d'esprit qu'il manifestait fréquemment. On y pouvait trouver une cause plus raisonnable dans la situation de dépendance qui lui interdisait de s'abandonner à son affection. Elle savait que la mère d'Edward ne se comportait envers lui ni de façon à lui rendre son foyer agréable présentement, ni de façon à lui donner quelque assurance de pouvoir se constituer un foyer personnel, sans qu'il ne répondît strictement aux projets qu'elle nourrissait de le pousser dans le monde. Sachant cela, il était impossible à Elinor de se sentir rassurée à ce sujet. Elle était loin de compter sur ce résultat de la préférence du jeune homme pour elle, que sa mère et sa sœur considéraient toujours comme certaine. Voire, plus ils étaient longtemps ensemble, et plus la nature de l'estime d'Edward semblait douteuse ; et parfois, pendant quelques minutes douloureuses, elle croyait que ce n'était rien de plus que de l'amitié.

Mais quelles que pussent être les limites réelles de ce sentiment, il fut suffisant, lorsque la sœur d'Edward s'en aperçut, à lui causer de l'inquiétude ; et en même temps (ce qui était encore plus commun) à la rendre impolie. Elle saisit la première occasion de faire un affront à sa belle-mère à ce sujet, en lui parlant d'une façon si expressive des grandes espérances de son frère, de la résolution de Mrs. Ferrars de faire faire à ses deux fils un beau mariage, et du danger que courrait toute jeune femme qui tenterait de l'attirer à elle, que Mrs. Dashwood ne put ni feindre de ne pas s'en rendre compte, ni s'efforcer au calme. Elle lui fit une réponse qui marquait son mépris, et quitta la pièce à l'instant, résolue, quelles que pussent être l'incommodité et la dépense d'un déménagement aussi soudain, à ce que son Elinor bien-aimée ne restât pas exposée une semaine de plus à de semblables insinuations.

C'est dans cet état d'esprit qu'elle reçut par la poste une lettre qui renfermait une proposition particulièrement opportune. C'était l'offre d'une petite maison, à des conditions fort douces, appartenant à un de ses parents, gentleman important et possédant des biens dans le Devonshire. La lettre était de ce gentleman lui-même, et écrite dans le véritable esprit d'accommodement amical. Il se rendait compte qu'elle avait besoin d'une demeure, et, bien que la maison qu'il offrait à présent fût un simple *cottage*, il lui donnait l'assurance qu'on y ferait tous les travaux qu'elle pourrait juger nécessaires, si le site lui plaisait. Il insistait vivement auprès d'elle, après avoir donné des détails sur la maison et le jardin, pour qu'elle vînt avec ses filles à Barton Park, lieu de sa propre résidence, d'où elle pourrait juger par elle-même si Barton Cottage – car les maisons étaient dans la même paroisse – pourrait, par quelques travaux d'aménagement, être rendue confortable pour elle. Il semblait véritablement fort désireux de les héberger, et toute sa lettre était rédigée en un style si amical qu'il ne pouvait manquer de donner du plaisir à sa cousine, et tout particulièrement en ce moment où elle souffrait de l'attitude de froideur et d'insensibilité de ses parents plus proches. Il ne lui fallut aucun délai pour délibérer ni pour s'enquérir. La résolution fut formée à mesure qu'elle lisait. La situation de Barton, dans un comté aussi éloigné du Sussex que l'était le Devonshire, situation qui, quelques heures seulement au préalable, eût constitué une objection suffisante pour l'emporter sur tous les avantages possibles que présentait la localité, était maintenant sa principale recommandation. Quitter le voisinage de Norland, ce n'était plus un mal ; c'était l'objet de ses désirs ; c'était une bénédiction, en comparaison du supplice qu'elle endurerait en continuant à vivre comme l'invitée de sa belle-fille ; et quitter à jamais ces lieux bien-aimés, ce serait moins douloureux que d'y habiter ou d'y être en visite, pendant qu'une femme pareille en était la maîtresse. Elle écrirait aussitôt à Sir John Middleton pour le remercier de son amabilité et pour accepter sa proposition ; puis elle se hâta de montrer les deux lettres à ses filles, afin d'être assurée de leur approbation, avant que sa réponse ne fût expédiée.

Elinor avait toujours pensé qu'il serait plus sage de s'établir à quelque distance de Norland, qu'à proximité immédiate de leurs connaissances présentes. De ce chef, donc, ce n'est pas elle qui se fût opposée à l'intention de sa mère, de partir pour le Devonshire. La maison, aussi, telle que la décrivait Sir John, était de proportions si simples, et le loyer si exceptionnellement modéré, qu'elle ne lui laissait nul droit à soulever d'objection sur aucun de ces points ; en conséquence, bien que ce ne fût pas un projet qui présentât quelque charme à son imagination, bien que ce fût un éloignement hors de la proximité de Norland, qui dépassait ses désirs, elle ne tenta en rien de dissuader sa mère d'expédier sa lettre d'assentiment.

V

La réponse à peine expédiée, Mrs. Dashwood s'offrit le plaisir d'annoncer à son beau-fils et à la femme de celui-ci qu'elle était pourvue d'une maison, et ne les incommoderait pas plus longtemps qu'il ne faudrait pour que tout fût prêt à ce qu'elle l'habitât. Ils l'écoutèrent avec surprise. Mrs. John Dashwood ne dit rien ; mais son mari exprima courtoisement l'espoir qu'elle ne s'établirait pas loin de Norland. Elle éprouva une grande satisfaction à répondre qu'elle allait dans le Devonshire. Edward se tourna vivement vers elle en l'apprenant, et répéta, d'une voix de surprise et d'inquiétude, qui ne nécessitait pour elle aucune explication : – Le Devonshire ! C'est vraiment là que vous allez ? Si loin d'ici ! Et dans quelle partie de ce comté ? – Elle expliqua la situation des lieux. C'était à moins de quatre milles[1] au nord d'Exeter.

– Ce n'est qu'une maisonnette, reprit-elle, mais j'espère y voir beaucoup de mes amis. On pourra y ajouter facilement une pièce ou deux ; et si mes amis n'éprouvent pas de difficulté à faire un si long voyage pour venir me voir, je suis sûre que je n'en éprouverai aucune à les héberger.

Elle termina par une invitation fort aimable à Mr. et Mrs. John Dashwood de venir lui rendre visite à Barton ; et elle en adressa une à Edward, avec plus d'affection encore. Bien que sa récente conversation avec sa belle-fille l'eût amenée à prendre la résolution de ne pas rester à Norland plus longtemps qu'il n'était inévitable, elle n'avait pas produit sur elle le moindre effet quant au point principalement en cause. Il était aussi éloigné que jamais de son dessein de séparer Edward et Elinor ; et elle désirait montrer à Mrs. John Dashwood, par cette invitation mordante à son frère, à quel point total elle négligeait sa désapprobation de ce

---

[1] Rappelons que le mille anglais vaut environ 1600 m. *(N. du Tr.)*

mariage.

Mr. John Dashwood redit et répéta à sa mère à quel point il regrettait vivement qu'elle eût pris une maison tellement éloignée de Norland qu'il était empêché de lui rendre aucun service dans le déménagement de ses meubles. Il éprouva réellement une contrariété sincère à cette occasion ; car l'effort même auquel il avait limité l'exécution de la promesse donnée à son père fut, par cet arrangement, rendu impraticable. Le mobilier fut expédié en totalité par voie d'eau. Il se composait principalement de linge de maison, d'argenterie, de porcelaine et de livres, avec un magnifique pianoforte appartenant à Marianne. C'est avec un soupir que Mrs. John Dashwood vit partir les colis ; elle ne put s'empêcher de trouver dur que, puisque le revenu de Mrs. Dashwood allait être si insignifiant en comparaison du sien, elle possédât aucun beau meuble.

Mrs. Dashwood prit la maison pour une durée d'une année ; elle était toute meublée, et elle pouvait immédiatement en prendre possession. Il ne se présenta aucune difficulté, de part ou d'autre, dans le contrat ; et elle n'attendit que le temps de se défaire de ses effets personnels, à Norland, et de déterminer son ménage futur, pour se mettre en route pour l'ouest ; et, comme elle était extrêmement rapide dans l'exécution de tout ce qui l'intéressait, cela fut vite fait. Les chevaux qui lui avaient été laissés par son mari avaient été vendus peu de temps après sa mort, et comme il se présenta maintenant une occasion de se défaire de sa voiture, elle consentit à la vendre également, sur le conseil pressant de sa fille aînée. Pour l'agrément de ses enfants, si elle n'avait consulté que ses propres désirs, elle l'eût conservée ; mais la prudence d'Elinor prévalut. La sagesse de celle-ci limita à trois le nombre de leurs domestiques – deux femmes et un homme, qu'ils trouvèrent rapidement parmi ceux qui avaient constitué leur ménage à Norland.

L'homme et l'une des servantes furent immédiatement dépêchés dans le Devonshire pour préparer la maison en vue de l'arrivée de leur maîtresse ; car, comme lady Middleton n'était rien de plus qu'une étrangère pour Mrs. Dashwood, celle-ci aimait mieux se rendre directement dans la maisonnette que d'être reçue comme invitée à Barton Park ; et elle se fiait de façon si certaine à la description que Sir John avait faite de la maison, qu'elle n'éprouvait aucune curiosité à l'examiner elle-même avant d'y entrer comme chez elle. Son empressement à quitter Norland fut protégé contre toute diminution par la satisfaction manifeste de sa belle-fille à la perspective de son déménagement – satisfaction qu'elle ne tenta que mollement de dissimuler sous une invitation pleine de froideur qu'elle lui fit, de différer son départ. L'instant était à présent venu, où la promesse de son beau-fils au père de celui-ci pourrait, avec un à-propos tout particulier, se voir accompli. Puisqu'il avait négligé de le faire dès l'abord, lorsqu'il avait pris possession du domaine, on pouvait considérer le moment où elles quittaient sa maison comme étant la période la plus convenable à son accomplissement. Mais Mrs. Dashwood commença bientôt à renoncer à tout espoir de ce genre, et à être convaincue, d'après le cours général de ses entretiens, que son aide ne s'étendait pas au-delà de leur entretien pendant une période de six mois. Il parla si fréquemment des dépenses croissantes du ménage, et des exigences perpétuelles auxquelles était soumise, au-delà de toute prévision, la bourse d'un homme jouissant de quelque situation dans le monde, qu'il semblait qu'il eût lui-même besoin de plus d'argent, plutôt que d'entretenir le dessein d'en donner.

Fort peu de semaines après le jour qui apporta à Norland la première lettre de Sir John Middleton, tout était suffisamment réglé au sujet de leur demeure future pour permettre à Mrs. Dashwood et à ses filles de commencer leur voyage.

Nombreuses furent les larmes qu'elles versèrent lors de leurs derniers adieux à un lieu tant aimé. « Cher, cher Norland ! dit Marianne, tandis qu'elle errait, seule, devant la maison, le dernier soir qu'elles y passèrent, quand cesserai-je de te regretter ? Quand apprendrai-je à sentir que j'ai un foyer en un autre lieu ? Ô maison heureuse, si tu pouvais savoir ce que je souffre en te contemplant maintenant de cet endroit, d'où peut-être je ne pourrai plus te contempler ! Et vous, arbres si bien connus ! Mais vous persisterez, toujours pareils ! Nulle feuille ne se flétrira parce que nous serons partis, et nulle branche ne s'immobilisera, bien que nous ne puissions plus vous observer ! Non, vous persisterez, toujours pareils, inconscients du plaisir ou des regrets que vous causez, et insensibles à tout changement chez ceux qui marchent sous vos ombrages ! Mais qui demeurera pour jouir de vous ? »

VI

La première partie de leur voyage s'effectua dans un état d'esprit trop mélancolique pour qu'elle fût autre qu'ennuyeuse et déplaisante. Mais à mesure qu'elles s'approchaient de sa fin, l'intérêt qu'elles prirent à l'aspect d'une région qu'elles devaient habiter surmonta leur abattement, et une vue de la vallée de Barton, au moment où elles y pénétrèrent, leur apporta de l'entrain. C'était un lieu agréable et fertile, bien boisé et riche en pâturages. Après l'avoir parcouru en serpentant sur plus d'un mille, elles atteignirent leur propre maison. Une petite pelouse verte constituait la totalité de leur domaine, en façade ; et une barrière à claire-voie, bien propre, leur y donna accès.

En tant que maison, Barton Cottage, bien que petite, était confortable et resserrée ; mais en tant que chaumière, elle était défectueuse, car le bâtiment était de forme régulière, le toit était couvert en tuiles, les volets des fenêtres n'étaient pas peints en vert, pas plus que les murs n'étaient couverts de chèvrefeuille. Un couloir étroit menait directement, au travers de la maison, dans le jardin à l'arrière. De part et d'autre de l'entrée il y avait un petit salon, d'environ seize pieds de côté ; et plus loin il y avait les communs et l'escalier. Quatre chambres à coucher et deux mansardes constituaient le reste de la maison. Il n'y avait pas beaucoup d'années qu'elle avait été construite, et elle était en bon état d'entretien. En comparaison avec Norland, elle était certes pauvre et petite ; mais les larmes que suscita le souvenir lorsqu'elles entrèrent dans la maison furent bientôt séchées. Elles furent ragaillardies par la joie des domestiques à leur arrivée, et chacune d'elles, par égard pour les autres, résolut de paraître heureuse. On était tout au début de septembre ; la saison était belle, et de ce que leur première vue des lieux eût joui de l'avantage du beau temps, elles en reçurent une impression favorable, qui leur fut fort utile à les recommander à leur approbation durable.

La maison était bien située. De hautes collines s'élevaient

28

immédiatement derrière, et à peu de distance de chaque côté, des collines dont quelques-unes étaient à l'état de prairies ouvertes, les autres cultivées et boisées. Le village de Barton s'élevait principalement sur une de ces collines et constituait une vue agréable, des fenêtres de la maisonnette. La perspective en façade était plus étendue : elle commandait l'ensemble de la vallée, et atteignait jusqu'à la campagne au-delà. Les collines qui entouraient la maison terminaient la vallée dans cette direction ; sous un autre nom, et dans une autre direction, elle se ramifiait entre deux des plus escarpées d'entre elles.

Mrs. Dashwood fut, dans l'ensemble, fort satisfaite des dimensions et des meubles de la maison ; car bien que son genre de vie antérieur rendît indispensables de nombreuses additions à ces derniers, ce lui était une joie de compléter et d'améliorer ; et elle avait à cette époque suffisamment d'argent liquide pour faire face à tout ce qui manquait, en fait de surcroît d'élégance, aux appartements. « Quant à la maison elle-même, certes, dit-elle, elle est trop petite pour notre famille ; mais nous nous y installerons raisonnablement à l'aise pour le moment, car il est trop tard dans l'année pour effectuer des travaux d'amélioration. Peut-être, au printemps, si j'ai assez d'argent, comme ce sera sans doute le cas, pourrons-nous songer à bâtir. Ces petits salons sont l'un et l'autre trop petits pour les réunions d'amis que j'espère voir souvent rassemblés ici ; et j'ai vaguement l'idée d'incorporer le couloir à l'un d'eux avec, peut-être, une partie de l'autre, et d'en laisser ainsi le reste pour servir d'entrée ; cette transformation, avec un nouveau salon qui pourra y être ajouté facilement, et une chambre à coucher, avec une mansarde au-dessus, en fera une petite maison fort confortable. Je voudrais que l'escalier fût beau. Mais on ne peut pas tout demander, encore que je ne suppose pas qu'il soit très difficile de l'élargir. Je verrai ce que j'aurai devant moi au printemps, et nous projetterons nos améliorations en conséquence. »

Entre temps, en attendant que toutes ces modifications pussent être faites sur les économies à provenir d'un revenu de cinq cents livres par an, à effectuer par une femme qui n'avait de sa vie rien économisé, elles eurent la sagesse de se contenter de la maison telle qu'elle était ; et chacune d'elles fut occupée à disposer ses objets particuliers et à s'efforcer, en plaçant autour de soi ses livres et autres effets personnels, de se constituer un intérieur. Le pianoforte de Marianne fut déballé et convenablement installé, et les dessins d'Elinor furent accrochés aux murs du petit salon.

Elles furent interrompues dans leurs occupations de ce genre, peu après le premier déjeuner, le lendemain, par l'entrée de leur propriétaire, qui se présenta pour leur souhaiter la bienvenue à Barton, et leur offrir tout accessoire, provenant de sa propre maison et de son jardin, qui pouvait manquer pour le moment aux leurs. Sir John Middleton était un homme d'aspect agréable, d'une quarantaine d'années. Il avait jadis été reçu à Stanhill, mais il y avait trop longtemps de cela pour que ses jeunes cousines se souvinssent de lui. Sa physionomie respirait la bonne humeur ; et ses façons étaient aussi amicales que le style de sa lettre. Leur arrivée parut lui procurer une réelle satisfaction, et leur confort semblait être pour lui un objet de sollicitude véritable. Il parla beaucoup de son désir sincère de les voir vivre en excellente entente avec les siens, et insista si cordialement pour qu'elles vinssent dîner tous les jours à Barton Park jusqu'à ce qu'elles fussent mieux installées chez elles, que, bien que ses supplications fussent poussées avec une persévérance qui dépassait la civilité, elles ne purent déplaire. Son amabilité ne se borna pas aux paroles ; car, moins d'une heure après qu'il les eut quittées, un grand panier rempli de produits du jardin et de fruits arriva en provenance du Park, et il fut suivi, avant la fin de la journée, d'un présent de gibier. Il insista, en outre, pour leur faire porter toutes leurs lettres à destination et en provenance de la poste, et ne voulut pas qu'on lui refusât la satisfaction de leur envoyer tous les jours son journal.

Lady Middleton avait envoyé par son entremise un message fort courtois, faisant part de son intention de rendre visite à Mrs. Dashwood dès qu'elle pourrait être sûre que cette visite ne l'incommoderait pas ; et comme ce message reçut pour réponse une invitation également polie, milady leur fut présentée le lendemain.

Elles étaient, bien entendu, fort impatientes de voir une personne dont devait dépendre pour une si large part leur bien-être à Barton ; et l'élégance de son aspect fut favorable à leurs désirs. Lady Middleton n'avait pas plus de vingt-six ou vingt-sept ans ; son visage était beau, elle était grande et imposante, et son abord était gracieux. Ses façons possédaient toute l'élégance qui faisait défaut à celles de son mari. Mais elles eussent été améliorées par une part de la franchise et de la chaleur de celui-ci ; et sa visite fut suffisamment longue pour ôter quelque chose à l'admiration qu'elles avaient éprouvée de prime abord, en laissant voir que, quoique d'une éducation parfaite, elle était réservée, froide, et n'avait rien à dire de son propre fonds, en dehors de l'interrogation ou de la remarque la plus banale.

La conversation, toutefois, ne chôma pas, car Sir John était fort bavard, et lady Middleton avait pris la sage précaution d'amener avec elle l'aîné de ses enfants, beau petit garçon d'environ six ans, grâce à qui il y eut toujours un sujet auquel les dames pouvaient recourir dans les cas extrêmes ; car il leur fallut s'informer de son nom et de son âge, admirer sa beauté, et lui poser des questions auxquelles sa mère répondit pour lui, cependant qu'il se pelotonnait dans ses jupes et baissait la tête, à la grande surprise de milady, qui s'étonna de le voir si timide en société, alors qu'il était capable de faire assez de bruit à la maison. Dans toutes les visites officielles, il faudrait qu'un enfant fût de la partie, à titre de réserve de conversation. Dans le cas présent, il fallut dix minutes pour déterminer si l'enfant ressemblait à son père plutôt qu'à sa mère, et par quel détail il ressemblait à l'un ou à l'autre ; car, bien entendu, tous les avis furent partagés, et chacune fut étonnée de l'opinion des autres.

Les Dashwood devaient avoir bientôt l'occasion de discuter des autres enfants, car Sir John ne voulut pas quitter la maison sans s'assurer de leur promesse de dîner au Park le lendemain.

VII

Barton Park était à environ un demi-mille de la maisonnette. Les dames étaient passées à proximité en arrivant, le long de la vallée, mais la propriété était cachée à leur vue, chez elles, par l'avancée d'une colline. La maison était grande et belle ; et les Middleton menaient une vie également consacrée à l'hospitalité et à l'élégance. Ce premier trait convenait au plaisir de Sir John ; le second, à celui de sa femme. Ils étaient rarement sans amis résidant chez eux, et ils recevaient plus de compagnie de toute catégorie que n'importe quelle autre famille du voisinage. C'était là une chose nécessaire à leur bonheur à tous deux, car quelque dissemblables qu'ils fussent par le caractère et le comportement extérieur, ils se ressemblaient fort dans cette absence totale de talent et de goût qui limitait leurs occupations, en dehors de celles que produisait la société, dans des bornes très étroites. Sir John était chasseur, lady Middleton était mère. Il chassait au fusil et à courre, et elle se prêtait aux caprices de ses enfants ; et c'étaient là leurs seules ressources. Lady Middleton avait l'avantage de pouvoir gâter ses enfants d'un bout de l'année à l'autre, tandis que les occupations indépendantes de Sir John n'existaient que la moitié du temps. Toutefois, les invitations continuelles, chez lui et chez les autres, suppléaient à tout ce qui leur faisait défaut par la nature et l'éducation, – elles maintenaient la bonne humeur de Sir John, et donnaient libre champ au savoir-vivre de sa femme.

Lady Middleton se targuait de l'élégance de sa table, et de toutes ses dispositions ménagères ; et ce genre de vanité était sa plus grande joie dans toutes leurs réceptions. Mais la satisfaction de Sir John en société était beaucoup plus réelle ; il se plaisait à rassembler autour de lui beaucoup plus de jeunes gens que n'en pouvait contenir sa maison, et plus ils étaient bruyants, plus il était content. Il était une bénédiction pour toute la portion juvénile du voisinage, car en été il organisait constamment des réunions pour manger en plein air du jambon et du poulet froid, et en hiver ses bals privés étaient suffisamment nombreux pour toute jeune femme qui ne souffrait pas de l'appétit insatiable qu'on éprouve à quinze ans.

L'arrivée d'une nouvelle famille dans la région lui était toujours une joie, et il fut ravi à tous points de vue des habitants qu'il avait à présent obtenus pour sa maisonnette à Barton. Les demoiselles Dashwood étaient jeunes, jolies, et sans affectation. Cela suffisait pour s'assurer sa bonne opinion ; car être sans affectation, c'est tout ce qu'il fallait à une jolie fille pour rendre son esprit aussi séduisant que sa personne. Son caractère amical le rendait heureux d'accueillir celles dont la situation pouvait être considérée comme malheureuse en comparaison du passé. En témoignant de l'amabilité à ses cousines, il goûtait donc la satisfaction sincère d'un bon cœur ; et en installant dans sa maisonnette une famille de femmes seules, il goûtait la satisfaction d'un chasseur ; car un chasseur, bien qu'il n'estime que ceux de son sexe qui sont chasseurs comme lui, n'est pas souvent désireux d'encourager leurs goûts en les accueillant dans une résidence à l'intérieur de son propre domaine.

Mrs. Dashwood et ses filles furent reçues à la porte de la maison par Sir John, qui leur souhaita la bienvenue à Barton Park avec une sincérité non feinte, et lorsqu'il les accompagna au salon, il réitéra aux jeunes filles le souci que lui avait arraché le même sujet la veille – touchant l'impossibilité où il était de trouver des jeunes gens élégants pour faire connaissance avec elles. Elles ne verraient là, dit-il, qu'un seul gentleman, outre lui-même : un ami intime qui habitait le Park, mais qui n'était ni bien jeune ni bien gai. Il espérait qu'elles excuseraient le petit nombre des convives, et pouvait leur donner l'assurance que le fait ne se renouvellerait jamais. Il était allé voir plusieurs familles ce matin-là, avec l'espoir d'obtenir quelques invités supplémentaires ; mais il faisait clair de lune, et chacun était surchargé d'invitations. Heureusement, la mère de lady Middleton était arrivée à Barton depuis moins d'une heure, et comme elle était une femme gaie et agréable, il espérait que ces jeunes personnes ne trouveraient pas la soirée aussi mortellement ennuyeuse qu'elles pourraient l'imaginer. Les jeunes personnes, de même que leur mère, furent parfaitement satisfaites d'avoir à cette réunion deux convives qu'elles ne connaissaient absolument point, et n'en désiraient pas d'autres.

Mrs. Jennings, la mère de lady Middleton, était une femme corpulente d'un certain âge, joyeuse, de bonne humeur, qui parlait beaucoup, paraissait très heureuse, et assez vulgaire. Elle était pleine de plaisanteries et de rires, et avant la fin du dîner elle avait dit bien des choses spirituelles sur les amoureux et les maris ; elle avait exprimé l'espoir qu'elles n'avaient pas laissé leur cœur derrière elles dans le Sussex, et feignit de les voir rougir, qu'elles l'eussent fait ou non. Marianne en fut contrariée en raison de sa sœur, et tourna les yeux vers Elinor, pour voir comment elle supportait ces assauts, avec un sérieux qui causa à Elinor beaucoup plus de chagrin que n'en pouvaient susciter des railleries banales comme celles de Mrs. Jennings.

Le colonel Brandon, l'ami de Sir John, ne semblait pas plus adapté, par la similitude des façons, à être son ami, que ne l'était lady Middleton à être sa femme, ou Mrs. Jennings à être la mère de lady Middleton. Il était silencieux et grave. Cependant son aspect n'était pas déplaisant, bien qu'il fût, selon l'avis de Marianne et de Margaret, un vieux célibataire endurci, car il avait dépassé les trente-cinq ans ; mais, quoique son visage ne fût pas beau, sa physionomie était pleine de sensibilité, et son abord était particulièrement distingué.

Il n'y avait rien, chez aucun des convives, qui pût les recommander comme compagnons pour les Dashwood ; mais la froide insipidité de lady Middleton était si particulièrement répulsive que, par comparaison, la gravité du colonel Brandon, et même la gaieté bruyante de Sir John et de sa belle-mère, étaient intéressantes. Lady Middleton ne sembla s'animer et prendre quelque plaisir que par l'entrée de ses quatre enfants turbulents après le dîner, lesquels la tiraillèrent en tous sens, lui déchirèrent ses vêtements, et mirent fin à tout genre de conversation hormis ce qui se rapportait à eux.

Dans la soirée, comme on découvrit que Marianne était musicienne, elle fut invitée à jouer. L'instrument n'était pas fermé à clef, chacun se prépara à être charmé, et Marianne, qui chantait fort bien, interpréta, à leur requête, les principales d'entre les chansons que lady Middleton avait introduites dans la famille lors de son mariage, et qui, peut-être, étaient restées depuis ce jour dans la même position sur le pianoforte ; car milady avait célébré cet événement en renonçant à la musique, bien qu'au dire de sa mère elle eût joué extrêmement bien, et que, d'après elle, elle l'aimât beaucoup.

L'audition de Marianne fut fort applaudie. Sir John se montra bruyant dans son admiration à la fin de chaque chanson, et aussi bruyant dans sa conversation avec les autres au cours de chacune d'elles. Lady Middleton le rappela fréquemment à l'ordre, se demanda comment l'attention de quiconque pouvait être distraite un seul instant de la musique, et pria Marianne de chanter une certaine chanson que Marianne venait de terminer. Le colonel Brandon, seul de tous les convives, l'écouta sans se perdre en expressions de ravissement. Il lui accorda simplement le compliment de son attention ; et elle éprouva pour lui, à cette occasion, un respect dont les autres étaient raisonnablement déchus en raison de leur manque de goût éhonté. Le plaisir que causait la musique au colonel, bien qu'il ne se haussât pas à ce délice extatique qui seul pouvait sympathiser avec le sien, était estimable, par contraste avec l'affreuse insensibilité des autres ; et elle était assez raisonnable pour admettre qu'un homme de trente-cinq ans pouvait fort bien avoir passé l'âge de toute acuité de sentiment et de toute faculté exquise de jouissance. Elle était parfaitement disposée à faire, à l'âge avancé du colonel, toutes les concessions qu'exigeait un sentiment d'humanité.

VIII

Mrs. Jennings était veuve, avec un douaire largement suffisant. Elle n'avait que deux filles, qu'elle avait pu voir l'une et l'autre convenablement mariées, et elle n'avait donc, à présent, rien d'autre à faire que de marier tout le reste du monde. Elle déployait un zèle actif à réaliser ce dessein, dans la mesure où s'étendaient ses aptitudes, et ne manquait aucune occasion de projeter des mariages parmi tous les jeunes gens de sa connaissance. Elle était remarquablement prompte à découvrir des affections, et avait pris plaisir à susciter la rougeur et la vanité de bien des jeunes filles par des insinuations du pouvoir qu'elles exerçaient sur tel jeune homme ; et ce genre de discernement lui permit, peu après son arrivée à Barton, de décréter d'une façon décisive que le colonel Brandon était fort épris de Marianne Dashwood. Elle soupçonna un peu qu'il en était ainsi dès la première soirée qu'ils passèrent ensemble, du fait qu'il eût écouté si attentivement tandis qu'elle chantait pour eux ; et quand cette visite fut rendue, le jour où les Middleton dînèrent à la maisonnette, elle s'en assura par la façon dont il l'écouta à nouveau. Il fallait qu'il en fût ainsi. Elle en était parfaitement convaincue. Ce serait un mariage excellent, car il était riche, et elle était belle. Mrs. Jennings avait eu à cœur de voir le colonel Brandon bien marié, dès que ses attaches avec Sir John le lui avaient fait connaître ; et elle avait toujours le vif désir de trouver un bon mari pour toutes les jolies filles.

L'avantage immédiat pour elle-même n'était nullement insignifiant, car cette idée lui fournit des plaisanteries sans fin à l'adresse de l'un et de l'autre. Au Park, elle raillait le colonel, et à la maisonnette, Marianne. Pour celui-là, sa raillerie était probablement, dans la mesure où elle ne concernait que lui seul, parfaitement indifférente ; mais pour celle-ci, elle fut d'abord incompréhensible ; et lorsque l'objet en fut compris, elle sut à peine s'il convenait plutôt de rire de son absurdité, ou d'en censurer l'impertinence, car elle la considérait comme une critique sans pitié de l'âge avancé du colonel, et de sa condition désespérée de vieux garçon.

Mrs. Dashwood, qui ne considérait pas un homme de cinq ans son cadet comme étant si excessivement vieux qu'il le paraissait à l'imagination juvénile de sa fille, se hasarda à exonérer Mrs. Jennings du reproche d'avoir vraisemblablement voulu jeter le ridicule sur son âge.

– Mais du moins, maman, vous ne pouvez nier l'absurdité de l'accusation, bien que vous ne la croyiez peut-être pas intentionnellement méchante. Le colonel Brandon est certainement plus jeune que Mrs. Jennings, mais il est assez vieux pour être mon père ; et s'il a jamais été suffisamment animé pour être amoureux, il a dû dépasser depuis longtemps l'âge de toute sensation de ce genre. C'est par trop ridicule ! Quand donc un homme sera-t-il à l'abri de pareils traits d'esprit, si l'âge et les infirmités ne l'en protègent ?

– Les infirmités ! dit Elinor ; traites-tu le colonel Brandon d'infirme ? Je suppose facilement que son âge puisse te paraître beaucoup plus considérable qu'à ma mère ; mais tu ne peux guère te duper quant au fait qu'il a l'usage de ses membres !

– Tu ne l'as pas entendu se plaindre d'un rhumatisme, et n'est-ce pas là l'infirmité la plus commune de l'âge à son déclin ?

– Ma chère enfant, dit sa mère, en riant, à ce compte, tu dois vivre dans la terreur continuelle de ma décrépitude ; et il doit te sembler miraculeux que ma vie se soit prolongée jusqu'à l'âge avancé de quarante ans.

– Maman, vous ne me rendez pas justice. Je sais fort bien que le colonel Brandon n'est pas assez vieux pour que ses amis appréhendent déjà de le perdre dans le cours naturel des choses. Il se peut qu'il vive encore vingt ans. Mais trente-cinq ans, cela n'a rien à voir avec le mariage.

– Peut-être, dit Elinor, est-il préférable que trente-cinq et dix-sept n'aient rien à voir, ensemble, avec le mariage. Mais s'il se trouvait par hasard une femme qui fût célibataire à vingt-sept ans, je ne crois pas que les trente-cinq ans du colonel Brandon constituent une objection à ce qu'il l'épouse.

– Une femme de vingt-sept ans, dit Marianne, après un instant de silence, ne pourra jamais espérer ressentir ou inspirer de nouveau l'affection ; et si son foyer manque d'agrément, ou si sa fortune est mince, je puis supposer qu'elle pourrait se résoudre à se plier au rôle d'infirmière, pour s'assurer les avantages et la sécurité d'une épouse. Il n'y aurait donc rien de malséant dans le fait qu'il épousât une telle femme. Ce serait un contrat de convenance, et le monde serait satisfait. À mes yeux, ce ne serait nullement un mariage, mais cela ne serait rien. Pour moi, cela me ferait l'effet d'un simple échange commercial, dans lequel chacun désirerait trouver son profit aux dépens de l'autre.

– Il serait impossible, je le sais, répondit Elinor, de te convaincre qu'une femme de vingt-sept ans puisse éprouver envers un homme de trente-cinq quoi que ce soit d'assez proche de l'amour pour faire de lui un compagnon désirable pour elle. Mais je suis forcée de m'opposer à ce que tu condamnes le colonel Brandon et sa femme à la réclusion constante dans une chambre de malade, simplement parce qu'il s'est par hasard plaint hier (journée fort froide et humide) d'une légère sensation rhumatismale à l'une de ses épaules.

– Mais il a parlé de gilets de flanelle, dit Marianne ; et, pour moi, un gilet de flanelle se rattache invariablement aux douleurs, aux crampes, aux rhumatismes, et à toutes sortes de maux qui peuvent affliger les vieux et les affaiblis.

– Si seulement il avait été pris d'une fièvre violente, tu n'aurais pas eu pour lui la moitié de ce mépris. Avoue-le, Marianne, n'y a-t-il pas pour toi quelque chose d'intéressant dans la joue rougie, l'œil creusé, et le pouls rapide d'une fièvre ?

Peu après cet entretien, Elinor ayant quitté la pièce :

– Maman, dit Marianne, à propos de maladie, je suis prise d'une inquiétude que je ne puis vous dissimuler. Je suis sûre qu'Edward Ferrars ne va pas bien. Voilà près de quinze jours que nous sommes ici, et pourtant il ne vient pas. Il n'est qu'une indisposition réelle qui ait pu occasionner ce retard extraordinaire. Quelle autre cause peut bien le retenir à Norland ?

– T'imaginais-tu donc qu'il viendrait si vite ? dit Mrs. Dashwood. Moi, je ne le pensais nullement. Au contraire, si tant est que j'aie éprouvé quelque inquiétude à ce sujet, ç'a été à me souvenir qu'il a parfois manifesté un manque de plaisir et d'empressement à accepter nos invitations, quand je lui ai parlé de venir à Barton. Elinor l'attend-elle déjà ?

– Je ne lui en ai jamais dit un mot ; mais cela va de soi.

– Je crois plutôt que tu te trompes, car quand je lui ai parlé hier de commander une grille neuve pour la chambre d'ami, elle m'a fait remarquer que cela ne présentait aucune urgence, car on n'aurait probablement pas besoin de la chambre d'ici quelque temps.

– Comme c'est étrange ! Qu'est-ce que cela peut vouloir dire ? Mais toute leur attitude l'un envers l'autre a été inexplicable. Comme leurs derniers adieux étaient froids et calmes ! Comme leur conversation a été languissante, le dernier soir qu'ils ont passé ensemble ! Dans les adieux d'Edward, il n'y a rien eu qui distinguât entre Elinor et moi : c'étaient les bons souhaits d'un frère affectueux, à l'une comme à l'autre. À deux reprises je les ai laissés à dessein en tête à tête, au cours de la dernière matinée, et chaque fois, bien inexplicablement, il m'a suivie hors de la pièce. Et Elinor, en quittant Norland et Edward, n'a pas pleuré comme moi. Même à présent, sa maîtrise de soi est invariable. Quand est-elle abattue ou mélancolique ? Quand essaie-t-elle d'éviter la compagnie, ou y paraît-elle agitée et peu satisfaite ?

IX

Les Dashwood étaient à présent installées à Barton dans des conditions de confort raisonnables. La maison et le jardin, avec tous les objets qui les environnaient, étaient maintenant devenus familiers ; et elles se livraient de nouveau, avec beaucoup plus de plaisir que Norland n'avait pu en offrir depuis la perte de leur père, aux occupations qui avaient donné à Norland la moitié de ses charmes. Sir John Middleton, qui leur fit visite tous les jours au cours de la première quinzaine, et qui n'était pas habitué à voir beaucoup d'activité chez lui, ne put dissimuler sa stupéfaction en les trouvant toujours occupées.

Leurs visiteurs, à l'exception de ceux de Barton Park, n'étaient pas nombreux ; car, en dépit des prières instantes de Sir John qui insistait pour qu'elles fréquentassent davantage les gens du voisinage, et ne cessait de leur donner l'assurance que sa voiture était toujours à leur disposition, l'indépendance de caractère de Mrs. Dashwood surmonta son désir de compagnie pour ses enfants, et elle refusa résolument de rendre visite à toute famille trop éloignée pour qu'elle pût s'y rendre à pied. Peu nombreuses étaient celles qui pouvaient être classées ainsi ; et parmi elles, toutes n'étaient point accessibles. À environ un mille et demi de la maisonnette, le long de la vallée étroite et serpentante d'Allenham, qui faisait suite à celle de Barton, ainsi qu'il a été décrit précédemment, les jeunes filles avaient découvert, dès l'une de leurs premières promenades, un manoir ancien, d'aspect respectable, qui, en leur rappelant quelque peu Norland, avait frappé leur imagination, et leur avait fait désirer de le connaître davantage. Mais elles avaient appris, après s'être renseignées, que son propriétaire, vieille dame d'excellente réputation, était, malheureusement, trop infirme pour se mêler au monde, et ne bougeait jamais de chez elle.

Toute la campagne environnante abondait en promenades magnifiques. Les collines élevées, qui les invitaient, de presque toutes les fenêtres de la maisonnette, à rechercher le plaisir exquis de l'air sur leurs sommets, étaient un dérivatif heureux, lorsque la boue des vallées plus basses leur interdisait leurs beautés supérieures ; et c'est vers l'une de ces collines que Marianne et Margaret portèrent leurs pas, par une matinée mémorable, attirées par le soleil intermittent d'un ciel de giboulées, et incapables de supporter plus longtemps la réclusion qu'avait occasionnée la pluie continuelle des deux journées précédentes. Le temps n'était pas assez tentant pour faire quitter aux deux autres leur crayon et leur livre, en dépit de la déclaration de Marianne, qui assura que la journée serait durablement belle, et que tous les nuages menaçants seraient écartés de leurs collines ; et les deux jeunes filles se mirent donc en route ensemble.

Elles gravirent gaiement les coteaux, savourant leur propre pénétration chaque fois qu'elles apercevaient le ciel bleu ; et lorsqu'elles recevaient en plein visage les bouffées stimulantes d'un vent violent de suroît, elles prenaient en pitié les craintes qui avaient empêché leur mère et Elinor de prendre part à des sensations aussi délicieuses.

– Y a-t-il un bonheur au monde, dit Marianne, supérieur à celui-ci ? Margaret, nous allons nous promener ici au moins pendant deux heures.

Margaret acquiesça, et elles poursuivirent leur chemin contre le vent, lui résistant avec un plaisir rieur pendant encore une vingtaine de minutes, lorsque soudain les nuages se rassemblèrent au-dessus de leur tête, et une pluie battante les fouetta en plein visage. Chagrinées et surprises, elles furent obligées, quoique à contrecœur, de faire demi-tour, car il n'y avait pas d'abri plus proche que leur propre maison. Il leur restait pourtant une consolation, à laquelle l'exigence du moment donnait une bienséance plus qu'habituelle : c'était de redescendre en courant à toute vitesse le flanc escarpé de la colline qui conduisait tout droit à la barrière du jardin.

Elles se mirent en route. Marianne prit d'abord les devants, mais un faux pas la fit soudain choir à terre, et Margaret, incapable de s'arrêter pour lui venir en aide, fut emportée involontairement, et atteignit sans encombre le pied de la colline.

Un gentleman portant un fusil, avec deux chiens d'arrêt qui gambadaient autour de lui, passa, montant la côte, à quelques toises de Marianne, lorsqu'elle fut victime de son accident. Il posa son fusil et s'élança à l'aide de la jeune fille. Elle s'était relevée, mais elle s'était tordu le pied dans sa chute, et elle pouvait à peine se tenir debout. Le gentleman offrit ses services, et, percevant que la modestie de Marianne lui faisait décliner ce que sa situation rendait nécessaire, la prit dans ses bras sans plus de délai, et l'emporta au bas du coteau. Puis, traversant le jardin, dont la barrière avait été laissée ouverte par Margaret, il l'emporta tout droit dans la maison, où Margaret venait d'arriver, et ne la lâcha pas avant de l'avoir assise dans un fauteuil du petit salon.

Elinor et sa mère se levèrent, stupéfaites devant leur entrée, et tandis que leurs yeux, à toutes deux, demeuraient fixés sur lui avec un étonnement manifeste et une secrète admiration que suscitait également son aspect, il s'excusa de son intrusion en en rapportant la cause, d'une façon si franche et si gracieuse que sa personne, qui était d'une beauté peu commune, reçut de sa voix et de son expression un surcroît de charme. Même s'il avait été vieux, laid et vulgaire, la gratitude et l'amabilité de Mrs. Dashwood eussent été assurées par tout acte d'égard envers son enfant ; mais l'influence de la jeunesse, de la beauté et de l'élégance donna à cette action un intérêt qui répondait à ses sentiments.

Elle le remercia mainte et mainte fois, et, avec une douceur d'abord qui ne la quittait jamais, l'invita à s'asseoir. Mais il s'y refusa, car il était sale et mouillé. Mrs. Dashwood le pria alors de lui faire connaître de qui elle était l'obligée. Son nom, répondit-il, était Willoughby, et il habitait présentement Allenham, d'où il espérait qu'elle lui permettrait d'avoir l'honneur de venir lui faire visite le lendemain pour prendre des nouvelles de Miss Dashwood. Cet honneur lui fut accordé avec empressement, après quoi il partit, pour se rendre encore plus intéressant, sous une forte pluie.

Sa beauté virile et sa grâce plus que commune furent à l'instant le thème de l'admiration générale, et les rires que sa galanterie suscita à l'encontre de Marianne reçurent, de ses attraits extérieurs, une vigueur toute particulière. Marianne elle-même en avait moins vu, de sa personne, que toutes les autres, car la confusion qui lui avait empourpré le visage lorsqu'il l'avait prise dans ses bras pour la soulever de terre, avait dérobé chez elle toute faculté de le regarder après qu'ils étaient entrés dans la maison. Mais elle l'avait suffisamment vu pour se joindre à toute l'admiration des autres, et avec une vigueur qui ornait toujours ses louanges. Par sa personne et par son air, il était à la hauteur de ce que l'imagination de Marianne avait toujours tracé pour le héros d'une histoire préférée ; et il y avait, dans le fait qu'il l'eût emportée jusqu'à la maison avec si peu de formalisme préliminaire, une rapidité de pensée qui lui recommandait tout particulièrement cette action. Chacune des circonstances qui s'y rapportaient était intéressante. Son nom sonnait bien, sa résidence était dans leur village préféré, et elle découvrit bien vite que, de tous les accoutrements virils, une veste de chasse est le plus seyant. Son imagination se donna libre cours, ses réflexions furent agréables, et la douleur d'une cheville foulée fut oubliée.

Sir John vint les voir aussitôt qu'un intervalle de beau temps, ce matin-là, lui permit de sortir ; et, l'accident de Marianne lui ayant été conté, on lui demanda avidement s'il connaissait un gentleman du nom de Willoughby à Allenham.

– Willoughby ! s'écria Sir John ; comment, il est dans la région ? Mais voilà une bonne nouvelle ! Je vais aller jusque chez lui demain et l'inviter à dîner pour jeudi.

– Vous le connaissez donc ? dit Mrs. Dashwood.

– Si je le connais ! Mais comment donc ! Voyons, il vient par ici tous les ans.

– Et quel genre de jeune homme est-ce ?

– Le meilleur garçon qui ait jamais existé, je vous l'assure. Il tire fort convenablement, et il n'y a pas en Angleterre de cavalier plus hardi.

– Est-ce donc là tout ce que vous pouvez dire en sa faveur ? s'écria Marianne d'un ton indigné. Mais quelles sont ses façons, quand on le connaît plus intimement ? Quels sont ses occupations, ses talents, son génie ?

Sir John fut assez intrigué.

– Sur mon âme, dit-il, je ne le connais pas beaucoup sous ce jour-là ; mais c'est un garçon agréable, qui a bon caractère, et il possède un pointer noir qui est bien la petite chienne la plus gentille que j'aie jamais vue. L'avait-il sortie aujourd'hui ?

Mais Marianne ne fut pas plus capable de le satisfaire quant à la couleur du chien d'arrêt de Mr. Willoughby qu'il n'avait pu lui décrire les nuances de son esprit.

– Mais qui est-il ? dit Elinor. D'où vient-il ? Possède-t-il une maison à Allenham ?

Sur ce point, Sir John put donner des renseignements plus certains ; et il leur dit que Mr. Willoughby n'avait pas de propriété à lui dans la région ; qu'il n'y résidait que lorsqu'il était en visite chez la vieille dame d'Allenham Court, qui était sa parente, et des biens de qui il devait hériter ; il ajouta :

– Oui, oui, il constitue certes une bonne prise, je puis vous l'affirmer, miss Dashwood ; il possède en outre un joli petit domaine à lui, dans le Somersetshire ; et si j'étais de vous, je ne le céderais pas à ma sœur cadette, malgré toute cette histoire de dégringolade en descendant la côte. Il ne faut pas que miss Marianne s'attende à avoir tous les hommes pour elle seule. Brandon va être jaloux, si elle n'y fait attention.

– Je ne crois pas, dit Mrs. Dashwood avec un sourire de bonne humeur, que Mr. Willoughby sera incommodé par les tentatives de l'une ou l'autre de mes filles en vue d'en faire ce que vous appelez une bonne prise. Ce n'est pas là un emploi en vue duquel elles ont été élevées. Les hommes sont bien en sécurité auprès de nous, quelque riches qu'ils soient. Toutefois, je suis contente de constater, d'après ce que vous dites, que c'est un jeune homme convenable, et dont la connaissance ne sera pas indésirable.

– C'est bien, à ce que je crois, le meilleur garçon qui ait jamais vécu, répéta Sir John. Je me souviens qu'à Noël dernier, lors d'une petite sauterie, au Park, il a dansé de huit heures jusqu'à quatre heures, sans s'asseoir une seule fois.

– Vraiment ? s'écria Marianne, les yeux étincelants. Et avec élégance, avec entrain ?

– Oui ; et il a été debout dès huit heures, pour aller courre le gibier.

– Voilà ce qui me plaît ; c'est là ce que doit être un jeune homme. Quelles que soient ses occupations, son ardeur n'y devrait connaître nulle modération, et ne lui laisser aucune sensation de fatigue.

– Oui, oui, je vois ce qu'il en est, dit Sir John ; je vois ce qu'il en est. Voilà que vous allez vous mettre à entreprendre sa conquête, et vous ne penserez plus à ce pauvre Brandon.

– C'est là une expression, Sir John, dit Marianne avec chaleur, qui me déplaît particulièrement. J'abhorre toutes les formules banales qui se proposent d'être spirituelles ; et « entreprendre la conquête d'un homme », et « jeter son dévolu » sont les plus odieuses de toutes. Leur tendance est grossière et peu généreuse ; et si la construction en a jamais pu être estimée adroite, il y a beau temps que toute l'ingéniosité en a été détruite.

Sir John ne comprit guère cette réprimande, mais il rit d'aussi bon cœur que s'il l'avait comprise, puis il répondit :

– Oui, vous n'en manquerez pas, de conquêtes, j'en suis persuadé, d'un côté ou de l'autre ! Pauvre Brandon ! Il est déjà tout à fait épris, et il vaut bien la peine que vous jetiez votre dévolu sur lui, je peux vous l'affirmer, en dépit de toutes ces dégringolades et de ces chevilles foulées.

X

Le sauveteur de Marianne, comme Margaret, avec plus d'élégance que de précision, dénommait Willoughby, vint en visite à la maisonnette de bonne heure le lendemain matin pour prendre personnellement des nouvelles. Il fut reçu par Mrs. Dashwood avec plus que de la politesse – avec une amabilité à laquelle elle était incitée par ce qu'avait dit de lui Sir John et par sa propre gratitude ; tout ce qui se passa au cours de cette visite tendit à le convaincre du bon sens, de l'élégance, de l'affection mutuelle, et du confort domestique des membres de la famille dans laquelle le hasard l'avait à présent introduit. Quant à leurs charmes personnels, il n'avait pas eu besoin d'une seconde entrevue pour en être convaincu.

Miss Dashwood avait le teint délicat, les traits fins, et était remarquablement bien faite de sa personne. Marianne était encore plus belle. Sa silhouette, bien qu'elle ne fût pas aussi parfaite que celle de sa sœur, était plus imposante, car elle avait l'avantage de la taille ; et son visage était si charmant que, lorsque dans la formule banale de compliments, on la traitait de fille ravissante, la vérité était moins violemment outragée qu'elle ne l'est à l'ordinaire. Elle avait la peau très brune, mais, en raison de sa transparence, son teint était exceptionnellement éclatant ; tous ses traits étaient harmonieux ; son sourire était doux et attrayant ; et dans ses yeux qui étaient très foncés, il y avait une vie, une énergie, une ardeur, qu'il n'était guère possible de voir sans délectation. À l'égard de Willoughby, leur expression fut d'abord retenue par l'embarras que créait le souvenir de l'aide qu'il lui avait offerte. Mais lorsqu'il se fut dissipé, lorsqu'elle eut repris ses esprits – lorsqu'elle vit qu'à sa parfaite éducation de gentleman il joignait la franchise et la vivacité, et, surtout, lorsqu'elle l'entendit déclarer qu'il aimait passionnément la musique et la danse, elle lui lança un tel regard d'approbation qu'il assura à Marianne la plus grande part de l'entretien de Willoughby pendant le reste de sa visite.

Il suffisait de parler devant Marianne de quelque amusement préféré pour l'engager à causer. Elle était incapable de se taire quand on abordait des questions de ce genre, et elle n'éprouvait ni timidité ni réserve à en discuter. Ils découvrirent rapidement que leurs goûts pour la danse et la musique étaient communs, et qu'ils provenaient d'une conformité générale de jugement sur tout ce qui touchait à l'un ou à l'autre de ces sujets. Encouragée de ce chef à un examen plus complet de ses opinions, elle se mit à l'interroger sur les livres ; elle mit en avant ses auteurs préférés, et y insista avec un plaisir tellement ravi qu'il eût fallu certes que tout jeune homme de vingt-cinq ans fût bien insensible pour ne pas devenir immédiatement un partisan de l'excellence de ces ouvrages, à quelque point qu'il eût pu les négliger au préalable. Leur goût était étonnamment semblable. Les mêmes livres, les mêmes passages, étaient idolâtrés par l'un et l'autre ; ou, s'il apparaissait quelque différence, si quelque objection était soulevée, elle ne durait que jusqu'à ce que Marianne eût pu déployer toute la force de ses arguments et l'éclat de ses yeux. Il acquiesça à toutes ses décisions, se laissa gagner par tout son enthousiasme, et bien avant que la visite ne prît fin, ils conversaient avec la familiarité d'une connaissance depuis longtemps établie.

– Eh bien, Marianne, dit Elinor, dès qu'il les eut quittées, je crois que tu as passablement réussi pour une matinée. Tu t'es déjà rendu compte de l'opinion de Mr. Willoughby sur à peu près toutes les questions de quelque importance. Tu sais ce qu'il pense sur Cowper et sur Scott ; tu es sûre qu'il estime leurs beautés comme il convient ; et tu as reçu toutes assurances sur le fait qu'il n'admire Pope que dans la mesure qu'il se doit. Mais comment votre connaissance se soutiendra-t-elle, après avoir passé en revue avec une rapidité aussi extraordinaire tous les sujets de conversation ? Tu auras bientôt épuisé tous tes sujets préférés. Une nouvelle rencontre suffira pour qu'il expose ses sentiments sur la beauté pittoresque et sur les remariages, et alors tu ne pourras plus rien avoir à lui demander.

– Elinor, s'écria Marianne, est-ce là équitable ? Est-ce juste ? Mes idées sont-elles si peu nombreuses ? Mais je vois ce que tu veux dire. J'ai été trop à mon aise, trop heureuse, trop franche. J'ai péché contre toutes les idées banales du décorum ? J'ai été ouverte et sincère, alors que j'aurais dû me montrer réservée, sans ardeur, terne et fourbe. Si je n'avais parlé que du temps qu'il fait et de l'état des chemins, et si je n'avais parlé qu'une fois en dix minutes, ce reproche m'aurait été épargné.

– Ma chérie, dit sa mère, il ne faut pas te froisser de ce que dit Elinor. Elle n'a fait que plaisanter. Je la gronderais moi-même si elle était capable de désirer refouler la joie de ta conversation avec notre nouvel ami.

Marianne fut radoucie en un instant.

Willoughby, de son côté, manifesta toutes les preuves du plaisir pris à leur connaissance, que pouvait offrir un désir évident à la poursuivre. Il vint les voir tous les jours. Il prit d'abord pour prétexte de demander des nouvelles de Marianne ; mais l'encouragement à le recevoir, auquel chaque jour donnait plus d'amabilité, rendit superflu un tel prétexte avant qu'il eût cessé d'être possible en raison du rétablissement parfait de Marianne. Elle fut condamnée à garder la maison pendant quelques jours ; mais jamais réclusion n'avait été moins ennuyeuse. Willoughby était un jeune homme doué de bonnes aptitudes, d'une imagination prompte, d'un entrain fort vif, et de façons ouvertes et affectueuses. Il était constitué exactement comme il fallait pour engager le cœur de Marianne ; car il joignait à tout cela non seulement une personne séduisante, mais une ardeur d'esprit naturelle, qui était à présent excitée et accrue par l'exemple de celle de la jeune fille, et qui la recommandait à son affection plus que toute autre chose.

La compagnie de Willoughby devint peu à peu le plaisir le plus exquis de Marianne. Ils lurent, ils causèrent, ils chantèrent ensemble ; il avait des talents musicaux considérables ; et il lisait avec toute la sensibilité et l'ardeur qui faisaient malheureusement défaut à Edward.

Dans l'estimation de Mrs. Dashwood il était aussi impeccable que dans celle de Marianne ; et Elinor ne trouvait rien à lui reprocher, si ce n'est une tendance, par laquelle il ressemblait vigoureusement à sa sœur, et la ravissait tout particulièrement, à trop dire ce qu'il pensait en toute occasion, sans égard pour les personnes ou les circonstances. En formant et en donnant à la hâte son opinion sur autrui, en sacrifiant la politesse générale au plaisir de l'attention sans mélange là où son cœur était engagé, et en méconnaissant trop facilement les formes des convenances mondaines, il manifestait un manque de prudence qu'Elinor ne pouvait approuver, en dépit de tout ce qu'il pouvait dire, ainsi que Marianne, en faveur de son attitude.

Marianne commença à présent à s'apercevoir que le désespoir qui l'avait saisie à seize ans et demi, de jamais voir un homme qui pût satisfaire ses idées de la perfection, avait été inconsidéré et injustifié. Willoughby était tout ce que son imagination avait tracé en cette heure malheureuse, et en chaque période plus joyeuse, comme susceptible d'attacher son affection ; et la conduite du jeune homme déclarait que ses désirs étaient, à cet égard, aussi sincères que ses capacités étaient grandes.

Sa mère, également, dans l'esprit de qui nulle pensée de leur mariage n'avait été suscitée par sa perspective de richesse, fut amenée à le souhaiter et à l'espérer, et à se féliciter en secret d'avoir acquis deux gendres tels qu'Edward et Willoughby.

La préférence du colonel Brandon pour Marianne, qui avait été découverte si tôt par les amis de celui-ci, ne commença qu'à présent à devenir perceptible pour Elinor, lorsqu'ils cessèrent de la remarquer. Leur attention et leurs traits d'esprits furent détournés de lui sur son rival plus heureux ; et les railleries qu'avait encourues l'autre avant qu'aucune préférence ne fût suscitée ne se produisirent plus lorsque ses sentiments commencèrent réellement à justifier le ridicule qui accompagne si justement la sensibilité. Elinor fut contrainte, encore qu'à contrecœur, de croire que les sentiments que Mrs. Jennings avait assignés au colonel pour sa propre satisfaction étaient à présent effectivement suscités par sa sœur ; et que, dans quelque mesure qu'une ressemblance générale de natures pût favoriser l'affection de Mr. Willoughby, une opposition aussi marquante de caractères ne constituait point un obstacle à l'hommage du colonel Brandon. Elle s'en rendit compte avec inquiétude ; car que pouvait espérer un homme silencieux de trente-cinq ans, alors qu'on lui en opposait un autre, plein de vivacité, qui en comptait vingt-cinq ? Et comme elle ne pouvait même pas souhaiter qu'il réussît, elle souhaita de tout cœur qu'il fût indifférent. Il lui plaisait. Malgré sa gravité et sa réserve, elle voyait en lui un objet d'intérêt. Ses façons, quoique sérieuses, étaient douces ; et sa réserve semblait être plutôt le résultat de quelque oppression de son ardeur que d'aucune tristesse naturelle de caractère. Sir John avait laissé tomber des insinuations touchant des blessures et des déceptions passées, qui la justifiaient à le prendre pour un homme malheureux, et elle le considérait avec respect et avec compassion.

Peut-être le plaignait-elle et l'estimait-elle d'autant plus qu'il était dédaigné de Willoughby et de Marianne, qui, prévenus contre lui parce qu'il n'était ni vif ni jeune, semblaient résolus à sous-estimer ses mérites.

– Brandon est exactement un de ces hommes, dit un jour Willoughby, alors qu'ils parlaient de lui tous ensemble, dont tout le monde dit du bien, et dont personne ne se préoccupe ; que tout le monde est ravi de voir, et à qui personne ne se souvient de parler.

– C'est là exactement ce que je pense de lui, s'écria Marianne.

– Mais ne vous en vantez pas, dit Elinor, car c'est injuste de votre part, à l'un et à l'autre. Il est hautement estimé de toute la famille, au Park, et, pour ma part, je ne le vois jamais sans me mettre en frais pour converser avec lui.

– Qu'il soit pris sous votre protection, répondit Willoughby, c'est là, certainement, un trait en sa faveur ; mais quant à l'estime des autres, elle est un reproche en soi. Qui donc se soumettrait à l'indignité de recevoir l'approbation de femmes comme lady Middleton et Mrs. Jennings, alors qu'il pourrait forcer l'indifférence de toute autre personne ?

– Mais peut-être le dénigrement de gens tels que vous et Marianne compensera-t-il l'estime de lady Middleton et de sa mère. Si leurs louanges sont un blâme, il se peut que vos reproches soient des éloges ; car elles ne manquent pas plus de discrimination que vous n'êtes prévenus et injustes.

– Dans la défense de ton protégé, tu es même capable d'être effrontée.

– Mon protégé, comme tu l'appelles, est un homme intelligent ; et l'intelligence aura toujours des attraits pour moi. Oui, Marianne, même chez un homme de trente à quarante ans. Il connaît bien le monde ; il a été à l'étranger ; il a lu, et il a l'esprit porté à la réflexion. Je l'ai trouvé capable de me donner bien des renseignements sur des sujets divers, et il a toujours répondu à mes questions avec l'empressement de la bonne éducation et d'un bon caractère.

– C'est-à-dire, s'écria Marianne d'un ton méprisant, qu'il t'a dit qu'aux Indes Orientales le climat est chaud, et que les moustiques y sont ennuyeux.

– Il me l'aurait dit, je n'en doute pas, si je l'avais interrogé à ce sujet ; mais il se trouve que ce sont des questions sur lesquelles j'étais renseignée au préalable.

– Peut-être, dit Willoughby, ses remarques ont-elles pu s'étendre à l'existence des nababs, des mohurs d'or, et des palanquins.

– Je me hasarderai à dire que ses remarques sont allées beaucoup plus loin que votre candeur. Mais pourquoi vous déplaît-il ?

– Il ne me déplaît pas. Je le considère, au contraire, comme un homme fort convenable, dont tout le monde parle favorablement et qui n'attire l'attention de personne ; qui a plus d'argent qu'il n'en peut dépenser, plus de temps qu'il n'en sait employer, et deux habits par an.

– Ajoutez à cela, s'écria Marianne, qu'il n'a ni génie, ni goût, ni entrain. Que son entendement n'a pas d'éclat, ses sentiments, pas d'ardeur, et sa voix, pas d'expression.

– Vous décidez de ses imperfections d'une façon tellement globale, répondit Elinor, et tellement d'après votre propre imagination, que l'éloge que je puis faire de lui est relativement froid et insipide. Je ne puis que déclarer que c'est un homme sensé, bien élevé, bien informé, d'abord agréable, et possédant, me semble-t-il, un cœur aimable.

– Miss Dashwood, s'écria Willoughby, vous êtes en ce moment méchante envers moi. Vous vous efforcez de me désarmer par la raison, et de me convaincre à l'encontre de ma volonté. Mais cela ne servira de rien. Vous me trouverez aussi entêté que vous pouvez être ingénieuse. J'ai trois raisons irréfutables pour ne pas aimer le colonel Brandon ; il m'a menacé de la pluie alors que je voulais qu'il fît beau ; il a trouvé à redire à la suspension de mon cabriolet ; et je ne puis le persuader d'acheter ma jument brune. Si cela peut vous procurer quelque satisfaction, toutefois, que je vous dise que je trouve son caractère irréprochable sous les autres rapports, je suis prêt à le reconnaître. Et en retour d'un aveu qui doit me causer quelque douleur, vous ne pouvez me refuser le privilège de le trouver aussi antipathique que jamais.

XI

Ni Mrs. Dashwood ni ses filles n'avaient guère pu s'imaginer, au début de leur arrivée dans le Devonshire, qu'il se révélerait, pour occuper leur temps, tant d'obligations mondaines qu'il s'en présenta sous peu, ou qu'elles auraient des invitations assez fréquentes et des visites assez constantes pour leur laisser peu de loisir de s'adonner à des occupations sérieuses. Ce fut pourtant là ce qui arriva. Quand Marianne fut rétablie, les projets de divertissement chez lui et au dehors, que Sir John avait précédemment conçus, furent mis à exécution. Les bals privés au Park commencèrent alors ; et l'on organisa et exécuta des parties de plaisir sur l'eau aussi souvent que le permit un mois d'octobre entrecoupé d'averses. Willoughby fut de toutes les réunions de ce genre ; et l'aisance et la familiarité que comportèrent naturellement ces divertissements étaient exactement de nature à conférer une intimité croissante à sa connaissance avec les Dashwood, à lui donner l'occasion de constater les perfections de Marianne, à faire ressortir l'admiration pleine d'entrain qu'il avait pour elle, et à lui faire recevoir, dans l'attitude de celle-ci à son égard, l'assurance la plus pertinente de l'affection de la jeune fille.

Elinor ne put être surprise de leur attachement mutuel. Elle eût seulement désiré qu'il se montrât moins ouvertement, et elle se hasarda bien, une fois ou deux, à suggérer à Marianne qu'il serait convenable de marquer quelque maîtrise de soi. Mais Marianne avait en horreur toute dissimulation là où nulle honte réelle ne pouvait résulter d'un manque de réserve ; et viser à la retenue de sentiments qui n'étaient pas en soi répréhensibles, cela lui paraissait non pas simplement un effort superflu, mais encore un assujettissement honteux de la raison à des idées banales et erronées. Willoughby pensait de même ; et leur conduite, à tous moments, fut une illustration de leurs opinions.

Lorsqu'il était présent, elle n'avait d'yeux pour aucun autre. Tout ce qu'il faisait était bien. Tout ce qu'il disait était plein d'esprit. Si leurs soirées au Park se terminaient par une partie de cartes, il trichait envers lui-même et envers tous les autres invités pour lui faire avoir beau jeu. Si la danse constituait le divertissement de la soirée, ils étaient danseuse et cavalier pendant la moitié du temps ; et quand ils étaient obligés de se séparer pour deux danses, ils avaient soin de rester debout ensemble, et c'est à peine s'ils disaient un mot à aucune autre personne. Une telle conduite leur attirait, bien entendu, force risées ; mais le ridicule ne pouvait les faire rougir, et semblait à peine les agacer.

Mrs. Dashwood entra dans tous leurs sentiments avec une ardeur qui ne lui laissait aucune inclination à en refouler cette manifestation excessive. Ce n'était, pour elle, que la conséquence naturelle d'une vive affection chez un esprit jeune et ardent.

Ce fut la période du bonheur pour Marianne. Son cœur était acquis à Willoughby, et la tendre affection pour Norland qu'elle avait apportée du Sussex avait plus de chances d'être adoucie qu'elle ne l'eût cru possible auparavant, par les charmes que la compagnie du jeune homme conférait à son foyer actuel.

Le bonheur d'Elinor n'était pas si considérable. Son cœur n'était pas autant à l'aise, et la satisfaction que lui causaient leurs amusements n'était pas si pure. Ils ne lui offraient pas de compagnon qui pût l'indemniser de ce qu'elle avait laissé derrière elle, ni lui apprendre à songer à Norland avec moins de regret que jamais. Ni lady Middleton ni Mrs. Jennings ne pouvaient lui fournir les entretiens qui lui manquaient, bien que celle-ci causât sans arrêt, et l'eût, dès l'abord, considérée avec une bienveillance qui lui assurait une large part de sa conversation. Elle avait déjà répété trois ou quatre fois sa propre histoire à Elinor ; et si la mémoire d'Elinor avait été à la hauteur de ses moyens de se perfectionner, elle eût pu savoir, dès le début de leur connaissance, tous les détails de la dernière maladie de Mr. Jennings, et ce qu'il avait dit à sa femme quelques minutes avant de mourir. Il n'y avait qu'un seul point sur lequel lady Middleton était plus agréable que sa mère : c'est qu'elle était plus silencieuse. Il fallut peu d'observation de la part d'Elinor pour percevoir que sa réserve était simplement un calme de façons, dans lequel l'intelligence avait peu de chose à voir. Elle se comportait envers son mari et sa mère comme elle le faisait envers elles ; et l'intimité ne pouvait donc être ni recherchée, ni désirée. Elle n'avait rien à dire un jour, qu'elle n'eût déjà dit la veille. Son insipidité était invariable, car il n'était pas jusqu'à son entrain qui ne fût toujours le même ; et bien qu'elle ne s'opposât pas aux réunions qu'organisait son mari, pourvu que tout fût mené selon les règles et qu'elle fût accompagnée de ses deux aînés, elle ne semblait jamais y trouver plus de plaisir qu'elle n'en eût pu éprouver à rester chez elle ; et sa présence ajoutait si peu au plaisir des autres, par la part qu'elle prenait à la conversation, que tout ce qui, parfois, leur rappelait qu'elle était parmi eux, c'était sa sollicitude envers ses garçons turbulents.

Ce fut chez le colonel Brandon seul, de toutes ses connaissances nouvelles, qu'Elinor trouva une personne qui pût, dans une mesure appréciable, comprendre le respect dû aux capacités, susciter l'intérêt de l'amitié, ou donner du plaisir comme compagnon. Willoughby était hors de cause. L'admiration et les égards d'Elinor, voire son affection sororale, lui étaient tous acquis ; mais c'était un amoureux. Ses attentions étaient totalement réservées à Marianne, et un homme bien moins susceptible d'être agréé eût pu, d'une façon générale, plaire davantage. Le colonel Brandon, malheureusement pour lui, n'était point encouragé ainsi à ne songer qu'à Marianne, et en conversant avec Elinor il trouvait la plus grande consolation à l'indifférence totale de sa sœur.

La compassion d'Elinor envers lui s'accrut, car elle eut lieu de soupçonner que le tourment d'un amour déçu était une chose qu'il avait déjà connue. Ce soupçon lui fut donné par quelques mots qu'il laissa tomber par hasard, un soir, au Park, alors qu'ils étaient assis tous les deux par consentement mutuel, tandis que les autres dansaient. Il avait les yeux fixés sur Marianne, et, après un silence de quelques minutes, il dit, avec un léger sourire :

– Votre sœur, à ce que je crois comprendre, n'approuve pas un second amour.

– Non, répondit Elinor, ses opinions sont bien romanesques.

– Ou plutôt, à ce que je crois, elle considère comme impossible qu'il existe.

– Je le crois, en effet. Mais je ne sais vraiment pas comment elle y parvient, sans critiquer le précédent de son propre père, qui, lui-même, a eu deux femmes. Mais il suffira de quelques années pour lui donner des opinions fondées sur la base raisonnable du bon sens et de l'observation ; et elles pourront alors être plus faciles à définir et à justifier qu'elles ne le sont maintenant, pour tout autre qu'elle-même.

– C'est probablement ce qui arrivera, répondit-il ; et pourtant, il y a quelque chose de si aimable dans les préjugés d'un esprit jeune, qu'on regrette de les voir faire place à la réception d'opinions plus générales.

– Je ne puis partager votre avis sur ce point, dit Elinor. Les sentiments tels que ceux de Marianne présentent des inconvénients que ne peuvent racheter tous les charmes de l'enthousiasme et de l'ignorance qui soient au monde. Les systèmes ont tous une tendance malheureuse à tenir pour négligeables les convenances ; et j'envisage avec espoir comme le meilleur avantage qui puisse lui advenir, une meilleure connaissance du monde.

Au bout d'un bref silence, il reprit l'entretien, en disant :

– Votre sœur ne fait-elle pas de distinctions dans ses objections à l'égard d'un second amour ? Ou est-il également criminel chez tout le monde ? Ceux qui ont été déçus dans leur premier choix, soit à cause de l'inconstance de son objet, soit en raison de la perversité des circonstances, doivent-ils rester également indifférents durant tout le reste de leur vie ?

– Sur mon âme, je ne connais pas les détails minutieux de ses principes. Je sais seulement que je ne l'ai encore jamais entendue reconnaître un exemple quelconque où un second amour ait été pardonnable.

– Cela, dit-il, ne saurait persister ; mais un changement, un changement total de sentiments – non, non, ne le désirez pas – car lorsque les raffinements romanesques de l'esprit d'une jeune fille sont contraints à céder la place, ah ! comme ils sont fréquemment remplacés par des opinions ne sont que trop communes, et trop dangereuses ! Je parle par expérience. J'ai connu jadis une dame qui, par le caractère et par l'esprit, ressemblait beaucoup à votre sœur, qui pensait et jugeait comme elle, mais qui, en raison d'un changement imposé – en raison d'une série de circonstances malheureuses...

Il se tut soudain, sembla se dire qu'il avait trop parlé, et fit naître, par son attitude, des conjectures qui, sans cela, eussent ne pas pu entrer dans la tête d'Elinor. Cette dame eût probablement passé sans un soupçon, s'il n'avait convaincu miss Dashwood que ce qui la concernait ne devait pas s'échapper de ses lèvres. En l'espèce, il ne fallait qu'un léger effort d'imagination pour relier l'émotion du colonel au tendre souvenir d'une affection passée. Elinor ne tenta rien de plus. Mais Marianne, à sa place, n'en serait pas restée là. Toute l'histoire eût rapidement pris forme sous son imagination active, et tout eût été établi selon l'ordre le plus mélancolique de l'amour désastreux.

XII

Tandis qu'Elinor et Marianne se promenaient ensemble le lendemain matin, celle-ci communiqua à sa sœur une nouvelle qui, malgré tout ce qu'elle savait déjà de l'imprudence et du manque de réflexion de Marianne, la surprit par le témoignage surabondant qu'elle donnait de l'une et de l'autre. Marianne lui dit, avec la plus grande joie, que Willoughby lui avait donné un cheval, une bête qui provenait de son propre élevage dans sa propriété du Somersetshire, et qui était exactement ce qu'il fallait pour porter une femme. Sans songer qu'il n'entrait pas dans les projets de sa mère d'entretenir un cheval – que, si elle venait à modifier sa résolution en faveur de ce présent, il lui faudrait en acheter un autre pour le domestique, prendre un domestique pour le monter, et, en outre, construire une écurie pour les recevoir – elle avait accepté le cadeau sans hésitation, et elle conta la chose avec ravissement.

– Il se propose d'envoyer immédiatement son palefrenier dans le Somersetshire, pour aller le chercher, ajouta-t-elle, et quand il arrivera, nous irons à cheval tous les jours. Tu en partageras l'usage avec moi. Imagine-toi, ma chère Elinor, le délice d'un galop sur quelques-uns de ces coteaux !

Elle se montra fort récalcitrante à se réveiller d'un tel rêve de félicité, à comprendre toutes les vérités malencontreuses qu'impliquait l'affaire, et pendant quelque temps elle refusa de s'y soumettre. En ce qui concerne un domestique supplémentaire, la dépense serait insignifiante ; maman, elle en était sûre, ne s'y opposerait certes pas ; et n'importe quel cheval suffirait pour lui ; il pourrait toujours en trouver un au Park ; et quant à l'écurie, le plus simple des hangars serait suffisant. Elinor se hasarda à émettre un doute sur la convenance qu'il y avait à ce qu'elle reçût un tel présent de la part d'un homme qu'elle connaissait si peu, ou du moins depuis si peu de temps. C'en fut trop.

– Tu te trompes, Elinor, dit-elle avec chaleur, en supposant que je connais fort peu Willoughby. Je ne le connais pas depuis longtemps, certes, mais je le connais beaucoup mieux qu'aucun être au monde, excepté toi-même et maman. Ce n'est pas le temps, ni l'occasion, qui doivent déterminer l'intimité – c'est le caractère seul. Sept années seraient insuffisantes pour que certaines personnes pussent se connaître l'une l'autre, et sept jours sont plus qu'il n'en faut pour certaines autres. Je me tiendrais pour coupable d'une plus grande inconvenance en acceptant un cheval de la part de mon frère que de celle de Willoughby. John, je le connais fort peu, bien que nous ayons vécu ensemble pendant des années ; mais mon jugement sur Willoughby, il y a longtemps qu'il est formé.

Elinor jugea plus sage de ne pas insister sur ce point. Elle connaissait le caractère de sa sœur. Toute opposition, sur un sujet si délicat, ne ferait que l'attacher davantage à sa propre opinion. Mais en faisant appel à son affection pour sa mère, en lui représentant les inconvénients que cette mère indulgente serait contrainte de s'attirer si (comme ce serait probablement le cas) elle consentait à augmenter ainsi son train de maison, Marianne ne tarda pas à se laisser persuader ; et elle promit de ne pas tenter sa mère à se laisser aller à une telle bonté imprudente en lui faisant part de cette offre, et de dire à Willoughby, la prochaine fois qu'elle le verrait, qu'elle était obligée de la décliner.

Elle tint parole ; et quand Willoughby vint à la maisonnette, le même jour, Elinor l'entendit qui lui exprimait à voix basse sa déception d'être contrainte de renoncer à accepter son présent. Les motifs de ce changement furent exposés en même temps, et ils étaient tels qu'il fut impossible au jeune homme d'insister davantage. Toutefois, les regrets de Willoughby furent fort apparents ; et, après les avoir exprimés avec beaucoup de sérieux, il ajouta de même à mi-voix :

– Mais, Marianne, le cheval est toujours à vous, bien que vous ne puissiez vous en servir maintenant. Je ne le conserverai que jusqu'à ce que vous puissiez le réclamer. Quand vous quitterez Barton pour vous établir chez vous d'une façon plus durable, Queen Mab vous recevra.

Tout cela fut entendu par miss Dashwood ; et dans toute la phrase, dans la façon dont il la prononça, et dans le fait qu'il s'adressât à sa sœur par son prénom seul, elle aperçut à l'instant une intimité si résolue, une signification si directe, qu'elle marquait un accord parfait entre eux. Dès ce moment, elle ne douta pas qu'ils ne fussent fiancés ; et cette croyance ne créa d'autre surprise que celle de constater que des caractères aussi francs lui laissaient, ainsi qu'à leurs amis, le soin de le découvrir par hasard.

Margaret lui conta le lendemain une chose qui éclaira la question d'un jour encore plus clair. Willoughby avait passé la soirée précédente chez elles, et Margaret, du fait qu'elle fût restée quelque temps dans le petit salon, seule avec lui et Marianne, avait eu l'occasion d'effectuer des observations qu'elle communiqua à sa sœur, avec un visage chargé d'importance, lorsqu'elles se trouvèrent ensuite seule à seule.

– Oh, Elinor ! s'écria-t-elle, quel secret j'ai à te dire au sujet de Marianne ! Je suis sûre qu'elle sera, d'ici fort peu de temps, mariée à Mr. Willoughby.

– Tu as dit cela, repartit Elinor, à peu près tous les jours depuis qu'ils se sont rencontrés pour la première fois sur la côte de High-Church ; et ils ne se connaissaient pas depuis huit jours, je crois bien, que tu étais certaine que Marianne portait son portrait autour du cou ; mais il s'est révélé que ce n'était que la miniature de notre grand-oncle.

– Mais, en vérité, ceci est une tout autre affaire. Je suis sûre qu'ils se marieront très prochainement, parce qu'il a une boucle de cheveux de Marianne.

– Prends garde, Margaret. Il se peut que ce ne soient que les cheveux d'un grand-oncle de Willoughby.

– Mais je t'assure, Elinor, que ce sont les cheveux de Marianne. J'en suis à peu près sûre, car je l'ai vu qui les coupait. Hier soir, après le thé, quand maman et toi êtes sorties de la pièce, ils ont chuchoté et causé ensemble aussi vite que possible, et il avait l'air de lui mendier quelque chose ; puis il a pris les ciseaux, et lui a coupé une longue mèche de cheveux, car ils lui retombaient en désordre dans le dos ; et il l'a baisée, repliée dans un morceau de papier blanc, et mise dans son portefeuille.

Elinor ne put se refuser à donner créance à de semblables détails, provenant d'une source aussi autorisée ; elle n'était d'ailleurs pas disposée à un tel refus, car la circonstance était à l'unisson parfait ce qu'elle avait elle-même vu et entendu.

La sagacité de Margaret ne se manifestait pas toujours d'une façon aussi satisfaisante pour sa sœur. Lorsque Mrs. Jennings l'entreprit un soir, au Park, afin qu'elle donnât le nom du jeune homme qui était tout particulièrement le préféré d'Elinor – ce qui avait, depuis longtemps, suscité sa vive curiosité – Margaret répondit en regardant sa sœur, et en disant : – Il ne faut pas que je le dise, n'est-ce pas, Elinor ?

Cette réponse, bien entendu, fit rire tout le monde ; et Elinor essaya de rire, elle aussi. Mais l'effort fut douloureux. Elle était convaincue que Margaret avait réussi à faire en sorte qu'une personne dont elle ne pouvait entendre le nom avec calme devînt une plaisanterie classique pour Mrs. Jennings.

Marianne sympathisa profondément avec elle ; mais elle fit plus de mal que de bien à sa cause, en rougissant intensément, et en disant d'un ton irrité à Margaret :

– Souviens-toi que, quelles que puissent être tes conjectures, tu n'as nul droit de les répéter.

– Je n'ai jamais eu de conjectures là-dessus, repartit Margaret ; c'est toi-même qui me l'as dit.

Cette réponse accrut la gaieté de la compagnie, et Margaret fut sollicitée avec insistance d'en dire plus long.

– Oh ! Je vous en prie, miss Margaret, instruisez-nous de toute l'affaire, dit Mrs. Jennings. Comment s'appelle ce gentleman ?

– Il ne faut pas que je le dise, madame. Mais je le connais très bien ; et je sais aussi où il est.

– Oui, oui, nous sommes capables de le deviner, où il est : chez lui, à Norland, assurément. C'est le vicaire de la paroisse, sans doute.

– Non, il ne l'est pas. Il n'a aucune profession.

– Margaret, dit Marianne, avec feu, tu sais que tout cela est une invention de ta part, et qu'il n'existe aucune personne de ce genre.

– Eh bien, alors, c'est qu'il est mort récemment, Marianne, car je suis sûre qu'il y avait jadis un homme de ce genre, et son nom commence par un F.

Elinor éprouva beaucoup de reconnaissance envers lady Middleton, qui fit remarquer à ce moment qu'« il pleuvait très fort », bien qu'elle crût que cette interruption provenait moins de quelque égard pour elle que de la grande aversion de milady pour tous les sujets inélégants de raillerie qui faisaient la joie de son mari et de sa mère. Toutefois, cette idée une fois lancée par elle, fut immédiatement poursuivie par le colonel Brandon, qui se préoccupait en toute occasion des susceptibilités d'autrui ; et ils parlèrent copieusement, l'un et l'autre, de la pluie. Willoughby ouvrit le pianoforte, et pria Marianne de s'y asseoir ; et c'est ainsi, sous les efforts variés de différentes personnes pour abandonner le sujet de conversation, qu'il tomba à plat. Mais Elinor ne se remit pas avec la même facilité de la frayeur dans laquelle il l'avait jetée.

On constitua ce soir-là un groupe qui devait sortir le lendemain pour aller visiter un très beau domaine à environ douze milles de Barton, appartenant à un beau-frère du colonel Brandon, et qu'il était impossible de visiter sans que celui-ci ne s'y intéressât, car le propriétaire, qui était à l'étranger, avait laissé des ordres stricts à cet effet. Les jardins passaient pour extrêmement beaux, et Sir John, qui se montrait particulièrement ardent à les vanter, pouvait être considéré comme raisonnablement qualifié à les juger, car il avait, depuis dix ans, constitué au moins deux fois chaque été des groupes pour les visiter. Ils renfermaient une noble pièce d'eau, sur laquelle une partie de navigation à la voile devait constituer une bonne part des divertissements de la matinée ; on devait emporter un repas froid, on ne devait utiliser que des voitures découvertes, et tout devait être organisé selon la manière habituelle d'une complète partie de plaisir.

Cela parut, à quelques-unes des personnes de la compagnie, une entreprise assez hardie, étant donnés l'époque de l'année et le fait qu'il eût plu tous les jours au cours de la dernière quinzaine ; et Mrs. Dashwood, qui avait déjà un rhume, se laissa persuader par Elinor de rester à la maison.

XIII

Leur excursion projetée à Whitwell se déroula d'une façon fort différente de ce qu'avait prévu Elinor. Elle était préparée à être trempée, fatiguée, et effrayée ; mais l'événement fut encore plus malencontreux, car ils ne partirent même pas.

Tout le groupe était rassemblé dès dix heures au Park, où ils devaient déjeuner. La matinée était plutôt favorable, bien qu'il eût plu toute la nuit, car les nuages se dispersaient alors à travers le ciel et le soleil apparaissait fréquemment. Ils étaient tous pleins d'entrain et de bonne humeur, ardents à la joie, et résolus à subir les pires incommodités et difficultés plutôt que de changer d'état d'esprit.

Pendant qu'ils déjeunaient, on apporta les lettres. Parmi elles il y en avait une pour le colonel Brandon ; il la prit, regarda la suscription, pâlit, et sortit immédiatement de la pièce.

– Qu'a donc Brandon ? dit Sir John.

Personne ne le savait.

– J'espère qu'il n'a pas reçu de mauvaises nouvelles, dit lady Middleton. Il faut que ce soit quelque chose d'extraordinaire, pour obliger le colonel Brandon à quitter aussi soudainement ma table au moment du déjeuner.

Il reparut au bout d'environ cinq minutes.

– Pas de mauvaises nouvelles, j'espère, mon colonel ? dit Mrs. Jennings, dès qu'il fut entré dans la pièce.

– Pas du tout, madame, je vous remercie.

– Provient-elle d'Avignon ? J'espère que ce n'est pas pour vous annoncer que votre sœur va plus mal ?

– Non, madame, elle provenait de Londres, et c'est simplement une lettre d'affaires.

– Mais comment l'écriture a-t-elle pu vous inquiéter à ce point, si ce n'était qu'une lettre d'affaires ? Voyons, voyons, cela ne va pas, mon colonel ; dites-nous donc ce qu'il en est, au vrai.

– Ma chère madame, dit lady Middleton, songez à ce que vous dites !

– Peut-être est-ce pour vous annoncer que votre cousine Fanny est mariée ? dit Mrs. Jennings, sans prêter attention au reproche de sa fille.

– Mais non, certes.

– Eh bien, alors, je sais de qui elle vient, mon colonel ! Et j'espère qu'elle va bien.

– Qui voulez-vous dire ? fit-il, en rougissant légèrement.

– Oh, vous le savez bien, qui je veux dire.

– Je suis particulièrement désolé, madame, dit-il, s'adressant à lady Middleton, d'avoir reçu cette lettre aujourd'hui, car il s'agit d'une affaire qui exige ma présence immédiate à Londres.

– À Londres ! s'écria Mrs. Jennings. Que pouvez-vous donc avoir à faire à Londres à cette époque de l'année ?

– J'y perds beaucoup, reprit-il, en étant obligé de quitter une réunion si agréable ; mais je suis d'autant plus désolé, que je crains fort que ma présence ne soit nécessaire pour vous permettre d'être admis à Whitwell.

Quel coup ce fut là pour eux !

– Mais si vous écrivez un mot à la femme de charge, Mr. Brandon, dit vivement Marianne, cela ne suffira-t-il pas ?

Il hocha la tête.

– Il faut que nous y allions, dit Sir John. Ce ne sera pas partie remise, alors que nous en sommes si près. Vous ne pourrez aller en ville que demain, Brandon, voilà tout.

– Je voudrais que cela pût s'arranger aussi facilement. Mais il n'est pas en mon pouvoir de retarder d'un seul jour mon voyage.

– Si seulement vous nous disiez ce que c'est que votre affaire, dit Mrs. Jennings, nous pourrions voir si, oui ou non, il est possible de la retarder.

– Vous n'arriveriez pas six heures plus tard, dit Willoughby, si vous différiez votre voyage jusqu'à notre retour.

– Je ne puis me permettre de perdre une seule heure.

Elinor entendit alors Willoughby qui disait à mi-voix à Marianne :

– Il y a des gens qui ne peuvent supporter une partie de plaisir. Brandon est de ceux-là. Il a eu peur de s'enrhumer, sans doute, et a inventé ce tour pour se dégager. Je parierais cinquante guinées[1] que c'est lui-même qui l'a écrite, cette lettre.

– Je n'en doute pas, répondit Marianne.

– On ne peut vous persuader de changer d'avis, Brandon, je le sais depuis longtemps, dit Sir John, une fois que vous vous êtes décidé sur quelque chose. Mais j'espère néanmoins que vous vous raviserez. Songez : voici les deux demoiselles Carey, qui sont venues de Newton, les trois demoiselles Dashwood, venues à pied depuis la maisonnette, et Mr. Willoughby, qui s'est levé deux heures avant son heure habituelle, exprès pour aller à Whitwell.

Le colonel Brandon réitéra les regrets qu'il éprouvait à causer une déception à la compagnie, mais déclara en même temps que cela était inévitable.

– Eh bien, alors, quand serez-vous de retour ?

– J'espère que nous vous verrons à Barton, ajouta milady, aussitôt qu'il vous sera loisible de quitter Londres ; et il nous faudra différer jusqu'à votre retour l'excursion à Whitwell.

---

[1] La guinée, qui était autrefois une pièce d'or de titre supérieur, n'est plus actuellement qu'une monnaie de compte, valant 21 shillings, alors que la livre en vaut 20. *(N. du Tr.)*

– Vous êtes fort accommodante. Mais la date à laquelle il pourra être en mon pouvoir de revenir est tellement incertaine, que je n'ose même prendre aucun engagement à ce sujet.

– Oh, il faut absolument qu'il revienne, et il reviendra, s'écria Sir John. S'il n'est pas ici pour la fin de la semaine, j'irai le chercher.

– Parfaitement, Sir John, s'écria Mrs. Jennings, et alors, peut-être, pourrez-vous découvrir ce que c'est que son affaire.

– Je ne désire pas me mêler indiscrètement des affaires d'autrui ; je suppose que c'est quelque chose dont il a honte.

On annonça les chevaux du colonel Brandon.

– Vous n'allez pas à Londres à cheval, dites ? ajouta Sir John.

– Non, seulement à Honiton. Je prendrai alors la poste.

– Enfin, puisque vous êtes résolu à partir, je vous souhaite bon voyage. Mais vous feriez mieux de changer d'avis.

– Je vous assure que cela n'est pas en mon pouvoir.

Il prit alors congé de toute la compagnie.

– N'y a-t-il aucune chance que je vous voie, vous et vos sœurs, à Londres, cet hiver, miss Dashwood ?

– Aucune, je le crains.

– Alors, il faut que je vous dise au revoir pour une durée plus longue que je ne le désirerais.

Quant à Marianne, il s'inclina simplement devant elle, et ne dit rien.

– Voyons, mon colonel, dit Mrs. Jennings, avant de partir, dites-nous donc l'objet de votre voyage.

Il lui souhaita une agréable matinée, et, accompagné de Sir John, quitta la pièce.

Les plaintes et les lamentations que la politesse avait jusque-là retenues, éclatèrent à présent de toutes parts ; et ils furent unanimes à dire et à répéter qu'il était bien agaçant d'être ainsi déçu.

– Je devine pourtant ce qui l'appelle là-bas, dit Mrs. Jennings, d'un ton de triomphe.

– Vraiment, madame ? dit à peu près tout le monde.

– Oui ; il doit s'agir de miss Williams, j'en suis sûre.

– Et qui est miss Williams ? demanda Marianne.

– Comment ? Vous ne savez pas qui est miss Williams ? Je suis sûre que vous avez déjà entendu parler d'elle. C'est une parente du colonel, ma chérie – une très proche parente. Nous ne disons pas à quel point elle est proche, de peur de scandaliser les jeunes filles. Puis, baissant légèrement la voix, elle dit à Elinor : – C'est sa fille naturelle.

– Vraiment !

– Oh, oui ; et elle lui ressemble, de tous ses yeux écarquillés. Je suppose que le colonel lui laissera toute sa fortune.

Lorsque Sir John revint, il se joignit de tout cœur aux regrets unanimes touchant un événement aussi malencontreux ; il conclut, toutefois, en faisant remarquer que, comme ils étaient tous réunis, il fallait qu'ils fissent quelque chose pour se rendre heureux ; et après quelque consultation, il fut décidé que, bien que le bonheur ne pouvait se savourer qu'à Whitwell, ils pourraient s'assurer une tranquillité d'esprit raisonnable en faisant une promenade en voiture dans la campagne. On commanda alors les voitures ; celle de Willoughby arriva la première, et Marianne n'avait jamais eu l'air plus heureuse que lorsqu'elle y monta. Il partit à très vive allure à travers le parc, et ils furent bientôt hors de vue ; et on ne les vit plus jusqu'à leur retour, qui n'eut lieu qu'après celui de tous les autres. Ils parurent tous les deux ravis de leur promenade, mais se contentèrent de dire, d'une façon générale, qu'ils étaient restés dans les chemins bas, tandis que les autres avaient parcouru les coteaux.

Il fut décidé qu'il y aurait une sauterie le soir, et que tout le monde serait extrêmement joyeux toute la journée. Quelques autres membres de la famille Carey vinrent dîner, et ils eurent le plaisir de se mettre à table au nombre de près de vingt, ce que Sir John constata avec beaucoup de satisfaction. Willoughby s'assit à sa place habituelle, entre les deux aînées des demoiselles Dashwood. Mrs. Jennings prit place à la droite d'Elinor ;

et ils n'étaient pas assis depuis longtemps, qu'elle se pencha en arrière d'elle et de Willoughby et dit à Marianne, suffisamment haut pour qu'ils l'entendissent tous les deux :

– Je vous ai percée à jour, en dépit de toutes vos petites roueries. Je sais où vous avez passé la matinée.

Marianne rougit, et répondit en toute hâte :

– Où donc, s'il vous plaît ?

– Ne saviez-vous pas, dit Willoughby, que nous étions sortis dans mon cabriolet ?

– Oui, oui, monsieur l'Impudent, je le sais fort bien, et j'étais résolue à découvrir où vous êtes allés. J'espère que votre nouvelle maison vous plaît, miss Marianne. Elle est très grande, je le sais, et quand j'irai vous voir, j'espère que vous l'aurez remeublée à neuf, car elle en avait grand besoin quand j'y ai séjourné, il y a six ans.

Marianne se détourna, fort confuse. Mrs. Jennings rit de bon cœur, et Elinor découvrit que, dans sa résolution de savoir où ils étaient allés, elle avait bel et bien chargé sa propre femme de chambre de s'enquérir auprès du palefrenier de Mr. Willoughby, et qu'elle avait appris, par cette méthode, qu'ils étaient allés à Allenham, et avaient passé un temps considérable à se promener dans le jardin, et à parcourir toute la maison.

Elinor eut peine à croire que cela fût vrai, car il semblait fort peu probable que Willoughby proposât, ou que Marianne acceptât, d'entrer dans la maison pendant qu'elle était habitée par Mrs. Smith, que Marianne ne connaissait absolument pas.

Dès qu'elles eurent quitté la salle à manger, Elinor s'enquit à ce sujet auprès de sa sœur ; et sa surprise fut grande quand elle constata que chacune des circonstances rapportées par Mrs. Jennings était parfaitement exacte. Marianne s'emporta même bel et bien contre elle, pour en avoir douté.

– Pourquoi t'imaginerais-tu, Elinor, que nous n'y sommes pas allés, ou que nous n'avons pas visité la maison ? N'est-ce pas là ce que tu as, toi-même, souvent désiré faire ?

– Oui, Marianne ; mais je ne voudrais pas y aller pendant que Mrs. Smith y habite, et sans aucun autre compagnon que Mr. Willoughby.

– Pourtant, Mr. Willoughby est la seule personne qui puisse avoir le droit de faire visiter cette maison ; et comme il est parti en voiture découverte, il était impossible d'avoir un autre compagnon. Je n'ai, de ma vie, passé une matinée plus agréable.

– Je crains bien, répondit Elinor, que l'agrément d'une occupation n'en prouve pas toujours la bienséance.

– Au contraire, rien n'en saurait constituer une meilleure preuve, Elinor ; car s'il y avait eu quelque inconvenance réelle dans ce que j'ai fait, j'en aurais eu conscience sur le moment, car nous savons toujours quand nous faisons quelque chose de répréhensible, et avec une telle conviction je n'aurais pu avoir aucun plaisir.

– Mais, ma chère Marianne, comme elle t'a déjà exposée à quelques remarques fort impertinentes, ne commences-tu pas maintenant à douter de la bienséance de ta propre conduite ?

– S'il faut que les remarques impertinentes de Mrs. Jennings soient une preuve de conduite inconvenante, nous péchons tous, à chaque instant de notre vie. Je n'attache pas plus de valeur à son blâme que je n'en ferais à ses éloges. Je n'ai pas conscience d'avoir mal agi en parcourant le parc de Mrs. Smith, ni en visitant sa maison. Ils appartiendront un jour à Mr. Willoughby, et...

– S'ils devaient un jour t'appartenir, à toi, Marianne, tu ne serais pas justifiée à faire ce que tu as fait.

Elle rougit à cette insinuation ; mais elle lui fut même visiblement agréable ; et après un intervalle de réflexion sérieuse qui dura dix minutes, elle revint auprès de sa sœur, et dit, avec beaucoup de bonne humeur :

– Peut-être, Elinor, cela a-t-il été un peu inconsidéré de ma part d'aller à Allenham ; mais Mr. Willoughby désirait particulièrement me faire voir la propriété ; et c'est une maison charmante, je t'assure. Il y a, à l'étage, une pièce d'habitation remarquablement jolie, de dimensions agréables et confortables pour l'usage constant, et, avec un mobilier moderne, elle serait ravissante. C'est une pièce d'angle, et elle a des fenêtres sur deux côtés. D'un côté, l'on a vue par-dessus le boulingrin, derrière la maison, sur un magnifique bois surplombant ; et de l'autre, on aperçoit l'église et le village, et, au-delà, ces belles collines bien marquées que nous avons si souvent admirées. Je ne l'ai pas vue à son avantage, car rien ne saurait être plus triste que ce mobilier ; mais si elle était remise à neuf... – avec deux cents livres, dit Willoughby, on en ferait l'une des pièces d'été les plus agréables d'Angleterre.

Si Elinor avait pu l'écouter sans interruption de la part des autres, Marianne eût décrit avec un ravissement égal chacune des pièces de la maison.

XIV

La terminaison soudaine de séjour du colonel Brandon au Park, jointe à la fermeté avec laquelle il en dissimula la cause, emplit l'esprit et suscita l'étonnement de Mrs. Jennings pendant deux ou trois jours : elle pratiquait assidûment l'étonnement, comme doit le faire nécessairement quiconque s'intéresse d'une façon particulièrement vive à toutes les allées et venues des personnes de sa connaissance. Elle se demanda, presque sans rémission, ce qui pouvait en être la cause ; elle était sûre qu'il devait y avoir quelque mauvaise nouvelle, et réfléchit à chacune des formes de malheur qui aurait pu lui advenir, avec la résolution bien arrêtée qu'il n'échapperait pas à toutes.

– Il doit se passer quelque chose de fort mélancolique, à coup sûr, dit-elle. Je l'ai vu à son visage. Pauvre homme ! Je crains que ses affaires ne soient mal en point. Le domaine de Delaford n'a jamais été estimé rapporter plus de deux mille livres par an, et son frère a laissé partout des dettes lamentables. Je crois vraiment qu'on a dû l'appeler pour des questions d'argent, car qu'est-ce que cela peut être, à part cela ? Je me demande s'il en est ainsi. Je donnerais n'importe quoi pour savoir le fond de l'affaire. Il s'agit peut-être de miss Williams, et, soit dit en passant, je crois bien que c'est cela, parce qu'il a pris un air tellement gêné quand j'ai prononcé son nom. Peut-être est-elle malade à Londres ; il n'y a rien au monde de plus probable, car j'ai idée qu'elle est toujours un peu maladive. Je parierais bien n'importe quoi qu'il s'agit de miss Williams. Il n'est pas tellement probable qu'il soit matériellement gêné à présent, car c'est un homme très prudent, et, assurément, il a dû déjà purger le domaine des dettes qui le grevaient. Je me demande ce que cela peut être ! Peut-être sa sœur va-t-elle plus mal, à Avignon, et l'a-t-elle fait appeler. Son départ en telle hâte semble bien l'indiquer. Enfin, je lui souhaite de tout cœur de se tirer d'embarras, et de trouver par-dessus le marché une bonne épouse.

Ainsi s'étonnait, ainsi parlait Mrs. Jennings : son opinion variait avec chaque conjecture nouvelle, dont chacune semblait également probable à mesure qu'elle se présentait. Elinor, bien qu'elle s'intéressât sincèrement au bonheur du colonel Brandon, fut incapable de consacrer à son départ soudain tout l'étonnement que Mrs. Jennings eût voulu lui faire éprouver ; car outre que les circonstances n'eussent pas, à son avis, justifié un étonnement aussi durable, ni une telle variété de conjectures, ses facultés d'étonnement étaient occupées par ailleurs. Elles étaient accaparées par le silence extraordinaire de Willoughby et de sa sœur touchant la question qui, ils devaient le savoir, était particulièrement intéressante pour eux tous. À mesure que ce silence se prolongeait, chaque jour le faisait paraître plus étrange et plus incompatible avec leur caractère, à tous deux. Pourquoi ils n'avouaient pas ouvertement à Mrs. Dashwood et à elle-même ce que leur attitude constante l'un envers l'autre déclarait avoir eu lieu – voilà ce qu'Elinor ne pouvait comprendre.

Elle se rendait aisément compte que le mariage pourrait n'être pas immédiatement en leur pouvoir ; car bien que Willoughby eût de quoi vivre, il n'y avait aucune raison de le croire riche. Son bien avait été estimé par Sir John à environ six ou sept cents livres par an ; mais il vivait sur un pied auquel ce revenu ne pouvait guère faire face, et il s'était souvent plaint lui-même de sa pauvreté. Mais elle était incapable de s'expliquer ce genre étrange de secret gardé par eux au sujet de leurs fiançailles, et qui, en fait, ne cachait absolument rien ; et il était si totalement contradictoire avec leurs opinions et leurs agissements en général, qu'elle était parfois prise d'un doute quant à la réalité de la promesse qu'ils avaient pu échanger, et ce doute suffisait à l'empêcher de poser aucune question à Marianne.

Rien ne pouvait mieux exprimer l'attachement envers elles toutes que l'attitude de Willoughby. Envers Marianne, elle avait toute la tendresse distinctive que pouvait donner un cœur d'amoureux, et envers le reste de la famille elle était l'attention affectueuse d'un fils et d'un frère. La maisonnette semblait être considérée et aimée par lui comme son foyer ; beaucoup plus de ses heures étaient passées là qu'à Allenham, et quand aucun programme général ne les rassemblait au Park, il était à peu près certain que l'exercice qui l'appelait au dehors, dans la matinée, se terminait là, où il passait le reste de la journée aux côtés de Marianne, avec son chien d'arrêt préféré aux pieds de la jeune fille.

Un soir, en particulier, environ huit jours après que le colonel Brandon eut quitté la campagne, le cœur de Willoughby parut plus qu'habituellement ouvert à tous les sentiments d'attachement à l'égard des objets qui l'entouraient, et Mrs. Dashwood ayant parlé par hasard de son dessein d'effectuer au printemps des travaux d'amélioration à la maisonnette, il s'opposa vigoureusement à toute modification d'une demeure que l'affection l'avait habitué à considérer comme parfaite.

– Comment ! s'écria-t-il, embellir cette chère maisonnette ! Non, cela, je n'y consentirai jamais ! Il faut que pas une pierre ne soit ajoutée à ses murs, ni un pouce à ses dimensions, si l'on a quelque égard pour les sentiments que j'éprouve.

– Ne vous effrayez pas, dit miss Dashwood, rien de semblable ne sera fait, car ma mère n'aura jamais assez d'argent pour le tenter.

– Je m'en réjouis de tout cœur, s'écria-t-il. Puisse-t-elle être toujours pauvre, si elle n'emploie pas mieux sa richesse !

– Merci, Willoughby. Mais vous pouvez être assuré que je ne sacrifierais pas un seul de vos sentiments d'attachement envers ces lieux, ou de tout être que j'aimerais, à tous les embellissements du monde. Comptez-y : quelque somme inemployée qui puisse me rester quand je ferai mes comptes au printemps, j'aimerais mieux la mettre inutilement de côté, que de l'utiliser d'une façon qui vous soit si douloureuse. Mais êtes-vous réellement attaché à ce point à ces lieux, que vous n'y voyiez aucun défaut ?

– Certes, dit-il. Pour moi, ils sont sans défaut. Bien plus, même, je les considère comme la seule forme de bâtiment dans laquelle on puisse atteindre au bonheur, et si j'étais assez riche, j'abattrais immédiatement Combe, et le reconstruirais exactement sur le plan de cette maisonnette.

– Avec un escalier étroit et sombre, et une cuisine qui fumerait, je le suppose, dit Elinor.

– Oui, s'écria-t-il, du même ton plein d'ardeur, avec tout et chaque chose qui lui appartient ; on n'y percevrait la moindre variation, dans aucune des commodités ou des incommodités qu'elle comporte. C'est alors, et alors seulement, sous un tel toit, que je pourrais peut-être me trouver aussi heureux à Combe que je l'ai été à Barton.

– Je me flatte, repartit Elinor, que même avec le désagrément de pièces meilleures et d'un escalier plus large, vous trouverez par la suite votre propre maison aussi impeccable que vous trouvez à présent celle-ci.

– Il y a certainement des circonstances, dit Willoughby, qui pourraient me la rendre très chère ; mais cette demeure aura toujours un droit à mon affection, que nulle autre n'aura la possibilité de partager.

Mrs. Dashwood contempla avec plaisir Marianne, dont les beaux yeux étaient fixés d'une façon si expressive sur Willoughby, qu'ils dénotaient clairement à quel point elle le comprenait.

– Comme j'ai souvent souhaité, ajouta-t-il, lorsque j'étais à Allenham, à cette même époque, voilà un an, que la maisonnette de Barton fût habitée ! Je n'en passais jamais à portée de vue sans en admirer la situation, et sans regretter que personne n'y demeurât ! Comme je songeais peu que la première nouvelle que j'apprendrais de la bouche de Mrs. Smith quand je reviendrais dans le pays, ce serait que Barton Cottage était loué ! Et j'ai éprouvé à cet événement une satisfaction et un intérêt immédiat, que rien ne peut expliquer, si ce n'est une sorte de prescience du bonheur qu'il me ferait ressentir. Ne devait-il pas en être ainsi, Marianne ? fit-il, s'adressant à elle d'une voix plus basse. Puis, reprenant son ton précédent, il dit : Et pourtant, cette maison, vous voudriez l'abîmer, Mrs. Dashwood ! Vous voudriez la dépouiller de sa simplicité par des embellissements imaginaires ! Et ce cher petit salon, dans lequel s'est nouée notre connaissance, et dans lequel, depuis lors, nous avons passé ensemble tant d'heures heureuses, vous voudriez le rabaisser à l'état d'une entrée vulgaire, et tout le monde aurait hâte de passer au travers de la pièce qui a jusqu'ici renfermé en elle plus d'agréments et de confort réel que ne pourrait certes en offrir toute autre salle des plus belles dimensions du monde !

Mrs. Dashwood lui donna de nouveau l'assurance qu'aucun embellissement de ce genre ne serait tenté.

– Vous êtes une excellente femme, répondit-il avec chaleur. Votre promesse me rassure. Étendez-la encore un peu, et elle me rendra heureux. Dites-moi que non seulement votre maison restera la même, mais que je vous trouverai toujours, vous et les vôtres, aussi inchangées que votre demeure ; et que vous me considérerez toujours avec la bonté qui m'a rendu si cher tout ce qui vous touche.

Cette promesse fut donnée avec empressement, et l'attitude de Willoughby au cours de toute la soirée exprimait à la fois son affection et son bonheur.

– Vous verrons-nous à dîner, demain soir ? dit Mrs. Dashwood, au moment où il prit congé d'elles. Je ne vous demande pas de venir dans la matinée, car il faut que nous allions au Park, rendre visite à lady Middleton.

Il promit d'être chez elles pour quatre heures.

XV

La visite de Mrs. Dashwood à lady Middleton eut lieu le lendemain, et deux de ses filles l'accompagnèrent ; mais Marianne s'excusa de ne pas être de la partie, sous quelque prétexte insignifiant d'une occupation ; et sa mère, qui en conclut qu'une promesse avait été faite par Willoughby, la veille au soir, de venir la voir pendant qu'elles seraient absentes, fut parfaitement satisfaite de la voir rester à la maison.

Lors de leur retour de Park, elles trouvèrent le cabriolet et le domestique de Willoughby en stationnement devant la maisonnette, et Mrs. Dashwood fut convaincue que sa conjecture avait été correcte. Jusque-là, tout était tel qu'elle l'avait prévu ; mais, en entrant dans la maison, elle aperçut ce qu'aucune prévision ne lui avait appris à espérer. À peine furent-elles dans le couloir, que Marianne sortit en hâte du petit salon, prise apparemment d'un chagrin violent, tenant son mouchoir devant les yeux, et, sans remarquer leur présence, monta l'escalier en courant. Surprises et effrayées, elles pénétrèrent immédiatement dans la pièce qu'elle venait de quitter, et où elles ne trouvèrent que Willoughby, qui était appuyé contre la cheminée et leur tournait le dos. Il se retourna à leur entrée, et son visage manifestait qu'il prenait vigoureusement part à l'émotion qui terrassait Marianne.

– A-t-elle quelque chose qui ne va pas ? s'écria Mrs. Dashwood, au moment où elle entrait, est-elle malade ?

– J'espère que non, répondit-il, en essayant de prendre un air de gaieté, et, se forçant à sourire, il ajouta au bout de quelques instants : C'est plutôt moi qui puis m'attendre à être malade, car je souffre maintenant d'une déception extrêmement pénible !

– D'une déception !

– Oui, car il m'est impossible de tenir mon rendez-vous avec vous. Mrs. Smith a exercé ce matin le privilège de sa richesse à l'égard d'un cousin pauvre à sa charge, en m'envoyant à Londres pour affaires. Je viens de recevoir mes dépêches, et j'ai fait mes adieux à Allenham ; et, pour me ragaillardir, je viens à présent vous les faire, à vous.

– À Londres ! Et vous partez ce matin ?

– Presque à l'instant même.

– Voilà qui est fort malencontreux. Mais il faut donner satisfaction à Mrs. Smith, et j'espère que ses affaires ne vous retiendront pas longtemps loin de nous.

Il rougit, cependant qu'il répondit :

– Vous êtes bien aimable, mais je ne songe pas à revenir immédiatement dans le Devonshire. Mes visites à Mrs. Smith ne se renouvellent jamais dans l'espace d'une année.

– Et Mrs. Smith est-elle donc votre seule amie ? Est-ce qu'Allenham est la seule maison du voisinage où vous serez le bienvenu ? Fi donc, Willoughby ! se peut-il que vous attendiez une invitation pour venir ici ?

Sa rougeur s'intensifia, et, les yeux fixés sur le sol, il se contenta de répondre :

– Vous êtes trop aimable.

Mrs. Dashwood dévisagea Elinor avec surprise. Elinor éprouvait une stupéfaction égale. Pendant quelques instants tout le monde garda le silence. Mrs. Dashwood fut la première à parler.

– Il me reste seulement à ajouter, mon cher Willoughby, que vous serez toujours le bienvenu à Barton Cottage ; car je ne veux pas insister auprès de vous pour que vous reveniez ici immédiatement, parce que vous seul pouvez juger de la mesure dans laquelle cela pourrait plaire à Mrs. Smith ; et, quant à cela, je ne serai pas plus portée à mettre en question votre jugement qu'à douter de votre inclination.

– Mes engagements, à présent, répondit Willoughby, d'un air confus, sont d'une nature telle... que... je n'ose pas me flatter...

Il s'arrêta. Mrs. Dashwood fut trop étonnée pour parler, et il s'ensuivit un nouveau silence. Il fut rompu par Willoughby, qui dit, avec un léger sourire :

– C'est folie de s'attarder ainsi. Je ne veux pas me tourmenter plus longtemps en demeurant parmi des amis de la compagnie desquels il m'est à présent impossible de jouir.

Il prit alors hâtivement congé d'elles toutes, et sortit de la pièce. Elles le virent monter dans sa voiture, et, au bout d'une minute il était hors de leur vue.

Mrs. Dashwood était trop émue pour pouvoir dire un mot et quitta immédiatement le salon, pour s'abandonner dans la solitude à l'inquiétude et à la frayeur qu'occasionnait ce départ soudain.

L'émoi d'Elinor ne le cédait en rien à celui de sa mère. Elle songea avec angoisse et méfiance à tout ce qui venait de se passer. La conduite de Willoughby en prenant congé d'elles, son embarras et son affectation de gaieté, et, surtout, son peu d'empressement à accepter l'invitation de Mrs. Dashwood – manque d'ardeur si inattendu chez un amoureux, si peu conforme à sa manière – la troublèrent vivement. Elle craignit, un instant, qu'aucun dessein sérieux n'eût été conçu, de son côté, à lui, et, l'instant d'après, que quelque malencontreuse querelle ne se fût produite entre lui et sa sœur ; l'état de détresse dans lequel Marianne avait quitté la pièce était tel qu'une querelle sérieuse pouvait aisément l'expliquer ; et pourtant, lorsqu'elle songeait à ce qu'était l'amour de Marianne pour lui, une querelle semblait à peu près impossible.

Mais quels que pussent être les détails de leur séparation, la douleur de sa sœur était indubitable ; et elle songea avec la compassion la plus tendre à ce chagrin violent auquel Marianne, en toute probabilité, ne se contentait pas de s'abandonner à titre de soulagement, mais qu'elle nourrissait et encourageait à titre de devoir.

Au bout d'une demi-heure environ, sa mère revint, et, bien qu'elle eût les yeux rougis, son visage n'était pas exempt de joie.

– Notre cher Willoughby est maintenant à quelques milles de Barton, Elinor, dit-elle, s'asseyant à son ouvrage, et c'est avec le cœur bien lourd qu'il est en route !

– Tout cela est fort étrange. S'en aller si soudainement ! Il semble que ce ne soit que l'effet d'un instant ! Et hier soir il était auprès de nous, si heureux, si joyeux, si affectueux ! Et maintenant, après dix minutes seulement de préavis, le voilà parti, et sans intention de retour ! Il doit s'être produit quelque chose de plus que ce qu'il nous a avoué. Il n'a pas parlé, il ne s'est pas comporté, comme lui-même. Vous avez dû vous apercevoir de la différence, tout comme moi. Qu'est-ce que cela peut être ? Se peut-il qu'ils se soient querellés ? Pourquoi, s'il en est autrement, aurait-il manifesté si peu d'empressement à accepter votre invitation à venir ici ?

– Ce n'est pas l'inclination qui lui faisait défaut, Elinor ! Cela, je l'ai vu nettement. Il n'était pas en son pouvoir de l'accepter. J'ai réfléchi à tout cela, je t'assure, et je puis parfaitement expliquer tout ce qui, au premier abord, m'a paru étrange, tout comme à toi.

– Vous le pouvez vraiment ?

– Oui. Je me le suis expliqué à moi-même de la façon la plus satisfaisante ; mais toi, Elinor, qui aimes à douter là où tu le peux, cela ne te satisfera pas, je le sais ; mais tu ne parviendras pas, à force de paroles, à me faire perdre la foi que j'ai en mon explication. Je suis persuadée que Mrs. Smith soupçonne ses sentiments envers Marianne, qu'elle les désapprouve (peut-être a-t-elle d'autres desseins pour lui), et que, pour cette raison, elle désire vivement l'éloigner ; et que l'affaire qu'elle l'envoie traiter est inventée à titre de prétexte pour le faire partir. Voilà ce qui, me semble-t-il, a dû se passer. Il sait, de plus, qu'elle n'approuve pas ces relations ; il n'ose donc pas, pour le moment, lui avouer ses fiançailles avec Marianne, et il se sent obligé, en raison de sa situation de dépendance, de se plier aux desseins de Mrs. Smith et de s'absenter quelque temps du Devonshire. Tu me diras, je le sais, que tout cela a pu, ou n'a pas pu, se passer ; mais je ne veux entendre aucune argutie, à moins que tu ne puisses indiquer quelque autre méthode permettant de comprendre l'affaire, et qui soit aussi satisfaisante que celle-là. Et maintenant, Elinor, qu'as-tu à dire ?

– Rien, puisque vous avez prévu ma réponse.

– Donc, tu m'aurais dit que cela a pu, ou n'a pas pu, se produire. Oh, Elinor, comme tes sentiments sont incompréhensibles ! Tu aimes mieux croire au mal qu'au bien ! Tu aimes mieux entrevoir le chagrin pour Marianne et la culpabilité pour ce pauvre Willoughby, qu'une excuse pour celui-ci ! Tu es résolue à le trouver blâmable, parce qu'il a pris congé de nous avec moins d'affection que n'en témoignait son attitude habituelle. Et ne faut-il tenir compte en rien de l'inadvertance, ni du courage abattu par une déception récente ? Ne faut-il accepter aucune probabilité, simplement parce qu'elle n'est pas une certitude ? Rien n'est-il dû à l'homme que nous avons toutes tant de raison d'aimer et dont nous n'avons aucune raison au monde de penser du mal ? – à la possibilité de motifs péremptoires en soi, encore qu'ils soient inévitablement secrets pendant quelque temps ? Et, après tout, de quoi le soupçonnes-tu ?

– Je ne saurais guère vous le dire, quant à moi. Mais le soupçon de quelque chose de déplaisant est la conséquence inévitable d'un changement tel que nous venons de le constater chez lui. Il y a beaucoup de vérité, toutefois, dans ce que vous venez d'alléguer en ce qui concerne l'indulgence qu'il convient d'avoir pour lui, et j'ai le désir d'être sincère dans mon jugement sur tout le monde. Il se peut incontestablement que Willoughby ait des raisons fort suffisantes pour sa conduite, et je veux espérer qu'il en est ainsi. Mais il eût été plus conforme au caractère de Willoughby de les avouer d'emblée. Le secret peut être recommandable ; mais je ne peux pourtant pas m'empêcher de m'étonner de ce qu'il soit pratiqué par lui.

– Ne lui tiens pas rigueur, toutefois, de s'être départi de son caractère là où il était nécessaire de le faire. Mais tu admets effectivement la justice de ce que j'ai dit en sa défense ? Je suis heureuse, et il est acquitté !

– Pas entièrement. Il se peut qu'il convienne de dissimuler leurs fiançailles à Mrs. Smith (s'ils sont effectivement fiancés), et s'il en est ainsi, il doit être fort opportun pour Willoughby de ne séjourner que peu dans le Devonshire pour le moment. Mais ce n'est pas là une raison pour qu'ils nous les dissimulent, à nous.

– Qu'ils nous les dissimulent ! Ma chère enfant, accuses-tu Willoughby et Marianne de dissimulation ? Voilà qui est vraiment étrange, alors que tes yeux leur ont reproché chaque jour leur imprudence.

– Je n'ai pas besoin de preuves de leur affection, dit Elinor, mais de leurs fiançailles, oui.

– Moi, je suis parfaitement satisfaite, quant à l'un et l'autre de ces deux points.

– Pourtant, pas une syllabe ne vous a été dite à ce sujet, ni par l'un ni par l'autre.

– Je n'ai pas eu besoin de syllabes, là où les actes ont parlé si nettement. Son attitude à l'égard de Marianne et de nous toutes, depuis quinze jours au moins, n'a-t-elle pas démontré qu'il l'aimait et la considérait comme sa femme future, et qu'il éprouvait pour nous l'attachement du parent le plus proche ? Ne nous sommes-nous pas parfaitement compris ? Mon consentement n'a-t-il pas été demandé journellement par ses regards, ses façons, son respect attentif et affectueux ? Non Elinor, est-il possible de douter de leurs fiançailles ? Comment une pareille idée a-t-elle pu te venir ? Comment peut-on supposer que Willoughby, persuadé comme il doit l'être de l'amour de ta sœur, puisse la quitter, et la quitter peut-être pour des mois, sans lui parler de son affection, qu'ils puissent se séparer sans un échange mutuel de leur foi ?

– J'avoue, répondit Elinor, que toutes les circonstances, sauf une, sont en faveur des fiançailles ; mais celle-là, c'est le silence total de l'un et de l'autre à cet égard, et, quant à moi, elle l'emporte presque totalement sur toutes les autres.

– Comme cela est étrange ! Il faut vraiment que tu aies mauvaise opinion de Willoughby, si, après tout ce qui s'est passé ouvertement entre eux, tu peux douter de la nature de leurs relations mutuelles. A-t-il joué un rôle, dans son attitude envers ta sœur, durant tout ce temps ? Supposes-tu qu'il soit réellement indifférent à son égard ?

– Non, cela, je ne puis le penser. Il doit l'aimer, et il l'aime effectivement, j'en suis sûre.

– Mais d'un genre de tendresse étrange, s'il est capable de la quitter avec tant d'indifférence, tant d'insouciance envers l'avenir, que tu lui attribues.

– Il faut vous souvenir, ma chère mère, que je n'ai jamais considéré cette affaire comme certaine. J'ai eu mes doutes, je l'avoue ; mais ils sont plus légers qu'ils ne l'ont été, et il se peut qu'ils s'évanouissent bientôt totalement. Si nous constatons qu'ils s'écrivent, toutes mes craintes auront disparu.

– Belle concession, en vérité ! Si tu les voyais devant l'autel, tu supposerais qu'ils vont se marier. Fille ingrate ! Mais moi, je n'ai pas besoin d'une pareille preuve. Il n'y a jamais rien eu, à mon avis, qui justifie le doute ; il n'y a pas eu de tentative de secret ; tout a été uniformément ouvert et sans réserve. Tu ne peux douter des désirs de ta sœur. Il faut donc que ce soit Willoughby que tu soupçonnes. Mais pourquoi ? N'est-il pas un homme d'honneur et de sentiment ? Y a-t-il eu, de sa part, quelque inconséquence, pour créer l'effroi ? Se peut-il qu'il soit fourbe ?

– J'espère que non, je crois que non, s'écria Elinor. J'aime Willoughby, je l'aime sincèrement, et tout soupçon, quant à sa droiture, ne peut pas vous être plus douloureux qu'à moi. Ç'a été involontaire, et je ne veux pas l'encourager. J'ai été surprise, je l'avoue, par le changement dans ses façons, ce matin – il n'a pas parlé à son ordinaire, et n'a pas répondu avec cordialité à votre amabilité. Mais tout cela peut s'expliquer par un état de ses affaires tel que vous l'avez supposé. Il venait de se séparer de ma sœur, il l'avait vue partir dans la plus grande détresse ; et s'il s'est senti obligé, de crainte d'offenser Mrs. Smith, de résister à la tentation de revenir ici bientôt, tout en se rendant compte qu'en refusant votre invitation, en disant qu'il s'en allait pour quelque temps, il aurait l'air, à l'égard de notre famille, de se conduire de façon peu généreuse et donnant prise au soupçon, il pouvait à bon droit se trouver embarrassé et troublé. Dans un cas pareil, il me semble qu'un aveu simple et ouvert de ses difficultés aurait été plus à son honneur en même temps que plus conforme à son caractère général ; mais je ne veux soulever d'objections à l'encontre de la conduite de personne, sur un fondement aussi peu généreux qu'une différence de jugement par rapport à moi-même, ou qu'un écart par rapport à ce que je puis considérer comme juste et conséquent.

– Tu parles fort bien. Willoughby ne mérite certainement pas d'être soupçonné. Bien que nous ne le connaissions pas depuis longtemps, il n'est pas un étranger dans cette région ; et qui donc a jamais dit du mal de lui ? S'il avait été en situation d'agir de son propre chef et de se marier immédiatement, il aurait pu être curieux qu'il nous quittât sans tout m'avouer immédiatement. Mais il n'en est pas ainsi. Ce sont des fiançailles qui, par certains côtés, ne débutent pas très heureusement, car leur mariage doit nécessairement être reporté à un avenir fort incertain ; et il se peut même que le secret, pour autant qu'il puisse être observé, soit maintenant très recommandable.

Elles furent interrompues par l'entrée de Margaret : et Elinor eut alors le loisir de réfléchir aux remontrances courtoises de sa mère, de reconnaître la probabilité de beaucoup d'entre elles, et d'espérer que toutes fussent justes.

Elles restèrent sans nouvelles de Marianne jusqu'à l'heure du dîner, alors qu'elle entra dans la salle et prit place à table sans dire un mot. Elle avait les yeux rougis et gonflés ; et il semblait que, même alors, ses larmes ne fussent retenues qu'avec difficulté. Elle évita leurs regards à toutes, fut incapable de manger comme de parler, et au bout de quelque temps, sa mère lui ayant silencieusement pressé la main avec une compassion pleine de tendresse, le peu de courage qui lui restait s'effondra complètement – elle fondit en larmes et sortit de la pièce.

Cet abattement violent se prolongea durant toute la soirée. Elle était sans pouvoir de se dominer, parce qu'elle n'en avait pas le désir. La moindre allusion à tout ce qui touchait à Willoughby l'accablait à l'instant ; et bien que les siens apportassent toute leur attention inquiète à la réconforter, il leur fut impossible, si tant est qu'elles parlassent, d'éviter chacun des sujets que les sentiments de Marianne rattachaient à lui.

XVI

Marianne se serait crue bien inexcusable si elle avait pu dormir tant soit peu au cours de la première nuit qui suivit sa séparation d'avec Willoughby. Elle aurait eu honte de regarder les siens en face le lendemain matin, si elle ne s'était levée de son lit avec un plus grand besoin de repos que lorsqu'elle s'y était étendue. Mais les sentiments qui faisaient d'un tel calme une honte ne la laissaient en nul danger de l'encourir. Elle ne put fermer l'œil, de toute la nuit, et elle en passa la plus grande partie à pleurer. Elle se leva avec la migraine, fut incapable de parler, et refusa de prendre aucune nourriture – elle occasionna à tout instant de la peine à sa mère et à ses sœurs, et interdit toute tentative de consolation de la part de l'une ou des autres. Sa sensibilité était certes manifeste !

Le déjeuner terminé, elle sortit toute seule, et erra par le village d'Allenham, s'abandonnant au souvenir des joies passées, et employant la majeure partie de la matinée à pleurer sur le présent si contraire.

Elle passa la soirée en se laissant aller de même à ses sentiments. Elle rejoua chacune des chansons préférées qu'elle avait eu l'habitude de jouer pour Willoughby, chacun des airs dans lesquels leurs voix s'étaient le plus souvent unies, et resta assise devant son instrument, les yeux fixés sur chacune des portées de musique qu'il avait copiées pour elle, jusqu'à ce que son cœur fût si lourd qu'il ne pouvait plus emmagasiner d'autre tristesse ; et elle s'appliqua chaque jour à entretenir ainsi sa douleur. Elle passa des heures entières au pianoforte, à chanter et à pleurer tour à tour, la voix souvent totalement coupée par les larmes. Dans les livres, également, aussi bien que dans la musique, elle recherche la détresse que devait donner à coup sûr un contraste entre le passé et le présent. Elle ne lut que ce qu'ils avaient eu l'habitude de lire ensemble.

Une telle violence dans l'affliction ne pouvait évidemment pas être supportée à jamais ; elle s'adoucit au bout de quelques jours, pour devenir une mélancolie plus calme ; mais ses occupations, auxquelles elle revint journellement, ses promenades solitaires et ses méditations silencieuses, produisirent encore, de temps à autre, des effusions de douleur aussi vives que jamais.

Il ne vint aucune lettre de Willoughby, et Marianne semblait n'en attendre aucune. Sa mère fut surprise, et Elinor fut reprise d'inquiétude. Mais Mrs. Dashwood savait trouver, chaque fois qu'elle en avait besoin, des explications qui la satisfaisaient du moins elle-même.

– Songe, Elinor, dit-elle, que Sir John va lui-même chercher si souvent nos lettres à la poste, et les y porte ! Nous sommes déjà tombées d'accord sur ce que le secret peut être nécessaire, et il faut avouer qu'il ne pourrait pas être maintenu, si leur correspondance devait passer par les mains de Sir John.

Elinor ne put nier la vérité de cette observation, et elle essaya d'y trouver un motif suffisant à leur silence. Mais il y avait une méthode si directe, si simple, et à son avis si recommandable, de connaître l'état véritable de l'affaire, et de dissiper à l'instant tout mystère, qu'elle ne put s'empêcher d'en faire part à sa mère.

– Pourquoi ne demandez-vous pas tout de suite à Marianne, dit-elle, si oui ou non, elle est fiancée à Willoughby ? Venant de vous, sa mère, et une mère si bonne et si indulgente, la question ne saurait la froisser. Elle serait le résultat naturel de votre affection pour elle. Elle était naguère sans nulle réserve, et tout particulièrement envers vous.

– Je ne voudrais pour rien au monde poser une pareille question. En supposant possible qu'ils ne soient pas fiancés, quelle douleur infligerait une semblable interrogation ! En tout cas, elle serait fort peu généreuse. Je ne mériterais plus jamais sa confiance, après l'avoir forcée à livrer un aveu de ce qui est destiné pour l'instant à n'être révélé à personne. Je connais le cœur de Marianne : je sais qu'elle m'aime tendrement, et que je ne serai pas la dernière à prendre connaissance de l'affaire, quand les circonstances en rendront la révélation désirable. Je ne voudrais tenter de forcer une confidence à personne, et encore bien moins à une enfant, parce qu'un sentiment du devoir empêcherait la dénégation que ses désirs pourraient ordonner.

Elinor trouva cette générosité exagérée, étant donnée la jeunesse de sa sœur, et insista davantage, mais en vain ; le bon sens ordinaire, les soins courants, la prudence courante, tout cela était enfoui dans la délicatesse de sentiment romanesque de Mrs. Dashwood.

Il se passa plusieurs jours avant que le nom de Willoughby ne fût prononcé devant Marianne par quelqu'un des siens : Sir John et Mrs. Jennings, en vérité, ne furent pas aussi délicats ; leurs traits d'esprit ajoutèrent de la douleur à bien des heures douloureuses ; mais un soir, Mrs. Dashwood, prenant par hasard un volume de Shakespeare, s'écria :

– Nous n'avons jamais terminé *Hamlet*, Marianne ; notre cher Willoughby est parti avant que nous n'ayons pu le lire de bout en bout. Nous allons le mettre de côté, pour que, quand il reviendra... Mais il se passera peut-être des mois, d'ici que cela se produise.

– Des mois ! s'écria Marianne, avec une surprise violente. Non – ni beaucoup de semaines !

Mrs. Dashwood regretta ce qu'elle avait dit ; mais cela fit plaisir à Elinor, car ses paroles avaient arraché à Marianne une réponse exprimant une si grande confiance en Willoughby et une connaissance si totale de ses intentions !

Un matin, une huitaine de jours après le départ de Willoughby, Marianne se laissa persuader de se joindre à ses sœurs dans leur promenade habituelle, au lieu de s'en aller seule, à l'abandon. Elle avait, jusqu'alors, soigneusement évité toute compagne dans ses promenades. Si ses sœurs se proposaient de se promener par les collines, elle filait à la dérobée, tout droit, vers les chemins creux ; si elles parlaient de la vallée, elle se montrait aussi rapide à gravir les coteaux, et l'on ne la trouvait jamais quand les autres se mettaient en route. Mais enfin, sa présence fut assurée, grâce aux efforts d'Elinor, qui désapprouvait vivement une telle solitude continuelle. Elles prirent la route le long de la vallée, et principalement en silence, car l'*esprit* de Marianne refusait de se laisser maîtriser, et Elinor, satisfaite d'avoir marqué un point, ne voulut pas, pour le moment, en tenter davantage. Au-delà de l'entrée de la vallée, où la campagne, bien que fertile encore, était moins sauvage et plus découverte, s'étendait devant elles une longue partie de la route qu'elles avaient parcourue lors de leur arrivée à Barton ; et, en arrivant en ce point, elles s'arrêtèrent pour regarder alentour et pour examiner une perspective qui formait l'arrière-plan de la vue qu'elles avaient depuis la maisonnette, point où il se trouvait qu'elles n'étaient encore jamais parvenues dans aucune de leurs promenades.

Parmi les objets du paysage, elles en découvrirent bientôt un qui était animé : c'était un homme à cheval, qui s'avançait vers elles. Au bout de quelques minutes, elles distinguèrent que c'était un gentleman, et l'instant d'après Marianne s'écria avec ravissement :

– C'est lui ; c'est effectivement lui ; je le sais ! Et elle s'élançait vers lui, lorsque Elinor cria :

– En vérité, Marianne, je crois que tu te trompes. Ce n'est pas Willoughby. Ce personnage n'est pas assez grand pour que ce soit lui, il n'a pas son air.

– Il l'a, il l'a, s'écria Marianne, je suis sûre qu'il l'a, son air, son habit, son cheval ! Je savais bien qu'il viendrait bientôt !

Elle s'avança avec empressement tout en parlant ; et Elinor, pour empêcher Marianne de se faire remarquer, pressa le pas pour se maintenir à son côté. Elles furent bientôt à une centaine de pas du gentleman. Marianne regarda de nouveau ; elle sentit son cœur s'affaisser, et, faisant brusquement demi-tour, elle se hâtait de revenir en arrière, lorsque, au moment où la voix de ses deux sœurs s'élevait pour la retenir, une troisième, presque aussi connue que celle de Willoughby, se joignit à elles pour la supplier de s'arrêter, et elle se retourna, surprise, pour apercevoir et accueillir Edward Ferrars.

Il était la seule personne au monde à qui elle pût, en cet instant, pardonner de n'être pas Willoughby ; la seule qui eût pu obtenir d'elle un sourire ; mais elle dissipa ses larmes pour lui sourire, et, dans le bonheur de sa sœur elle oublia momentanément sa propre déception.

Il mit pied à terre, et, abandonnant son cheval à son domestique, retourna à pied avec elles à Barton, où il se rendait dans le dessein de leur faire une visite.

Il fut accueilli par elles toutes avec beaucoup de cordialité, mais surtout par Marianne, qui manifesta plus de chaleur affectueuse dans la réception qu'elle lui fit, qu'Elinor elle-même. Pour Marianne, en effet, la rencontre d'Edward et de sa sœur ne fut qu'une continuation de cette froideur inexplicable qu'elle avait souvent constatée, à Norland, dans leur attitude mutuelle. De la part d'Edward, plus particulièrement, il y manquait tout ce qu'un amoureux doit exprimer, par les regards et la parole, dans une circonstance semblable. Il fut confus, parut à peine éprouver quelque plaisir à les voir, ne sembla ni ravi, ni gai, parla peu, en dehors de ce qui lui fut tiré de force par leurs interrogations, et ne distingua Elinor par aucune marque d'affection. Marianne vit et écouta avec une surprise croissante. Elle commença presque à éprouver de l'aversion à l'égard d'Edward, et cela se termina, comme devait se terminer chez elle tout sentiment, par un rappel de ses pensées vers Willoughby, dont les façons constituaient un contraste suffisamment frappant avec celles de son frère présomptif.

Après un bref silence qui succéda à la première surprise et aux interrogations relatives à cette rencontre, Marianne demanda à Edward s'il venait tout droit de Londres. Non ; il était dans le Devonshire depuis quinze jours.

– Quinze jours ! répéta-t-elle, surprise de ce qu'il se fût trouvé depuis si longtemps dans la même région qu'Elinor sans l'avoir vue plus tôt.

Il eut l'air assez chagriné, en ajoutant qu'il avait séjourné chez des amis près de Plymouth.

– Avez-vous été récemment dans le Sussex ? dit Elinor.

– J'ai été à Norland, il y a environ un mois.

– Et quel air a ce cher, cher Norland ? s'écria Marianne.

– Ce cher, cher Norland, dit Elinor, a probablement à peu près le même air qu'il a toujours à cette époque de l'année – les bois et les chemins couverts d'une couche épaisse de feuilles.

– Oh ! s'écria Marianne, avec quels transports je les voyais tomber, naguère ! Comme je me plaisais, en marchant, à les voir chassées en rafales autour de moi par le vent ! Quels sentiments elles m'ont inspirés, elles, la saison, et l'air, tout ensemble ! Maintenant, il n'y a personne pour s'en préoccuper. On ne les voit que comme une chose désagréable, on s'en débarrasse bien vite, et on les chasse autant que possible de sa vue !

– Ce n'est pas tout le monde, dit Elinor, qui a ta passion pour les feuilles mortes.

– Non ; mes sentiments ne sont pas souvent partagés, pas souvent compris. Mais *quelquefois* ils le sont. En disant cela, elle se plongea quelques instants dans une rêverie ; mais, se ressaisissant :

– Eh bien, Edward, dit-elle, appelant son attention sur la vue, voici la vallée de Barton. Levez les yeux sur elle, et soyez calme, si vous le pouvez. Regardez ces collines ! Avez-vous jamais vu leurs pareilles ? À gauche, il y a Barton Park, parmi ces bois et ces plantations. Vous apercevez une extrémité de la maison. Et là, au pied de cette colline la plus éloignée, qui s'élève avec tant de grandeur, est notre maisonnette.

– C'est une région magnifique, répondit-il ; mais ces bas-fonds doivent être fangeux en hiver.

– Comment pouvez-vous penser à la boue, avec de tels objets devant les yeux ?

– Parce que, répondit-il en souriant, parmi les autres objets que j'ai devant les yeux, je vois un chemin bien boueux.

– Comme c'est étrange ! se dit Marianne, tout en continuant à marcher.

– Avez-vous des voisins agréables ici ? Les Middleton sont-ils des gens aimables ?

– Non, pas tous, répondit Marianne ; nous ne pourrions être plus malencontreusement placées.

– Marianne, s'écria sa sœur, comment peux-tu dire une chose pareille ! Comment peux-tu être aussi injuste ? C'est une famille fort respectable, Mr. Ferrars, et ils se sont conduits envers nous de la façon la plus amicale. As-tu oublié, Marianne, toutes les journées agréables que nous leur devons ?

– Non, dit Marianne à mi-voix, ni tous les instants douloureux.

Elinor ne se préoccupa pas de cette réflexion, et, dirigeant son attention sur leur visiteur, s'efforça d'entretenir quelque chose qui pouvait passer pour une conversation avec lui, en parlant de leur résidence actuelle, de ses agréments, etc., et lui tirant des questions et des remarques occasionnelles. Sa froideur et sa réserve la mortifièrent cruellement : elle fut dépitée et presque en colère ; mais, résolue à régler son attitude envers lui d'après le passé plutôt que d'après le présent, elle évita toute apparence de ressentiment ou de déplaisir, et le traita comme il lui semblait qu'il devait être traité en raison des relations de famille.

XVII

Mrs. Dashwood n'éprouva qu'un instant de surprise en le voyant : car sa venue à Barton était, dans l'esprit de celle-ci, la plus naturelle d'entre toutes les choses. Sa joie et ses expressions d'amitié durèrent beaucoup plus longtemps que son étonnement. Il reçut de sa part l'accueil le plus aimable ; et la timidité, la froideur, la réserve, ne purent pas résister à une telle réception. Elles avaient commencé à lui manquer dès avant qu'il eût pénétré dans la maison, et elles furent complètement vaincues par les façons séduisantes de Mrs. Dashwood. En vérité, un homme ne pouvait guère être épris de l'une ou l'autre de ses filles sans étendre son amour jusqu'à elle ; et Elinor eut la satisfaction de le voir bientôt devenir plus semblable à lui-même. Ses affections parurent se ranimer envers elles toutes, et l'intérêt qu'il témoignait à leur bonheur redevint perceptible. Toutefois, il manquait d'entrain ; il fit l'éloge de leur maison, en admira la vue, se montra plein d'attentions et d'amabilité ; mais pourtant, il manquait d'entrain. Toute la famille s'en aperçut, et Mrs. Dashwood, attribuant cela à quelque défaut de libéralité de la part de sa mère, se mit à table toute chargée d'indignation à l'égard de tous les parents égoïstes.

– Quels sont actuellement les projets de Mrs. Ferrars à votre intention, Edward ? dit-elle, quand le dîner fut terminé, et qu'ils se furent rassemblés autour du feu ; devez-vous toujours devenir un grand orateur, malgré vous ?

– Non. J'espère que ma mère est maintenant convaincue que je n'ai pas plus de talent que de goût pour la vie publique.

– Mais comment votre gloire doit-elle être établie ? Car il faut que vous deveniez célèbre pour satisfaire toute votre famille ; et sans goût pour la dépense, sans affection pour les étrangers, sans profession, et sans assurance, vous trouverez peut-être cela difficile.

– Je ne le tenterai pas. Je n'ai aucun désir de me distinguer ; et j'ai toutes les raisons d'espérer que je ne le ferai jamais. Le ciel soit loué ! On ne peut pas me donner de force du génie et de l'éloquence.

– Vous n'avez pas d'ambition, je le sais bien. Vos désirs sont tous modérés.

– Aussi modérés que ceux du reste du monde, je le crois. Je désire, de même que tous les autres, être parfaitement heureux ; mais, comme tous les autres, il faut que ce soit à ma propre manière. Ce n'est pas la grandeur qui me rendra heureux.

– Il serait bien étrange qu'il en fût ainsi ! s'écria Marianne. Qu'ont à voir avec le bonheur la richesse ou la grandeur ?

– La grandeur, fort peu de chose, dit Elinor, mais la richesse a beaucoup à voir avec lui.

– Fi donc, Elinor ! dit Marianne ; l'argent ne peut donner le bonheur que là où il n'y a pas autre chose qui le donne. Au-delà d'une honnête aisance, il ne peut offrir aucune satisfaction, pour ce qui est du simple moi.

– Peut-être, dit Elinor, en souriant, pourrons-nous en arriver au même point. Ton « aisance » et ma « richesse » sont sans doute fort semblables ; et sans elles, du train dont va aujourd'hui le monde, nous serons toutes deux d'accord que toute espèce de satisfaction extérieure doit faire défaut. Tes idées sont simplement plus nobles que les miennes. Voyons, qu'est-ce que c'est que ton « aisance » ?

– Environ dix-huit cents à deux mille livres par an, pas plus.

Elinor se mit à rire.

– Deux mille livres par an ! Un millier, c'est ma « richesse » ! J'avais bien deviné comment cela finirait.

– Et pourtant, deux mille livres par an, c'est un revenu fort modeste, dit Marianne. On ne peut guère entretenir une famille avec un revenu moindre. Je suis sûre de n'être pas excessive dans mes exigences. Une domesticité convenable, une voiture – deux, peut-être – et des chevaux de chasse, ne peuvent être maintenus à moins.

Elinor sourit de nouveau, d'entendre sa sœur décrire d'une façon si exacte leurs futures dépenses à Combe Magna.

– Des chevaux de chasse ! répéta Edward. Mais pourquoi vous faut-il des chevaux de chasse ? Tout le monde ne chasse pas à courre.

Marianne rougit en répondant :

– Mais la plupart des gens le font.

– Je voudrais, dit Margaret, lançant une idée nouvelle, que quelqu'un nous donnât à chacune une grosse fortune !

– Ah, plût au ciel que cela fût ! s'écria Marianne, les yeux étincelants d'animation, et les joues luisantes de la joie d'un semblable bonheur imaginaire.

– Nous sommes tous unanimes dans ce désir, je le suppose, dit Elinor, en dépit de l'insuffisance de la richesse.

– Oh, mon Dieu ! s'écria Margaret, comme je serais heureuse ! Je me demande ce que j'en ferais !

Marianne paraissait n'avoir aucun doute quant à ce point.

– Pour ma part, je serais embarrassée pour dépenser une grosse fortune, dit Mrs. Dashwood, si mes enfants devaient toutes être riches sans mon aide.

– Il faudra que vous commenciez vos embellissements de cette maison, fit Elinor, et vos difficultés s'évanouiront bientôt.

– Quelles commandes magnifiques partiraient de cette famille pour Londres, dit Edward, dans un cas semblable ! Quel jour heureux pour les libraires, les marchands de musique et les magasins d'estampes ! Vous, miss Dashwood, vous donneriez un ordre général pour qu'on vous envoie chaque nouvelle estampe de mérite ; et quant à Marianne, je connais sa grandeur d'âme : il n'y aurait pas assez de musique à Londres pour la contenter. Et les livres ! – Thomson, Cowper, Scott –, elle les achèterait tous, mainte et mainte fois ; elle en épuiserait tous les exemplaires, je le crois, pour éviter qu'ils ne tombent en des mains indignes ; et elle prendrait tous les livres qui lui indiquent la façon d'admirer un vieil arbre tordu. N'est-ce pas, Marianne ? Pardonnez-moi si je suis fort impertinent. Mais je voulais vous faire voir que je n'ai pas oublié nos vieilles disputes.

– J'aime beaucoup qu'on me rappelle le passé, Edward – qu'il soit mélancolique ou gai, j'aime à m'en souvenir – et vous ne me froisserez jamais en parlant des jours d'antan. Vous avez tout à fait raison dans vos suppositions sur la façon dont mon argent serait dépensé ; une partie – mes fonds liquides, tout au moins – serait certainement consacrée à améliorer ma collection de musique et de livres.

– Et le gros de votre fortune serait investi en annuités pour les auteurs ou leurs héritiers.

– Non, Edward ; j'aurais de quoi l'utiliser autrement.

– Peut-être, alors, l'octroieriez-vous en récompense à la personne qui écrirait la défense la plus habile de votre maxime préférée, – à savoir, que personne ne peut être épris plus d'une fois dans sa vie, – car votre opinion sur ce point est toujours inchangée, je le suppose ?

– Assurément. À l'âge où je suis parvenue, les opinions sont raisonnablement arrêtées. Il n'est pas probable que je voie ou que j'entende maintenant quoi que ce soit qui les modifie.

– Marianne est aussi inébranlable que jamais, vous le voyez, dit Elinor ; elle n'a pas changé du tout.

– Elle est simplement devenue un peu plus grave qu'elle ne l'était.

– Mais, Edward, dit Marianne, vous n'avez pas besoin de me faire des reproches. Vous-même, vous n'êtes pas tellement gai.

– Pourquoi penseriez-vous cela ? répondit-il avec un soupir. Mais la gaieté n'a jamais fait partie de mon caractère.

– Je ne crois pas non plus qu'elle fasse partie de celui de Marianne, dit Elinor. Je ne dirais guère qu'elle est une fille pleine d'entrain ; elle est très sérieuse, très ardente, en tout ce qu'elle fait – elle parle parfois beaucoup, et presque avec animation –, mais elle n'est pas souvent véritablement joyeuse.

– Je crois que vous avez raison, répondit-il, et pourtant, je l'ai toujours considérée comme une jeune fille pleine d'entrain.

– Je me suis souvent surprise à commettre des erreurs de ce genre, dit

Elinor, dans une méconnaissance totale du caractère en ce qui concerne tel ou tel point – en m'imaginant les gens tellement plus gais ou plus graves, ou plus ingénieux, ou plus bêtes, qu'ils ne le sont en réalité ; et je ne saurais guère dire pourquoi, ni de quelle façon, l'erreur a pris naissance. Quelquefois, l'on est guidé par ce qu'ils disent sur eux-mêmes, et très fréquemment par ce qu'en disent les autres, sans se donner le temps de délibérer et de juger.

– Mais je croyais qu'il était juste, Elinor, dit Marianne, d'être guidé totalement par l'opinion des autres. Je croyais que nos jugements nous étaient donnés simplement pour étayer ceux de nos voisins. Telle a toujours été ta doctrine, j'en suis sûre.

– Non, Marianne, jamais. Ma doctrine n'a jamais visé à la sujétion de l'intelligence. Tout ce que j'ai jamais tenté d'influencer, ç'a été la conduite. Il ne faut pas confondre mon intention. Je suis coupable, je l'avoue, d'avoir souvent désiré te voir traiter nos connaissances, en général, avec plus d'attention ; mais quand t'ai-je conseillé d'adopter leurs sentiments ou de te conformer à leur jugement dans les choses sérieuses ?

– Vous n'avez donc jamais réussi à convertir votre sœur à votre plan de civilité générale ? dit Edward à Elinor. Vous ne gagnez pas de terrain ?

– Bien au contraire, répondit Elinor, regardant Marianne d'une façon expressive.

– Mon jugement, repartit-il, est entièrement de votre côté en cette affaire ; mais malheureusement, ma pratique est beaucoup plus du côté de votre sœur. Je n'ai jamais le désir de froisser, mais je suis si sottement timide que je parais souvent négligent, alors que je suis simplement retenu par ma maladresse naturelle. J'ai fréquemment pensé que je dois avoir été destiné par la nature à me complaire aux basses fréquentations, tellement je suis peu à mon aise parmi les étrangers de qualité !

– Marianne n'a pas de timidité pour excuser l'inattention dont elle peut faire montre, dit Elinor.

– Elle ne connaît que trop bien sa propre valeur pour en éprouver une fausse honte, répondit Edward. La timidité, ce n'est que l'effet d'un sentiment d'infériorité sur un point ou un autre. Si je pouvais me persuader que mes façons sont parfaitement aisées et gracieuses, je ne serais pas timide.

– Mais vous seriez encore réservé, dit Marianne, et cela, c'est encore pis.

Edward écarquilla les yeux.

– Réservé ! Je suis réservé, Marianne ?

– Oui, très.

– Je ne vous comprends pas, répondit-il en rougissant. Réservé ! Comment cela ? De quelle façon ? Que vous dirai-je ? Que pouvez-vous supposer ?

Elinor parut surprise de son émotion, mais, essayant de dissiper le sujet en riant, elle lui dit :

– Vous ne connaissez donc pas assez bien ma sœur pour comprendre ce qu'elle veut dire ? Ne savez-vous donc pas qu'elle appelle réservé quiconque ne parle pas aussi vite qu'elle, et n'admire pas avec autant de ravissement qu'elle ce qu'elle admire ?

Edward ne fit pas de réponse. Sa gravité et son air pensif lui revinrent dans toute leur plénitude, et il resta quelque temps silencieux et sombre.

XVIII

Elinor vit avec beaucoup d'inquiétude le manque d'entrain de son ami. Sa visite ne lui apportait qu'une satisfaction fort partielle, alors que le plaisir qu'il y prenait lui-même était si imparfait. Il était manifeste qu'il était malheureux ; elle eût voulu qu'il fût également manifeste qu'il la distinguait encore par la même affection que, jadis, elle ne s'était fait aucun doute d'inspirer ; mais jusque-là, la continuation de sa préférence semblait fort incertaine, et la réserve de son attitude envers elle contredisait à tout moment ce qu'un regard plus animé avait intimé l'instant d'auparavant.

Il rejoignit Elinor et Marianne dans la petite salle à manger, le lendemain matin, avant que les autres ne fussent descendues. Marianne, qui était toujours empressée à favoriser leur bonheur dans toute la mesure où elle le pouvait, les laissa bientôt en tête à tête. Mais avant qu'elle eût gravi la moitié de l'escalier, elle entendit s'ouvrir la porte de la pièce, et, se retournant, elle fut étonnée de voir sortir Edward lui-même.

– Je vais au village, voir mes chevaux, dit-il, comme vous n'êtes pas encore prêtes pour le déjeuner, je reviendrai tout à l'heure.

Edward revint auprès d'elles, plein d'une admiration nouvelle pour la campagne environnante ; dans sa promenade au village, il avait vu à leur avantage de nombreuses parties de la vallée ; et le village lui-même, dans un site beaucoup plus élevé que la maisonnette, offrait une vue générale de l'ensemble qui lui avait plu énormément. Ce fut là un sujet qui assura l'attention de Marianne, et elle commençait à décrire sa propre admiration de ces paysages, et à le questionner d'une façon plus détaillée sur les sujets qui l'avaient particulièrement frappé, lorsque Edward l'interrompit en disant :

– Il ne faut pas pousser trop loin vos interrogations, Marianne, – souvenez-vous que je n'ai aucune connaissance du pittoresque, et je vous offenserai par mon ignorance et mon manque de goût, si nous en venons aux détails. J'appellerai escarpées des collines qui devraient être franches, étranges et sauvages des surfaces qui devraient être irrégulières et broussailleuses ; et hors de vue les objets lointains qui ne devraient qu'être indistincts à travers le milieu léger d'une atmosphère brumeuse. Il faut vous contenter d'une admiration telle que je la puis donner honnêtement. J'appelle cela un très beau pays – les collines sont escarpées, les bois semblent plein de belles grumes, et la vallée a l'air agréable et douillette –, avec de riches prairies et plusieurs fermes bien soignées éparpillées çà et là. Il répond exactement à l'idée que je me fais d'un beau pays, parce qu'il joint le beau à l'utile, et je suppose qu'il est également pittoresque, puisque vous l'admirez ; il m'est facile de croire qu'il est plein de rochers et de promontoires, de mousse grise et de taillis, mais tout cela est perdu en ce qui me concerne. Je n'entends rien au pittoresque.

– Je crains que ce ne soit que trop vrai, dit Marianne, mais pourquoi vous en vanter ?

– Je soupçonne, dit Elinor, que pour éviter un genre d'affectation, Edward tombe ici dans un autre. Parce qu'il croit que beaucoup de gens feignent plus d'admiration pour les beautés de la nature qu'ils n'en éprouvent réellement, et qu'il est dégoûté de semblables prétentions, il affecte plus d'indifférence et moins de discrimination à les contempler, qu'il n'en possède. Il fait le difficile, et tient à se donner une affectation à lui.

– Il est bien vrai, dit Marianne, que l'admiration des paysages est devenue un simple jargon. Tout le monde fait semblant de ressentir, et essaye de décrire, avec le goût et l'élégance de celui qui, le premier, a défini ce qu'est la beauté pittoresque. Je déteste le jargon sous toutes ses formes, et parfois j'ai conservé pour moi seule les sentiments que j'éprouvais, parce que j'étais incapable de trouver pour les décrire un langage qui ne fût usé et rebattu au point d'avoir perdu tout sens et toute signification.

– Je suis convaincu, dit Edward, que vous éprouvez réellement, devant une belle vue, tout le plaisir que vous dites ressentir. Mais, en retour, il faut que votre sœur me concède d'en ressentir plus que je n'en dis. J'aime une belle vue, mais non pas suivant des principes du pittoresque. Je n'aime pas les arbres de travers, tordus, foudroyés. Je les admire beaucoup plus s'ils sont de haute taille, droits et frémissants. Je n'aime pas les chaumières en ruine, et délabrées. Je n'aime pas les orties, les chardons, ni les fleurs des landes. J'ai plus de plaisir à voir une ferme coquette qu'une tour du guet – et une troupe de villageois soignés et heureux me plaît mieux que les plus beaux bandits qui soient au monde.

Marianne regarda Edward avec stupéfaction, et sa sœur avec compassion. Elinor se contenta de rire.

Ce sujet ne fut pas poursuivi davantage ; et Marianne garda un silence pensif, jusqu'à ce qu'un sujet nouveau occupât soudain son attention. Elle était assise à côté d'Edward, et, en prenant la tasse de thé que lui tendait Mrs. Dashwood, la main de celui-ci passa si immédiatement devant ses yeux, qu'elle rendit particulièrement apparente, sur l'un de ses doigts, une bague, munie en son centre d'une tresse de cheveux.

– Je ne vous ai encore jamais vu porter une bague, Edward, s'écria-t-elle. Sont-ce là des cheveux de Fanny ? Je me souviens qu'elle a promis de vous en donner. Mais j'aurais cru que ses cheveux étaient plus foncés.

Marianne disait de façon inconsidérée ce qu'elle éprouvait réellement, mais lorsqu'elle vit à quel point elle avait peiné Edward, sa propre contrariété devant son manque de réflexion n'eût pas pu être surpassée par celle de son interlocuteur. Il rougit violemment, et, lançant un bref regard à Elinor, répondit :

– Oui, ce sont des cheveux de ma sœur. La monture leur donne toujours une teinte différente, n'est-ce pas.

Le regard d'Elinor avait croisé le sien, et elle eut également l'air embarrassé. Que les cheveux fussent les siens, elle s'en sentit immédiatement aussi convaincue que Marianne ; la seule différence dans leurs conclusions, c'est que ce que Marianne considérait comme un don librement consenti de sa sœur, Elinor avait conscience qu'il devait se l'être procuré par quelque vol ou par quelque procédé à son insu. Elle n'était pas d'humeur, toutefois, à prendre cela pour un affront, et, affectant de ne pas faire attention à ce qui s'était passé, en parlant immédiatement d'autre chose, elle résolut intérieurement de se saisir dorénavant de toutes les occasions d'examiner cette mèche de cheveux et de se convaincre au-delà de toute possibilité de doute qu'ils étaient exactement de la teinte des siens.

L'embarras d'Edward dura quelque temps et se termina par une préoccupation encore plus accentuée. Il fut particulièrement sérieux toute la matinée. Marianne se reprocha sévèrement ce qu'elle avait dit ; mais son propre pardon aurait pu être plus rapide, si elle avait su à quel point ses paroles avaient peu contrarié sa sœur.

Avant le milieu de la journée, ils reçurent la visite de Sir John et de Mrs. Jennings, qui, ayant appris l'arrivée d'un gentleman à la maisonnette, vinrent prendre une vue d'ensemble de l'invité. Avec l'aide de sa belle-mère, Sir John ne fut pas long à découvrir que le nom de Ferrars commençait par un F, ce qui prépara une mine future de railleries à l'égard de l'aimante Elinor, mine dont seule la nouveauté de leur connaissance avec Edward eût pu empêcher la mise à feu immédiate. Mais, en l'espèce, elle apprit seulement, par quelques regards fort significatifs, à quel point atteignait leur pénétration, fondée sur les indications de Margaret.

Sir John ne venait jamais chez les Dashwood sans les inviter, soit à dîner au Park le lendemain, soit à prendre le thé avec eux le soir même. Dans les circonstances présentes, afin de mieux divertir leur visiteur, à l'amusement de qui il se sentait tenu de collaborer, il désira les retenir pour l'un et l'autre.

– Il *faut* que vous preniez le thé avec nous ce soir, dit-il, car nous serons tout seuls, et demain, il faut absolument que vous dîniez chez nous, car nous serons nombreux.

Mrs. Jennings renchérit sur cette nécessité :

– Et qui sait, mais peut-être organisera-t-on une sauterie ! dit-elle. Et voilà qui vous tentera, miss Marianne.

– Une sauterie ! s'écria Marianne. Impossible ! Qui donc dansera ?

– Qui ? Mais vous-mêmes, et les Carey, et les Whitaker, bien sûr ! Comment ! Vous avez cru que personne ne pourrait danser, parce qu'un certain personnage que nous ne nommerons pas est parti !

– Je voudrais, de toute mon âme, s'écria Sir John, que Willoughby fût de nouveau des nôtres.

Ces paroles, et la rougeur de Marianne, donnèrent de nouveaux soupçons à Edward.

– Et qui est Willoughby ? dit-il, à mi-voix, à miss Dashwood, à côté de qui il était assis.

Elle lui répondit brièvement. Le visage de Marianne était plus communicatif. Edward en vit assez pour comprendre, non seulement ce que voulaient dire les autres, mais certaines expressions de Marianne qui l'avaient intrigué précédemment ; et quand leurs visiteurs les eurent quittés, il s'approcha immédiatement d'elle et lui glissa à l'oreille :

– Je viens de me livrer à des conjectures. Faut-il vous dire ce que j'ai deviné ?

– Que voulez-vous dire ?

– Dois-je vous le dire ?

– Certainement.

– Eh bien, alors, j'ai deviné que Mr. Willoughby chasse à courre.

Marianne fut surprise et confuse, mais elle ne put pourtant s'empêcher de sourire devant la calme espièglerie des façons d'Edward ; et, au bout d'un instant de silence, elle dit :

– Oh, Edward ! Comment pouvez-vous... ? Mais le jour viendra, je l'espère... et je suis sûre qu'il vous plaira.

– Je n'en doute pas, répondit-il, un peu surpris du sérieux et de l'ardeur de Marianne ; car s'il ne s'était pas imaginé que c'était une plaisanterie à l'usage de ses connaissances en général, fondée seulement sur un quelque chose ou un rien entre Mr. Willoughby et elle, il ne se serait pas hasardé à en faire mention.

XIX

Edward resta une semaine à la maisonnette ; Mrs. Dashwood insista vivement pour qu'il prolongeât son séjour ; mais, comme s'il eût été porté exclusivement à s'infliger des mortifications, il parut résolu à partir lorsque son plaisir, au milieu de ses amies, eut atteint son plein. Son entrain, au cours des deux ou trois derniers jours, bien qu'encore fort inégal, était fortement amélioré ; il avait un faible de plus en plus marqué pour la maison et les environs – il ne parlait jamais de partir sans exhaler un soupir –, il déclarait qu'il était entièrement libre de son temps, il ne savait même pas où il se rendrait quand il les aurait quittées, mais il lui fallut néanmoins partir. Jamais une semaine ne s'était écoulée aussi vite – il avait peine à croire qu'elle fût passée. Il le dit mainte et mainte fois ; il dit également d'autres choses, qui marquaient le changement de ses sentiments et donnaient le démenti à ses actes. Il ne se plaisait pas à Norland, il détestait être à Londres ; mais c'est soit à Norland, soit à Londres, qu'il lui fallait se rendre. Il prisait leur amabilité au-delà de toute chose, et son plus grand bonheur était d'être auprès d'elles. Pourtant, il lui fallut les quitter au bout d'une semaine, en dépit de leurs désirs et des siens, et sans aucune contrainte quant à son temps.

Elinor porta au compte de la mère d'Edward tout ce que cette façon d'agir présentait d'étonnant ; et il était heureux pour lui qu'il eût une mère dont le caractère était suffisamment peu connu d'Elinor pour être l'excuse générale de tout ce qu'il y avait d'étrange chez son fils. Pourtant, toute déçue et contrariée qu'elle fût, et parfois mécontente de la conduite incertaine d'Edward envers elle, elle fut fort bien disposée, dans l'ensemble, à considérer ses actes avec toute la franche indulgence et les réserves généreuses qui lui avaient été assez péniblement arrachées par sa mère en faveur de Willoughby. Son défaut d'entrain, de franchise, et de cohérence, le plus souvent attribué à son manque d'indépendance et à la meilleure connaissance qu'il avait des dispositions et des intentions de Mrs. Ferrars. La brièveté de sa visite, la fermeté de son dessein de les quitter, prirent leur origine dans la même inclination enchaînée, la même inévitable nécessité de temporiser avec sa mère. Le vieux grief bien établi du devoir contre la volonté, des parents contre les enfants, était cause de tout. Elle eût été contente de savoir quand ces difficultés devaient cesser, quand cette opposition devait céder, quand Mrs. Ferrars serait réformée, et son fils libre d'être heureux. Mais, après de tels vains souhaits, elle était forcée de revenir, pour se réconforter, au renouvellement de sa confiance en l'affection d'Edward, au souvenir de chacune des marques d'attention, par le regard et par la parole, qu'il laissa tomber pendant son séjour à Barton, et, surtout, à cette preuve flatteuse qu'il en portait constamment autour du doigt.

– Je crois, Edward, dit Mrs. Dashwood, lorsqu'ils prenaient le déjeuner le matin du dernier jour, que vous seriez un homme plus heureux si vous aviez une profession quelconque pour occuper votre temps et conférer de l'intérêt à vos projets et à vos actes. Il pourrait certes en résulter quelque inconvénient pour vos amis – vous ne pourriez plus leur consacrer une aussi grande partie de votre temps. Mais (avec un sourire) vous en tireriez un bénéfice important dans un détail au moins : vous sauriez où aller quand vous les quitteriez.

– Je vous assure bien, répondit-il, que j'ai longtemps eu, sur cette question, l'opinion que vous avez maintenant. Ç'a été, c'est, et ce sera probablement toujours pour moi un grand malheur de n'avoir pas eu d'affaire impérieuse pour m'occuper, de profession pour me donner à m'employer ou me procurer quelque chose qui ressemble à l'indépendance. Mais, malheureusement, mes propres scrupules, et les scrupules de mes amis, ont fait de moi ce que je suis – un être oisif et impuissant. Nous n'avons jamais pu nous mettre d'accord sur notre choix d'une profession. Moi, j'ai toujours préféré l'Église, comme je la préfère encore. Mais cela n'était pas assez élégant pour ma famille. Elle recommandait l'armée. Voilà qui était beaucoup trop élégant pour moi. Le droit était reconnu comme de bon ton, certes ; bien des jeunes gens possédant un logement dans le Temple[1] faisaient fort bonne figure parmi

---

[1] Quartier de Londres (dans la City) où se trouvent les

les milieux de choix, et se promenaient en ville dans des cabriolets pleins d'allure. Mais je n'avais aucun penchant pour le droit, même pour cette étude moins abstruse de la matière qui avait l'approbation de ma famille. Quant à la marine, elle avait pour elle la mode, mais j'étais trop vieux, quand la question fut abordée, pour y entrer, – et, en fin de compte, comme il n'y avait aucune nécessité à ce que j'eusse une profession, comme je pouvais être aussi plein de fougue et faire autant de dépenses sans habit rouge sur le dos qu'avec, on jugea que, dans l'ensemble, l'oisiveté était ce qu'il y avait de plus avantageux et de plus honorable ; et un jeune homme de dix-huit ans n'est pas, en général, suffisamment porté à avoir une occupation pour résister aux sollicitations des amis qui l'exhortent à ne rien faire. Je fus donc inscrit à Oxford, et j'ai été congrument oisif depuis lors.

– Ce qui aura pour conséquence, je suppose, dit Mrs. Dashwood, puisque les loisirs n'ont pas conduit à votre propre bonheur, que vos fils seront élevés en vue d'autant d'occupations, d'emplois, de professions, et de métiers, que ceux de Columelle.

– Ils seront élevés, dit-il d'un ton sérieux, de façon à me ressembler aussi peu que possible – en ce qui concerne les sentiments, les actes, la condition, et toutes choses.

– Voyons, voyons : tout ceci, c'est une manifestation d'un manque d'entrain immédiat, Edward. Vous êtes d'humeur mélancolique, et vous vous imaginez que quiconque ne vous ressemble pas doit être heureux. Mais souvenez-vous que la douleur de se séparer de ses amis est ressentie par tout le monde, par moments, quels que soient son éducation ou son état. Connaissez mieux votre propre bonheur. Il ne vous manque que la patience – ou donnez-lui un nom plus séduisant : appelez cela l'espérance. Votre mère vous assurera, avec le temps, cette indépendance que vous désirez si vivement ; c'est son devoir, et ce sera – il faudra que ce soit, avant longtemps – son bonheur, d'empêcher toute votre jeunesse d'être

---

tribunaux et où les gens de loi ont leurs bureaux et leur résidence. *(N. du Tr.)*

gaspillée dans le mécontentement. Que ne pourront faire quelques mois !

– Je crois, répondit Edward, que je pourrai mettre au défi de longs mois, de produire en moi quelque bien.

Cette tournure d'esprit découragée, bien qu'elle ne pût être communiquée à Mrs. Dashwood, leur causa à toutes un surcroît de chagrin lors de la séparation, qui ne tarda pas à avoir lieu, et laissa une impression pénible aux sentiments d'Elinor en particulier, impression qu'il fallut quelque mal et quelque temps pour surmonter. Mais comme elle était déterminée à la dominer, et à s'empêcher de paraître souffrir plus que ne souffrait toute sa famille en raison du départ d'Edward, elle n'adopta pas la méthode si judicieusement employée par Marianne, en une occasion semblable, pour augmenter et fixer sa douleur, en recherchant le silence, la solitude et l'oisiveté. Leurs moyens furent aussi différents que leurs desseins, et également adaptés à les favoriser.

Elinor s'installa à sa table à dessin aussitôt qu'il fut hors de la maison, s'occupa activement toute la journée, ne rechercha ni n'évita de prononcer son nom, parut s'intéresser presque autant que d'ordinaire aux affaires générales de la famille ; et si, grâce à cette conduite, elle ne diminua pas son propre chagrin, il fut cependant empêché de s'accroître inutilement, et elle épargna à sa mère et à ses sœurs bien de la sollicitude envers elle.

Une telle attitude, si exactement opposée à la sienne, ne parut pas plus méritoire à Marianne, que la sienne ne lui avait semblé défectueuse. Pour ce qui est de la maîtrise de soi, elle en fit bon marché : avec des affections vigoureuses, elle était impossible ; avec des sentiments calmes, elle ne pouvait avoir aucun mérite. Que les affections de sa sœur fussent calmes, elle n'osait le nier, encore qu'elle rougît de le reconnaître ; et elle donna une preuve fort frappante de la vigueur des siennes, en continuant à aimer et à respecter cette sœur, malgré cette conviction mortifiante.

Sans s'isoler de sa famille, ni quitter la maison pour rechercher une solitude résolue, afin d'éviter les siens, ni rester éveillée toute la nuit pour s'abandonner à la méditation, Elinor constata que chaque jour lui offrait suffisamment de loisirs pour songer à Edward, et à la conduite d'Edward, selon toutes les variétés possibles que pouvait produire l'état différent de son humeur à différents moments – avec tendresse, pitié, approbation, reproches et doute. Il y eut des moments en abondance, où, si ce n'est en raison de l'absence de sa mère et de ses sœurs, du moins en raison de la nature de leurs occupations, la conversation était interdite entre elles, et où se produisaient tous les effets de la solitude. Elle avait l'esprit inévitablement libre ; ses pensées ne pouvaient être enchaînées ailleurs ; et le passé et l'avenir, touchant un sujet aussi intéressant, étaient nécessairement devant ses yeux, et forçaient son attention, accaparaient sa mémoire, sa réflexion, et son imagination.

Elle fut tirée d'une rêverie de ce genre, un matin, tandis qu'elle était assise à sa table à dessin, peu de temps après le départ d'Edward, par l'arrivée de visiteurs. Il se trouvait qu'elle était toute seule. La fermeture du petit portillon, à l'entrée de la pelouse verte devant la maison, attira ses yeux vers la fenêtre, et elle vit un groupe important qui s'avançait vers la porte. Il y avait là Sir John et lady Middleton, ainsi que Mrs. Jennings ; mais il y avait deux autres personnes, un gentleman et une dame, qui lui étaient complètement inconnues. Elle était assise près de la fenêtre, et dès que Sir John l'aperçut, il laissa le reste du groupe effectuer la cérémonie de frapper à la porte, et, traversant la pelouse, la contraignit à ouvrir la vitre pour lui parler, bien que l'espace fût assez réduit entre la porte et la fenêtre pour qu'il ne fût guère possible de parler devant l'une sans être entendu à l'autre.

– Eh bien, dit-il, nous vous avons amené des étrangers. Comment vous plaisent-ils ?

– Chut ! Ils vont vous entendre.

– Cela n'a pas d'importance. Ce ne sont que les Palmer. Charlotte est très jolie, je vous l'affirme. Vous pourrez la voir si vous regardez par ici.

Comme Elinor était sûre de la voir dans deux minutes, sans prendre une telle liberté, elle demanda la permission de n'en rien faire.

– Où est Marianne ? S'est-elle enfuie parce que nous sommes venus ? Je vois que son instrument est ouvert.

– Elle est allée faire une promenade, je crois.

Ils furent alors rejoints par Mrs. Jennings, qui n'avait pas assez de patience pour attendre que la porte fût ouverte avant qu'elle pût placer son mot. Elle arriva à la fenêtre en criant à tue-tête :

– Comment allez-vous, ma chérie ? Comment va Mrs. Dashwood ? Et où sont vos sœurs ? Comment ! Toute seule ? Vous serez contente d'un peu de compagnie pour s'installer auprès de vous. J'ai amené mon autre fils et ma fille pour qu'ils fassent votre connaissance. Songez donc, ils sont venus si soudainement ! Il me semblait avoir entendu une voiture hier soir, pendant que nous prenions le thé, mais l'idée ne m'est pas venue que ce pût être eux. Je ne songeais qu'à une chose : je me demandais si ce ne pouvait pas être le colonel Brandon qui revenait ; alors j'ai dit à Sir John : Je crois vraiment entendre une voiture ; c'est peut-être le colonel Brandon qui revient...

Elinor fut obligée de se détourner d'elle, au milieu de son récit, pour recevoir le reste des visiteurs ; lady Middleton présenta les deux étrangers ; Mrs. Dashwood et Margaret descendirent au même instant, et ils s'assirent tous pour se regarder les uns les autres, cependant que Mrs. Jennings continuait son récit en suivant le couloir pour entrer dans le petit salon, accompagnée de Sir John.

Mrs. Palmer avait plusieurs années de moins que lady Middleton, et différait totalement d'elle sous tous les rapports. Elle était petite et grassouillette, et avait un joli visage, empreint de la plus belle expression de bonne humeur qui se pût concevoir. Ses façons n'étaient en rien aussi élégantes que celles de sa sœur, mais elles étaient beaucoup plus avenantes. Elle entra avec un sourire – elle sourit tout au long de sa visite, sauf quand elle rit, et sourit en partant. Son mari était un jeune homme de vingt-cinq ou vingt-six ans, au visage grave, avec un air plus mondain et plus intelligent que sa femme, mais paraissant moins disposé à plaire ou à être satisfait. Il pénétra dans la pièce avec une attitude d'importance, s'inclina légèrement devant les dames sans dire un mot, et, après avoir jeté un bref coup d'œil sur elles et sur leur habitation, prit un journal sur la table, et continua à le lire tant qu'il demeura là.

Mrs. Palmer, au contraire, qui était fortement douée par la nature d'un penchant à être uniformément jolie et heureuse, avait à peine pris place, qu'elle laissa éclater son admiration pour le salon et tout ce qu'il renfermait.

– Mon Dieu, quelle pièce ravissante, que celle-ci ! Je n'ai jamais rien vu d'aussi charmant ! Songez donc, maman, comme elle est embellie, depuis la dernière fois que j'y suis venue ! J'ai toujours trouvé que c'était un local bien délicieux, madame (se tournant vers Mrs. Dashwood), mais vous en avez fait quelque chose de vraiment charmant ! Regarde donc, ma sœur, comme tout est ravissant ! Comme j'aimerais une maison pareille, pour moi ! Cela ne vous plairait pas, Mr. Palmer ?

Mr. Palmer ne lui fit pas de réponse, et ne leva même pas les yeux, qu'il tenait fixés sur le journal.

– Mr. Palmer ne m'entend pas, dit-elle, riant. Il ne m'entend jamais, parfois. Comme c'est ridicule !

C'était là une idée tout à fait nouvelle pour Mrs. Dashwood ; elle n'avait jamais été habituée à trouver spirituelle l'inattention chez qui que ce fût, et ne put s'empêcher de les regarder tous les deux avec surprise.

Mrs. Jennings, entre temps, continuait à parler aussi bruyamment que possible, et poursuivait le récit de la surprise qu'elle avait eue, la veille au soir, en voyant leurs amis, sans s'arrêter avant que tout ne fût dit. Mrs. Palmer rit de tout cœur au souvenir de leur étonnement, et tout le monde s'accorda, à deux ou trois reprises, à déclarer que cela avait été une surprise fort agréable.

– Je vous laisse à penser si nous étions tous bien contents de les voir, ajouta Mrs. Jennings, se penchant en avant vers Elinor, et parlant à mi-voix, comme si elle avait dessein de n'être entendue de nul autre, encore qu'elles fussent assises de deux côtés différents de la pièce ; toutefois, je n'ai pu m'empêcher de souhaiter qu'ils n'eussent pas voyagé tout à fait aussi vite, ni fait un si long trajet d'une traite, car ils ont fait un détour par Londres en raison de quelque affaire, et, savez-vous bien (hochant significativement la tête et désignant du doigt sa fille), ç'a été un tort, dans son état. Je voulais la voir rester à la maison et se reposer ce matin, mais elle a tenu à nous accompagner ; elle désirait tellement vous voir toutes !

Mrs. Palmer se mit à rire, et dit que cela ne lui ferait aucun mal.

– Elle s'attend à faire ses couches en février, reprit Mrs. Jennings.

Lady Middleton ne pouvait plus tolérer une telle conversation, et elle s'évertua donc à demander à Mr. Palmer s'il y avait des nouvelles dans le journal.

– Non, absolument aucune, répondit-il, et il continua à lire.

– Voici venir Marianne, s'écria Sir John. Allons, Palmer, vous allez voir une jeune fille effroyablement jolie !

Il alla immédiatement dans le couloir, ouvrit la porte d'entrée, et la fit entrer lui-même. Mrs. Jennings lui demanda, aussitôt qu'elle parut, si elle n'était pas allée à Allenham ; et Mrs. Palmer se mit à rire de si bon cœur à cette question, qu'il était visible qu'elle la comprenait. Mr. Palmer leva les yeux à l'entrée de Marianne, et se remit alors à son journal. Le regard de Mrs. Palmer fut à présent attiré par les dessins qui étaient accrochés tout autour de la pièce. Elle se leva pour les examiner.

– Oh, mon Dieu, comme ils sont beaux ! Vraiment, comme c'est charmant ! Mais regardez donc, maman, comme c'est joli ! Je le déclare, ils sont absolument ravissants ; je pourrais les contempler à jamais. Après quoi, se rasseyant, elle ne tarda pas à oublier qu'il y eût rien de semblable dans la pièce.

Quand lady Middleton se leva pour partir, Mr. Palmer se leva aussi, reposa le journal, s'étira, et les contempla à la ronde.

– Mon chéri, vous avez dormi ? dit sa femme, en riant.

Il ne lui fit aucune réponse, et se contenta de dire, après avoir de nouveau examiné la pièce, qu'elle avait le plafond très bas, et de travers. Là-dessus, il s'inclina, et partit avec les autres.

Sir John avait vivement insisté auprès d'elles toutes pour qu'elles vinssent passer la journée du lendemain au Park. Mrs. Dashwood, qui ne désirait pas dîner chez eux plus souvent qu'ils ne dînaient à la maisonnette, refusa fermement, quant à elle ; ses filles pouvaient agir à leur guise. Mais elles n'avaient aucune curiosité de voir comment Mr. et Mrs. Palmer mangeaient leur dîner, et n'attendaient d'eux aucun autre genre de plaisir. Elles essayèrent, en conséquence, de s'excuser de même ; le temps était incertain, et avait peu de chances d'être beau. Mais Sir John ne voulut pas se rendre à leurs raisons – on leur enverrait la voiture, et il fallait qu'elles vinssent. Lady Middleton, également, bien qu'elle n'insistât pas auprès de leur mère, les pressa vivement d'accepter. Mrs. Jennings et Mrs. Palmer y joignirent leurs instances ; tout le monde semblait également désireux d'éviter une réunion de famille, et les jeunes filles furent contraintes de céder.

– Pourquoi faut-il qu'ils nous invitent ? dit Marianne, aussitôt qu'ils furent partis. Le loyer de cette maisonnette est, dit-on, fort bas ; mais nous l'avons à des conditions fort dures, s'il faut que nous dînions au Park chaque fois que quelqu'un est reçu, soit chez eux, soit chez nous.

– Ils ne se proposent pas moins d'être polis et aimables envers nous à présent, dit Elinor, par ces invitations fréquentes, que par celles que nous recevions d'eux il y a quelques semaines. Ce n'est pas eux qui ont changé, si leurs réunions sont devenues ennuyeuses et ternes. C'est ailleurs qu'il nous faut chercher le changement.

XX

Au moment où les demoiselles Dashwood pénétraient dans le salon du Park, le lendemain, par l'une des portes, Mrs. Palmer entra en courant par l'autre, avec un air aussi empreint de bonne humeur et de gaieté que précédemment. Elle les prit toutes par la main fort affectueusement, et exprima la plus grande joie à les revoir.

– Comme je suis contente de vous voir ! dit-elle, s'asseyant entre Elinor et Marianne, car la journée est si mauvaise que je craignais que vous ne pussiez pas venir, ce qui aurait été une chose affreuse, car nous repartons demain. Il faut que nous partions, car les Weston vont venir chez nous la semaine prochaine, n'est-ce pas. Le simple fait de notre venue a été une chose tout à fait soudaine, et je n'en ai rien su jusqu'au moment où la voiture arrivait à la porte, et alors Mr. Palmer m'a demandé si je voulais l'accompagner à Barton. Il est tellement cocasse ! Il ne me dit jamais rien ! Je regrette bien que nous ne puissions rester plus longtemps ; mais nous nous reverrons très prochainement à Londres, je l'espère.

Elles furent contraintes de mettre fin à un tel espoir.

– Vous n'irez pas à Londres ! s'écria Mrs. Palmer, en riant. Je serai tout à fait déçue si vous n'y venez pas. Je pourrais vous trouver la plus jolie maison du monde, à côté de la nôtre, dans Hanover Square. Il faut vraiment que vous veniez ! Je suis bien sûre que je serai heureuse de vous servir de chaperon à tout moment, jusqu'à mes couches, s'il ne plaît pas à Mrs. Dashwood de sortir.

Elles la remercièrent, mais furent obligées de résister à toutes ses prières.

– Oh, mon chéri ! s'écria Mrs. Palmer, s'adressant à son mari, qui venait d'entrer dans la pièce, il faut que vous m'aidiez à persuader aux demoiselles Dashwood de venir à Londres cet hiver.

Son chéri ne répondit pas ; et, après s'être légèrement incliné devant les dames, se mit à se plaindre du temps qu'il faisait.

– Comme tout cela est détestable ! dit-il. Un temps pareil rend toutes choses et tous les gens dégoûtants. L'ennui est produit aussi bien à l'extérieur qu'à l'intérieur, par la pluie. Il vous porte à détester tous les gens qu'on connaît. Pourquoi diable, aussi, Sir John n'a-t-il pas chez lui une salle de billard ? Comme il y a peu de gens qui sachent ce que c'est que le confort ! Sir John est aussi stupide que le temps !

Les autres ne tardèrent pas à faire leur apparition.

– J'ai bien peur, miss Marianne, dit Sir John, que vous n'ayez pas pu faire votre promenade habituelle à Allenham, aujourd'hui.

Marianne prit un air très grave, et ne dit rien.

– Oh, ne faites pas la petite rusée devant nous, dit Mrs. Palmer ; car nous connaissons toute l'histoire, je vous assure, et j'admire fort votre goût, car je trouve qu'il est extrêmement beau garçon. Nous n'habitons pas bien loin de chez lui, à la campagne, n'est-ce pas – pas à plus de dix milles, je le crois bien.

– Il y en a beaucoup plus près de trente, dit son mari.

– Ah, ma foi ! Il n'y a pas une si grande différence. Je n'ai jamais été chez lui ; mais il paraît que c'est une maison charmante et jolie.

– Une habitation aussi ignoble que j'en ai jamais vu dans ma vie, dit Mr. Palmer.

Marianne demeura parfaitement silencieuse, bien que son visage trahît l'intérêt qu'elle prenait à ce qui se disait.

– Est-elle très laide ? reprit Mrs. Palmer ; alors, celle qui est si jolie, il faut que ce soit quelque autre maison, je le suppose.

Lorsqu'ils eurent pris place dans la salle à manger, Sir John fit remarquer, avec regret, qu'ils n'étaient que huit au total.

– Ma chère, dit-il à sa femme, il est bien contrariant que nous soyons si peu nombreux. Pourquoi n'avez-vous prié les Gilbert de venir chez nous aujourd'hui ?

– Ne vous ai-je pas dit, Sir John, quand vous m'en avez parlé précédemment, que cela ne pouvait se faire ? Ce sont eux qui ont dîné chez nous en dernier lieu.

– Vous et moi, Sir John, dit Mrs. Jennings, nous ne serions pas tellement à cheval sur l'étiquette.

– Alors, vous manqueriez gravement aux convenances, s'écria Mr. Palmer.

– Mon ami, vous contredisez tout le monde, dit sa femme, avec son rire habituel. Savez-vous que vous êtes fort impoli ?

– Je ne savais pas que j'eusse contredit quelqu'un en disant que votre mère manquait aux convenances.

– Oui, vous pouvez m'injurier comme il vous plaira, dit la vieille dame accommodante. Vous m'avez ôté des bras Charlotte, et vous ne pouvez pas me la rendre. Si bien que, sur ce point, j'ai barres sur vous.

Charlotte se mit à rire de bon cœur en songeant que son mari ne pouvait pas se débarrasser d'elle, et dit triomphalement qu'il lui était égal que son mari la gourmandât à cœur joie, puisqu'il leur fallait vivre ensemble. Il était impossible à qui que ce fût d'être plus foncièrement bienveillant ou plus résolu à être heureux, que Mrs. Palmer. L'indifférence étudiée, l'insolence, et le mécontentement de son mari, ne lui causaient aucune peine ; et quand il la grondait ou la gourmandait, elle était éminemment divertie.

– Mr. Palmer est tellement cocasse ! glissa-t-elle à l'oreille d'Elinor. Il est toujours de mauvaise humeur.

Elinor ne fut pas incitée, après l'avoir quelque peu observé, à lui attribuer une malveillance et un manque d'éducation aussi authentiques et dénués d'affectation qu'il désirait le faire paraître. Son caractère pouvait peut-être se trouver un peu aigri en constatant, comme beaucoup d'autres de son sexe, qu'en raison de quelque prévention inexplicable en faveur de la beauté, il était le mari d'une femme fort sotte, mais elle savait que ce genre d'erreur était trop fréquent pour qu'un homme intelligent en fût durablement blessé. C'était plutôt un désir de distinction, croyait-elle, qui l'amenait à traiter tout le monde avec mépris, et à dénigrer d'une façon générale tout ce qu'il avait devant les yeux. C'était le désir de paraître supérieur aux autres. Le motif était trop commun pour qu'on s'en étonnât ; mais les moyens employés, quel que pût en être le succès en établissant sa supériorité en ce qui concerne le défaut d'éducation, avaient peu de chances de lui attacher qui que ce fût, hormis sa femme.

– Oh, ma chère miss Dashwood, dit Mrs. Palmer, peu de temps après, j'ai une grande faveur à solliciter de vous et de votre sœur. Voulez-vous venir passer quelque temps à Cleveland, à Noël ? Voyons, je vous en prie, – et venez pendant que les Weston seront chez nous. Vous n'imaginez pas comme j'en serai heureuse ! Ce sera absolument charmant ! Mon ami – s'adressant à son mari –, ne vous tarde-t-il pas que les demoiselles Dashwood viennent à Cleveland ?

– Certainement, répondit-il avec un sourire méprisant, je ne suis venu dans le Devonshire que dans ce dessein.

– Là, vous voyez, dit sa femme, Mr. Palmer vous attend ; vous ne pouvez donc refuser de venir.

Elles refusèrent toutes deux son invitation, ardemment et résolument.

– Mais, en vérité, il faut que vous veniez, et vous viendrez. Je suis sûre que cela vous plaira par-dessus tout. Nous aurons les Weston chez nous, et ce sera absolument charmant. Vous ne pouvez vous imaginer comme Cleveland est un endroit agréable ; et nous sommes si gais à présent, car Mr. Palmer parcourt constamment le pays pour solliciter des voix en vue de l'élection ; et il y a tant de gens qui viennent dîner chez nous, que je n'ai jamais vus auparavant – c'est absolument charmant ! Mais, pauvre homme ! c'est bien fatigant pour lui, car il est contraint de se faire aimer de tout le monde.

Elinor eut peine à garder son sérieux en acquiesçant à la difficulté d'une semblable obligation.

– Comme ce sera charmant, dit Charlotte, quand il sera au Parlement ! n'est-ce pas ? Comme je rirai ! Comme ce sera ridicule de voir toutes ses lettres adressées à lui avec un M. P. ![1] Mais, le croiriez-vous, il dit qu'il ne voudra jamais me contresigner une lettre pour l'envoyer en franchise. Il déclare qu'il n'en veut rien faire. N'est-ce pas, Mr. Palmer ?

Mr. Palmer ne fit aucune attention à elle.

– Il ne peut souffrir d'écrire, savez-vous bien, reprit-elle ; il dit que c'est véritablement révoltant.

– Non, dit-il, je n'ai jamais rien dit d'aussi déraisonnable. Ne m'attribuez donc pas toutes vos sottises de langage !

– Là ! Vous voyez comme il est cocasse ! Il en est toujours ainsi, avec lui ! Parfois, il refuse de me parler pendant toute une demi-journée, et puis il lui échappe quelque chose de si drôle, au sujet de n'importe quoi au monde !

Elle étonna fort Elinor, au moment où elles rentrèrent au salon, en lui demandant si Mr. Palmer ne lui plaisait pas énormément.

– Certainement, dit Elinor, il semble fort agréable.

– Ah, j'en suis vraiment ravie. Je croyais bien qu'il vous plairait, il est si aimable ; et Mr. Palmer est extrêmement satisfait de vous et de vos sœurs, je puis vous l'affirmer, et vous ne sauriez vous imaginer comme il sera déçu si vous ne venez pas à Cleveland. Je ne comprends vraiment pas pourquoi vous vous y opposeriez.

Elinor fut à nouveau obligée de refuser son invitation ; et, en passant à un autre sujet, elle mit fin à ses prières. Elle estimait probable que, puisqu'ils habitaient le même comté, Mrs. Palmer serait en mesure de la renseigner avec plus de détails sur le caractère général de Willoughby, qu'elle n'en pourrait recueillir d'après la connaissance imparfaite qu'avaient de lui les Middleton, et elle désirait vivement obtenir de qui que ce fût une confirmation de ses mérites, qui pût dissiper toute possibilité de crainte pour Marianne. Elle commença par demander s'ils

---

[1] Membre du Parlement. C'est la dénomination des députés à la Chambre des Communes. *(N. du Tr.)*

voyaient beaucoup Mr. Willoughby à Cleveland, et s'ils le connaissaient intimement.

– Ma foi, oui ; je le connais extrêmement bien, répondit Mrs. Palmer. Non pas que je lui aie jamais parlé, en vérité, mais je l'ai vu constamment à Londres. D'une façon ou d'une autre, il s'est trouvé que je n'ai jamais séjourné à Barton pendant qu'il était à Allenham. Maman l'a déjà vu une fois ici ; mais j'étais chez mon oncle, à Weymouth. Toutefois, je suppose que nous l'aurions beaucoup vu dans le Somersetshire, s'il ne s'était trouvé, fort malencontreusement, que nous n'ayons jamais séjourné ensemble à la campagne. Il réside fort peu à Combe, à ce qu'il me semble ; mais même s'il y résidait à l'envi, je ne crois pas que Mr. Palmer lui ferait visite, car il est dans l'opposition, n'est-ce pas, et, en outre, c'est tellement loin. Je sais pourquoi vous m'interrogez sur son compte ; c'est fort bien : votre sœur doit l'épouser. J'en suis prodigieusement contente, car alors je l'aurai pour voisine, n'est-ce pas.

– Sur mon âme, répondit Elinor, vous en savez beaucoup plus long là-dessus que moi, si vous avez quelque raison de vous attendre à une telle union.

– Ne faites pas semblant de nier, car vous savez que c'est de cela que parle tout le monde ! Je vous assure que je l'ai entendu dire en passant à Londres.

– Ma chère Mrs. Palmer !

– Sur l'honneur, je vous l'affirme ! J'ai rencontré le colonel Brandon, lundi matin, dans Bond Street, juste avant que nous ne quittions Londres, et il m'en a parlé aussitôt.

– Vous m'étonnez fort. Que le colonel Brandon vous en ait parlé ! Assurément, vous devez vous tromper. Donner de pareils renseignements à une personne qu'ils ne pouvaient intéresser, même s'ils étaient vrais, ce n'est pas là ce que j'attendais de la part du colonel Brandon.

– Mais je vous assure qu'il en a été ainsi, néanmoins, et je vais vous dire comment cela s'est produit. Quand nous l'avons rencontré, il a fait demi-tour et nous a accompagnés ; si bien que nous nous sommes mis à parler de mon frère et de ma sœur, et de choses et d'autres ; et je lui ai dit :

« Ainsi donc, mon Colonel, il y a une famille nouvelle qui est venue s'installer à Barton Cottage, paraît-il, et maman m'écrit qu'elles sont très jolies, et que l'une d'elles doit épouser Mr. Willoughby, de Combe Magna. Est-ce vrai, je vous prie ? Car, bien entendu, vous devez le savoir, puisque vous étiez dans le Devonshire à une date si récente.

– Et qu'a dit le Colonel ?

– Oh, il n'a pas dit grand-chose ; mais, d'après son air, il savait que ce devait être vrai, de sorte que, dès ce moment, j'ai considéré cela comme une chose certaine. Ce sera véritablement charmant, je l'affirme ! Quand l'événement doit-il avoir lieu ?

– Mr. Brandon se portait bien, j'espère ?

– Oh, oui, très bien ; et si plein de vos louanges qu'il ne faisait que dire de jolies choses sur votre compte.

– Je suis flattée de ses compliments. Il paraît être un excellent homme ; et je le crois exceptionnellement agréable.

– Moi aussi. C'est un homme tellement charmant, qu'il est dommage qu'il soit aussi grave et aussi sombre. Maman dit qu'il s'est épris, lui aussi, de votre sœur. Je vous assure que c'est un grand compliment s'il en est ainsi, car il ne s'éprend à peu près jamais de personne.

– Mr. Willoughby est-il bien connu dans votre région du Somersetshire ? dit Elinor.

– Oh, oui, extrêmement connu ; – c'est-à-dire que je ne crois pas que beaucoup de gens aient fait sa connaissance, parce que Combe Magna est si éloigné ; mais ils le trouvent tous extrêmement agréable, je vous l'assure. Personne n'est plus aimé que Mr. Willoughby, où qu'il aille, et cela, vous pourrez le dire à votre sœur. Elle a une chance monumentale de l'avoir décroché, sur l'honneur ! Et pourtant, je ne sais pas s'il n'a pas encore plus de chance, lui, de l'avoir décrochée, elle, parce qu'elle est tellement belle et agréable que rien ne saurait être trop bon pour elle. Cependant, je ne la trouve guère plus belle que vous, je vous assure ; car je vous trouve toutes les deux extrêmement jolies, et c'est aussi l'avis de Mr. Palmer, j'en suis sûre, bien que nous n'ayons pas pu le lui faire avouer hier soir.

Les renseignements de Mrs. Palmer sur Willoughby n'étaient pas fort consistants ; mais tout témoignage en sa faveur, quelque faible qu'il fût, lui était agréable.

– Je suis bien contente que nous ayons enfin fait connaissance, reprit Charlotte. Et maintenant, j'espère que nous serons de grandes amies. Vous n'imaginez pas quel désir j'avais de vous voir ! Comme il est délicieux que vous habitiez la maisonnette ! Il n'y a rien de pareil, assurément ! Et je suis bien contente que votre sœur doive si bien se marier ! J'espère que vous séjournerez beaucoup à Combe Magna. C'est un endroit charmant, d'après tout ce qu'on en dit.

– Vous connaissez le colonel Brandon depuis longtemps, n'est-ce pas ?

– Oui, depuis fort longtemps ; depuis le mariage de ma sœur. C'était tout particulièrement un ami de Sir John. Je crois, ajouta-t-elle à mi-voix, qu'il aurait été très content de me prendre pour femme, s'il avait pu. Sir John et lady Middleton le désiraient vivement. Mais maman ne trouvait pas ce mariage suffisant pour moi, sinon Sir John en aurait parlé au colonel, et nous nous serions mariés aussitôt.

– Le colonel Brandon n'a-t-il pas eu vent de la proposition de Sir John à votre mère, avant qu'elle ne fût faite ? N'avait-il jamais avoué son affection à votre adresse ?

– Oh, non ; mais si maman ne s'y était pas opposée, je suppose qu'elle lui aurait plu, au-delà de tout. Il ne m'avait pas vue, à cette époque, plus de deux fois, car cela se passait avant que je n'eusse quitté l'école. Quoi qu'il en soit, je suis bien plus heureuse comme je suis. Mr. Palmer est exactement le genre d'homme qui me plaît.

XXI

Les Palmer retournèrent le lendemain à Cleveland, et les deux familles, à Barton, restèrent de nouveau à se recevoir l'une l'autre. Mais cela ne dura pas longtemps ; à peine Elinor eut-elle la tête débarrassée de leurs derniers visiteurs – à peine eut-elle fini de s'émerveiller de ce que Charlotte fût si heureuse sans cause, de ce que Mr. Palmer se conduisît si naïvement, malgré de bonnes aptitudes, et de l'étrange incompatibilité qui existait souvent entre mari et femme –, que le zèle actif de Sir John et de Mrs. Jennings pour la cause de la compagnie lui procura de nouvelles connaissances à voir et à observer.

Au cours d'une excursion d'une matinée à Exeter, ils avaient fait la rencontre de deux jeunes personnes en qui Mrs. Jennings eut la satisfaction de découvrir des parentes, et c'en fut assez pour que Sir John les invîtât d'emblée au Park, aussitôt que seraient terminées leurs obligations présentes à Exeter. Leurs obligations mondaines à Exeter cédèrent aussitôt le pas à une semblable invitation, et lady Middleton fut mise en quelque émoi, lors du retour de Sir John, en apprenant qu'elle devait prochainement recevoir la visite de deux jeunes filles qu'elle n'avait vues de sa vie, et au sujet de l'élégance desquelles – voire de leur condition raisonnablement recommandable – elle ne pouvait avoir aucune preuve ; car les assurances de son mari et de sa mère à ce sujet ne comptaient absolument pour rien. Le fait qu'elles fussent ses parentes, en outre, était encore une circonstance fortement aggravante ; et les tentatives de consolation de Mrs. Jennings furent donc malencontreusement fondées, lorsqu'elle conseilla à sa fille de ne pas tant se préoccuper de leur mondanité, puisqu'elles étaient toutes cousines, et devaient se supporter mutuellement.

Comme il était impossible, toutefois, d'empêcher à présent leur venue, lady Middleton se résigna à cette idée avec toute la philosophie d'une femme bien élevée, se contentant simplement de faire à son mari une douce réprimande à ce sujet, cinq ou six fois par jour.

Les jeunes personnes arrivèrent ; leur apparence ne démentait nullement la bonne condition ni la mode. Leurs vêtements étaient fort élégants, leurs façons fort courtoises ; elles furent ravies de la maison, et se pâmèrent sur le mobilier ; et il se trouva qu'elles avaient un tel amour éperdu des enfants, que la bonne opinion de lady Middleton leur fut acquise avant qu'elles n'eussent été au Park depuis une heure. Elle déclara que c'étaient vraiment des jeunes filles fort agréables, ce qui, pour milady, était de l'admiration enthousiaste. La confiance de Sir John en son propre jugement grandit avec cet éloge plein d'animation, et il se dirigea aussitôt vers la maisonnette, pour faire part aux demoiselles Dashwood de l'arrivée des demoiselles Steele, et leur donner l'assurance qu'elles étaient les jeunes filles les plus aimables du monde. Il n'y avait pas grand-chose à apprendre, toutefois, d'une louange de ce genre ; Elinor savait bien qu'on rencontrait les jeunes filles les plus aimables du monde dans toutes les parties de l'Angleterre, avec toutes les variations possibles de forme, de visage, de caractère et d'intelligence. Sir John voulait que toute la famille se rendît immédiatement au Park pour contempler ses invitées. Homme bienveillant et philanthrope ! Il lui était douloureux de conserver pour lui seul même une cousine au troisième degré.

– Venez donc maintenant, dit-il, je vous en prie – il faut que vous veniez –, vous viendrez, je vous l'affirme ! Vous n'imaginez pas à quel point elles vous plairont. Lucy est fort jolie, elle a si bon caractère, et est si agréable ! Les enfants s'accrochent déjà tous à elle, comme si elle était une vieille connaissance. Et elles ont toutes deux le désir ardent de vous voir, par-dessus tout, car elles ont entendu dire à Exeter que vous êtes les créatures les plus belles du monde ; et je leur ai dit que tout cela est bien vrai, et bien plus encore. Vous serez ravies de les connaître, j'en suis sûr. Elles ont amené toute la voiture pleine de jouets pour les enfants. Comment pouvez-vous être assez cruelles pour ne pas venir ? Voyons, ce sont vos cousines, n'est-ce pas, en quelque sorte. Vous êtes mes cousines, et elles sont cousines de ma femme ; il faut donc que vous soyez parentes.

Mais Sir John ne put les persuader. Il ne parvint qu'à obtenir la promesse qu'elles feraient une visite au Park dans un délai d'un jour ou deux, et les quitta alors, stupéfait de leur indifférence, pour rentrer chez lui et vanter bien haut, derechef, leurs attraits aux oreilles des demoiselles Steele, comme il avait déjà vanté les demoiselles Steele devant elles.

Lorsqu'eut lieu leur visite promise au Park, et, partant, leur présentation à ces jeunes personnes, elles ne trouvèrent dans l'aspect de l'aînée, qui avait près de trente ans, avec un visage très ordinaire et dénué de sensibilité, rien à admirer ; mais chez l'autre, qui n'avait pas plus de vingt-deux ou vingt-trois ans, elles reconnurent une beauté considérable ; ses traits étaient jolis, et elle avait le regard pénétrant et vif, et une certaine désinvolture d'aspect, qui, si elle ne lui donnait pas véritablement de l'élégance ou de la grâce, conférait de la distinction à sa personne. Leurs façons étaient particulièrement polies, et Elinor leur concéda sans tarder une certaine intelligence, lorsqu'elle vit avec quelles attentions constantes et judicieuses elles se rendaient agréables à lady Middleton. Elles étaient en ravissement continuel à propos de ses enfants, attirant leur attention, et se pliant à toutes leurs fantaisies ; et le peu de leur temps qui restait disponible après les exigences importunes d'une pareille politesse, était consacré à admirer tout ce que milady pouvait se trouver faire, si tant est qu'elle se trouvât faire quelque chose, ou à prendre des patrons de quelque nouvelle robe élégante, vêtue de laquelle, la veille, elle les avait plongées dans un ravissement sans fin. Heureusement pour ceux qui font leur cour au moyen de semblables faiblesses, une mère aimante, bien qu'elle soit, dans la poursuite des louanges à l'adresse de ses enfants, le plus rapace des êtres humains, en est également le plus crédule. Les exigences sont exorbitantes ; mais elle avalera n'importe quoi ; et l'affection et l'endurance excessives des demoiselles Steele envers sa progéniture furent donc contemplées par lady Middleton sans la moindre surprise ni méfiance. Elle vit avec une complaisance maternelle tous les petits débordements impertinents et les tours malicieux auxquels se soumettaient ses cousines. Elle vit leurs ceintures dénouées, leurs cheveux défaits et tiraillés autour des oreilles, leurs sacs à ouvrage fouillés, leurs couteaux et leurs ciseaux dérobés, et n'éprouva aucun doute sur ce que ce ne fût là un plaisir réciproque. Ces incidents ne suggérèrent d'autre surprise que celle de voir Elinor et Marianne rester si calmement assises, sans demander à y participer.

– John est si plein d'entrain aujourd'hui ! dit-elle, lorsqu'il eut pris le mouchoir de poche de miss Steele, et l'eut lancé par la fenêtre. Il est bourré de tours malicieux.

Et peu de temps après, quand le cadet eut violemment pincé l'un des doigts de la même dame, elle dit d'une voix aimante : « Comme William est folâtre ! »

– Et voilà ma chère petite Anna-Maria, ajouta-t-elle, caressant tendrement une petite fille de trois ans, qui était restée au moins deux minutes sans faire de bruit. Elle est toujours si douce et tranquille. Jamais il n'y eut un petit être aussi paisible.

Mais, malheureusement, pendant qu'elle se livrait à ces embrassements, une épingle dans la coiffure de milady, égratignant légèrement le cou de l'enfant, produisit chez ce modèle de douceur des hurlements tellement violents qu'ils n'eussent guère pu être surpassés par aucune créature reconnue comme bruyante. La consternation de la mère fut extrême ; mais elle ne put surpasser la frayeur des demoiselles Steele, et il fut fait par toutes les trois, dans une circonstance aussi critique, tout ce que l'affection pouvait suggérer comme étant de nature à calmer les souffrances de la petite victime. Elle était assise sur les genoux de sa mère, couverte de baisers, sa blessure baignée à l'eau de lavande par l'une des demoiselles Steele, qui était agenouillée pour s'occuper d'elle, et la bouche bourrée de bonbons par sa mère. Avec une semblable récompense pour ses larmes, l'enfant était trop sage pour cesser de pleurer. Elle continuait à crier et à sangloter à pleine voix, décochait des coups de pied à ses frères pour s'être offerts à la toucher, et tous leurs apaisements conjoints furent inefficaces jusqu'au moment où lady Middleton, se souvenant heureusement que, dans une scène de détresse analogue, la semaine précédente, la marmelade d'abricots avait été appliquée avec succès à l'occasion d'une tempe meurtrie, le même remède fut ardemment proposé pour cette malencontreuse égratignure ; et une légère interruption des cris, de la part de la jeune personne, lorsqu'elle entendit cette proposition, leur donna lieu d'espérer qu'il ne serait point rejeté. Elle fut donc transportée hors de la pièce, dans les bras de sa mère, en quête de ce médicament, et comme les deux garçons trouvèrent bon de la suivre, bien que leur mère les eût vivement suppliés de rester là, les quatre jeunes filles furent laissées dans un silence que la pièce n'avait pas connu depuis des heures nombreuses.

– Pauvre petit chou ! dit miss Steele, dès qu'ils furent partis. Cela aurait pu être un accident fort malencontreux.

– Pourtant, je ne vois guère comment, s'écria Marianne, à moins que ce n'eût été dans des circonstances totalement différentes. Mais c'est là le moyen habituel de grossir une crainte, là où, en réalité, il n'y a rien à craindre.

– Quelle femme charmante, que lady Middleton ! dit Lucy Steele.

Marianne garda le silence ; il lui était impossible de dire ce qu'elle ne sentait pas, quelque insignifiante que fût la circonstance ; et c'est sur Elinor que retombait toujours toute la tâche de débiter des mensonges quand la politesse l'exigeait. Elle fit de son mieux, lorsqu'elle fut ainsi sollicitée, en parlant de lady Middleton avec plus de chaleur qu'elle n'en éprouvait, encore qu'avec beaucoup moins que miss Lucy.

– Et Sir John aussi, s'écria la sœur aînée, quel homme charmant !

Là aussi, les louanges de miss Dashwood, n'étant que simples et justes, intervinrent sans aucun éclat. Elle se contenta de dire qu'il avait parfaitement bon caractère et se montrait très amical.

– Et quelle charmante petite famille ils ont ! Je n'ai, de ma vie, vu d'aussi beaux enfants. Je le déclare, j'en suis déjà férue, et, en vérité, j'aime toujours les enfants à la folie.

– Je l'avais deviné, dit Elinor, avec un sourire, d'après ce que j'ai constaté ce matin.

– J'ai idée, dit Lucy, que vous trouvez les petits Middleton un peu trop gâtés ; peut-être leur fait-on un tantinet trop bonne mesure ; mais c'est si naturel, de la part de lady Middleton ; et quant à moi, j'aime à voir les enfants pleins de vie et d'entrain ; je ne puis les souffrir quand ils sont apprivoisés et silencieux.

– J'avoue, répondit Elinor, que, pendant que je suis à Barton Park, je ne songe jamais avec aucune répugnance à des enfants apprivoisés et silencieux.

Un bref silence succéda à ce discours, et il fut rompu par miss Steele, qui semblait fort disposée à la conversation, et qui dit alors, d'une façon assez abrupte : « Et comment trouvez-vous le Devonshire, miss Dashwood ? Je suppose que vous avez eu beaucoup de chagrin à quitter le Sussex ? »

Un peu surprise de la familiarité de cette question, ou tout au moins de la façon dont elle était posée, Elinor répondit que cela lui avait, effectivement, fait de la peine.

– Norland est une propriété prodigieusement belle, n'est-ce pas ? ajouta miss Steele.

– Nous avons entendu Sir John qui l'admirait extrêmement, dit Lucy, qui paraissait croire à la nécessité de quelque excuse pour la liberté de sa sœur.

– Je crois que quiconque a vu cette propriété, doit l'admirer, répondit Elinor, bien qu'on ne puisse supposer que quelqu'un puisse en estimer les beautés comme nous le faisons.

– Et y aviez-vous beaucoup de soupirants élégants ? Je suppose que vous n'en avez pas tant dans cette région du monde ; quant à moi, je trouve qu'ils constituent toujours un complément important.

– Mais pourquoi donc penses-tu, dit Lucy, qui semblait avoir honte de sa sœur, qu'il n'y a pas autant de jeunes gens de bonne condition dans le Devonshire que dans le Sussex ?

– Oh, ma chère, je ne prétends certes pas dire qu'il n'y en a pas autant. Assurément, il y a énormément de soupirants élégants à Exeter ; mais, n'est-ce pas, comment pouvais-je savoir quels soupirants il pouvait y avoir autour de Norland ? Et je craignais seulement que les demoiselles Dashwood ne s'ennuient à Barton, si elles n'en avaient pas autant que jadis. Mais peut-être, mesdemoiselles, ne vous souciez-vous pas des soupirants, et aimez-vous autant à vous en passer qu'à les avoir auprès de vous. Pour ma part, je trouve qu'ils sont fort agréables, pourvu qu'ils s'habillent bien et se conduisent courtoisement. Mais je ne puis souffrir de les voir malpropres et déplaisants. Tenez, il y a Mr. Rose, à Exeter, jeune homme prodigieusement élégant, un « beau » accompli, clerc de Mr.

Simpson, n'est-ce pas, et pourtant, si par hasard vous le rencontrez le matin, il n'est pas en état d'être vu. Je suppose que votre frère était véritablement un « beau », miss Dashwood, avant son mariage, car il était tellement riche !

– Sur mon âme, répondit Elinor, je suis incapable de vous le dire, car je ne comprends pas parfaitement la signification de ce mot. Mais je peux dire ceci : si jamais il a été un « beau » avant son mariage, il l'est encore, car il n'y a pas le moindre changement chez lui.

– Oh, mon Dieu, on ne songe jamais à des hommes mariés comme étant des « beaux », – ils ont autre chose à faire.

– Grand Dieu ! Anne, s'écria sa sœur, tu es incapable de parler d'autre chose que de « beaux » ; tu feras croire à miss Dashwood que tu ne penses qu'à cela.

Puis, pour changer de sujet, elle se mit à admirer la maison et l'ameublement.

Ce spécimen des demoiselles Steele fut suffisant. La liberté vulgaire et la sottise de l'aînée ne lui laissaient rien qui la recommandât, et comme Elinor ne fut aveuglée ni par la beauté ni par le regard avisé de la cadette, au point de ne pas voir son manque d'élégance réelle et de naturel, elle quitta la maison sans nul désir de les mieux connaître.

Il n'en fut pas de même des demoiselles Steele. Elles étaient venues d'Exeter, bien pourvues d'admiration à l'usage de Sir John Middleton, de sa famille, et de toutes ses connaissances : et ce ne fut pas une portion parcimonieuse qu'elles en servirent à présent à ses jolies cousines, qu'elles déclarèrent être les jeunes filles les plus belles, les plus élégantes, les plus accomplies, et les plus agréables, qu'elles eussent jamais contemplées, et avec qui elles désiraient tout particulièrement faire plus ample connaissance. Aussi Elinor constata-t-elle bientôt que cette plus ample connaissance était leur sort inévitable ; car, comme Sir John était entièrement du bord des demoiselles Steele, leur parti eût été trop puissant pour y faire de l'opposition, et il fallut se soumettre à ce genre d'intimité qui consiste à rester assis ensemble, pendant une heure ou deux, dans la même pièce, presque tous les jours. Sir John n'en pouvait faire davantage ;

mais il ne savait pas qu'il en fallût davantage ; selon lui, être ensemble, c'était être intimes, et puisque ses projets continuels en vue de les réunir étaient efficaces, il ne doutait pas que leur amitié ne fût solidement établie.

Il faut lui rendre cette justice, qu'il fit tout ce qui était en son pouvoir pour faire tomber leur réserve, en communiquant aux demoiselles Steele tout ce qu'il savait, ou supposait, touchant la situation de sa cousine dans ses détails les plus délicats – et Elinor ne les avait pas vues plus de deux fois, que l'aînée la félicita de ce que sa sœur eût eu la chance de faire la conquête d'un jeune « beau » fort élégant depuis qu'elle était venue à Barton.

– Ce sera une belle chose de la voir mariée si jeune, assurément, dit-elle ; et il paraît qu'il est un « beau » accompli et prodigieusement bien de sa personne. Et j'espère que vous pourrez bientôt avoir vous-même autant de chance – mais peut-être avez-vous déjà un ami que vous cachez dans un coin.

Elinor ne pouvait pas supposer que Sir John serait plus discret à proclamer ses soupçons relatifs à son affection pour Edward, qu'il ne l'avait été en ce qui concerne Marianne ; voire, c'était même, des deux plaisanteries, celle qu'il préférait, comme étant quelque peu plus récente et plus conjecturale : et, depuis la visite d'Edward, ils n'avaient jamais dîné ensemble sans qu'il n'eût bu à ses meilleures affections, avec tant de signification et tant de hochements de tête et de clignements d'yeux, qu'il ne manquait pas d'attirer l'attention générale. La lettre F avait de même été invariablement mise en avant, et il avait été constaté qu'elle produisait tant de plaisanteries innombrables, que son caractère de lettre la plus spirituelle de l'alphabet avait, depuis longtemps, été établi auprès d'Elinor.

Les demoiselles Steele, comme elle s'y attendait, jouirent à présent de tout le fruit de ces plaisanteries, et elles suscitèrent chez l'aînée d'entre elles une curiosité de connaître le nom du gentleman auquel il était fait allusion – curiosité qui, bien qu'elle s'exprimât souvent de façon impertinente, s'accordait parfaitement avec son indiscrétion générale au sujet de ce qui se rapportait à leur famille. Mais Sir John ne tint pas longtemps en suspens la curiosité qu'il se plaisait à susciter, car il goûta au moins autant de plaisir à prononcer le nom que miss Steele en eut à l'entendre.

– Il s'appelle Ferrars, dit-il, en un chuchotement fort perceptible ; mais, je vous en prie, ne répétez pas son nom, car c'est un grand secret.

– Ferrars ! répéta Miss Steele ; Mr. Ferrars est l'heureux élu, vraiment ? Comment, le frère de votre belle-sœur, miss Dashwood ? Un jeune homme fort agréable, assurément ; je le connais très bien.

– Comment peux-tu dire cela, Anne ? s'écria Lucy, qui apportait généralement un amendement à toutes les affirmations de sa sœur. Bien que nous l'ayons vu une fois ou deux chez mon oncle, il est plutôt excessif de prétendre que nous le connaissions très bien.

Elinor entendit tout cela avec attention et surprise. Et qui était cet oncle ? Où habitait-il ? Comment avaient-elles fait sa connaissance ? Elle désirait vivement que l'entretien se poursuivît sur ce sujet, bien qu'il ne lui convînt pas d'y prendre part ; mais on n'en dit pas plus long, et, pour la première fois de sa vie, elle trouva que Mrs. Jennings manquait de curiosité au sujet des menus potins, ou d'humeur à les communiquer. La façon dont miss Steele avait parlé d'Edward accrut sa curiosité, car elle lui fit l'impression d'être un peu malveillante, et suggérait le soupçon que cette personne savait, ou s'imaginait savoir, quelque chose de défavorable sur le compte du jeune homme. Mais sa curiosité fut vaine, car miss Steele ne prêta plus attention au nom de Mr. Ferrars quand il y fut fait allusion, ou même quand il fut ouvertement prononcé par Sir John.

XXII

Marianne, qui n'avait jamais éprouvé beaucoup de tolérance à l'égard de tout ce qui ressemblait à de l'impertinence, à de la vulgarité, à l'infériorité des talents, ou même à une différence de goût d'avec elle-même, était à cette époque particulièrement peu disposée, en raison de son manque d'entrain, à se plaire auprès des demoiselles Steele, ou à encourager leurs avances ; et c'est à l'invariable froideur de son attitude envers elles, froideur qui enrayait toute tentative en vue de l'intimité de leur part, qu'Elinor attribua principalement cette préférence pour elle-même, qui devint bientôt manifeste dans leurs façons à toutes deux, mais surtout dans celles de Lucy, laquelle ne manquait aucune occasion de l'attirer en conversation, ou de s'efforcer à améliorer leurs rapports en se communiquant leurs sentiments d'une façon franche et aisée.

Lucy possédait une vivacité d'esprit naturelle ; ses remarques étaient souvent justes et amusantes ; et comme compagne, pendant une demi-heure, Elinor la trouvait fréquemment amusante ; mais ses facultés n'avaient reçu aucune aide provenant de l'instruction, elle était ignorante et illettrée, et son défaut de toute amélioration mentale, son manque d'information touchant les détails les plus communs, ne purent être dissimulés à miss Dashwood, en dépit de ses efforts constants pour paraître à son avantage. Elinor s'aperçut, non sans la plaindre, de cet abandon dans lequel étaient restées des aptitudes que l'éducation aurait pu rendre si respectables ; mais elle vit avec moins de tendresse de sentiment, le manque absolu de délicatesse, de droiture et de probité d'esprit que trahissaient ses attentions, ses assiduités, ses flatteries, au cours de son séjour au Park ; et elle ne put goûter une satisfaction durable à la compagnie d'une personne qui joignait à l'ignorance le manque de sincérité, dont le défaut d'instruction les empêchait de se rencontrer en conversation sur un pied d'égalité, et dont la conduite envers les autres rendait absolument sans valeur toute manifestation d'attention et de déférence envers elle.

– Vous trouverez sans doute ma question bizarre, lui dit un jour Lucy, tandis qu'elles allaient ensemble du Park à la maisonnette, mais voudriez-vous me dire si vous connaissez personnellement la mère de votre belle-sœur, Mrs. Ferrars ?

Elinor trouva en effet la question fort bizarre, et l'expression de son visage trahit sa surprise lorsqu'elle répondit qu'elle n'avait jamais vu Mrs. Ferrars.

– Vraiment ! repartit Lucy ; voilà qui m'étonne, car je croyais que vous aviez dû la voir, parfois, à Norland. Alors, vous êtes peut-être incapable de me dire quel genre de femme c'est ?

– En effet, répondit Elinor, trop prudente pour donner son opinion véritable sur la mère d'Edward, et peu désireuse de satisfaire ce qui semblait être une curiosité impertinente, je ne sais rien sur son compte.

– Je suis sûre que vous me trouvez fort étrange, de vous interroger ainsi sur elle, dit Lucy, examinant attentivement Elinor tout en parlant ; mais peut-être y a-t-il des raisons... je voudrais pouvoir me hasarder ; toutefois, j'espère que vous me rendrez cette justice, de croire que je n'ai pas l'intention d'être impertinente.

Elinor lui fit une réponse polie, et elles continuèrent à marcher quelques minutes en gardant un silence, interrompu par Lucy, qui reprit le sujet en disant, non sans quelque hésitation :

– Je ne puis supporter que vous me croyiez d'une curiosité impertinente ; assurément, j'aimerais mieux faire tout au monde, plutôt que d'être considérée comme telle par une personne dont la bonne opinion mérite, autant que la vôtre, qu'on se l'assure. Et je suis sûre que je n'aurais pas la moindre crainte de me confier à vous ; en vérité, je serais ravie d'avoir vos conseils sur la façon de me comporter dans une situation aussi gênante que celle dans laquelle je me trouve ; mais il n'y a cependant pas lieu de vous importuner. Je regrette que vous ne vous trouviez pas connaître Mrs. Ferrars.

– Je le regrette aussi, dit Elinor, fort étonnée, s'il pouvait vous être utile en quoi que ce fût de connaître mon opinion sur elle. Mais, en vérité, je n'ai jamais compris que vous eussiez aucun lien avec cette famille, et c'est pourquoi je suis un peu surprise, je l'avoue, d'une interrogation aussi sérieuse quant au caractère de cette dame.

– Sans doute l'êtes-vous, et, assurément, cela ne m'étonne pas. Mais si j'osais tout vous dire, vous ne seriez pas aussi surprise. Mrs. Ferrars ne m'est certainement rien pour le moment ; mais il pourra venir un jour – la proximité de ce jour doit dépendre d'elle – où nous serons peut-être fort intimement liées.

Elle baissa les yeux en disant cela, aimablement timide, se contentant de lancer un regard en coulisse à sa compagne, afin d'en observer l'effet sur elle.

– Grand Dieu ! s'écria Elinor, que voulez-vous dire ? Connaissez-vous Mr. Robert Ferrars ? Se peut-il ? Et elle n'éprouva pas beaucoup d'enthousiasme à l'idée d'une pareille belle-sœur.

– Non, répondit Lucy, pas Mr. Robert Ferrars – je ne l'ai vu de ma vie, mais – fixant les yeux sur Elinor – je connais son frère aîné.

Ce qu'éprouva Elinor en cet instant ? Un étonnement, qui eût été aussi douloureux qu'il était vif, s'il n'avait été accompagné d'une incrédulité immédiate quant à cette affirmation. Elle se tourna vers Lucy en une stupéfaction silencieuse, incapable de deviner la raison ou l'objet d'une telle déclaration, et, bien que son teint se modifiât, elle resta ferme dans l'incrédulité, et ne se sentit en nul danger d'un accès d'hystérie ou de perte de connaissance.

C'est à bon droit que vous pouvez être surprise, reprit Lucy, car vous ne pouviez certes en avoir, préalablement, la moindre idée ; et je suppose bien qu'il n'en a jamais soufflé mot à vous ni à personne de la famille, car cela devait rester à l'état de grand secret, lequel, j'en suis sûre, a été fidèlement gardé par moi jusqu'à cette heure. Pas une âme, parmi toutes nos connaissances, n'en a rien su, sauf Anne, et je ne vous en aurais jamais parlé, si je n'avais compté le plus vigoureusement du monde sur votre discrétion ; et il m'a véritablement semblé que mon attitude, en vous posant tant de questions sur Mrs. Ferrars, devait paraître si bizarre, qu'il fallait l'expliquer. Et je ne crois pas que Mr. Ferrars puisse être mécontent quand il saura que j'ai eu confiance en vous, parce que je sais qu'il a la meilleure opinion du monde de votre famille, et vous considère tout à fait, vous et les autres demoiselles Dashwood, comme ses propres sœurs.

Elle se tut.

Elinor demeura quelques instants silencieuse. Son étonnement devant ce qu'elle avait entendu lui coupa d'abord la parole, mais, se forçant enfin à parler, et à parler prudemment, elle dit, avec un calme de façons qui dissimulait assez bien sa peine et son inquiétude :

– Puis-je vous demander si vos fiançailles remontent à longtemps ?

– Voilà quatre ans que nous sommes fiancés.

– Quatre ans !

– Oui.

Elinor, bien qu'elle fût violemment scandalisée, se sentit encore incapable de le croire.

– Je ne savais pas, dit-elle, jusqu'à l'autre jour, que vous le connussiez seulement !

– Notre connaissance, cependant, remonte à de nombreuses années. Il a été confié aux soins de mon oncle, voyez-vous, pendant un temps considérable.

– Votre oncle !

– Oui, Mr. Pratt. L'avez-vous jamais entendu parler de Mr. Pratt ?

– Je crois que oui, répondit Elinor, mettant en œuvre un courage qui allait croissant avec son émotion.

– Il est resté quatre ans chez mon oncle, qui habite Longstaple, près de Plymouth. C'est là que nous avons noué connaissance, car ma sœur et moi, nous allions souvent chez mon oncle, et c'est là qu'eurent lieu nos fiançailles, bien que ce ne fût qu'un an après qu'il eut quitté la maison en qualité d'élève ; mais, par la suite, il a été presque tout le temps auprès de nous. Il me répugnait fort d'échanger cette promesse de mariage, comme bien vous pensez, sans la connaissance et l'approbation de sa mère ; mais j'étais trop jeune, et je l'aimais trop, pour être aussi prudente qu'il eût fallu. Bien que vous ne le connaissiez pas aussi bien que moi, miss Dashwood, vous avez dû le fréquenter suffisamment pour sentir qu'il est fort capable de faire éprouver à une femme un attachement sincère pour lui.

– Certainement, répondit Elinor, sans savoir ce qu'elle disait ; mais au bout d'un instant de réflexion, elle ajouta, avec un renouveau de confiance en l'honneur et en l'amour d'Edward, et en le caractère mensonger de sa compagne :

– Fiancée à Mr. Edward Ferrars ! Je m'avoue si totalement surprise de ce que vous me dites, que vraiment... je vous demande pardon : mais il doit sûrement y avoir quelque erreur de personne ou de nom. Il ne se peut pas que nous parlions du même Mr. Ferrars.

– Nous ne pouvons vouloir parler de nul autre, s'écria Lucy, souriant. Mr. Edward Ferrars, le fils aîné de Mrs. Ferrars, de Park Street, et le frère de votre belle-sœur Mrs. John Dashwood, telle est la personne dont je veux parler ; vous reconnaîtrez qu'il y a peu de chances pour que je me trompe sur le nom de l'homme de qui dépend tout mon bonheur.

– Il est étrange, répondit Elinor, dans une perplexité fort douloureuse, que je ne lui aie seulement jamais entendu prononcer votre nom.

– Non, étant donnée notre situation, ce n'a pas été étrange. Notre premier soin a été de tenir l'affaire secrète. Vous ne connaissiez rien de moi ni de ma famille, de sorte qu'il n'a jamais pu y avoir lieu de prononcer mon nom devant vous ; et comme il craignait toujours tout particulièrement que sa sœur ne soupçonnât quelque chose, c'était là une raison suffisante pour qu'il ne le prononçât pas.

Elle se tut. L'assurance d'Elinor s'effondra ; mais sa maîtrise de soi ne s'effondra pas en même temps.

– Vous êtes fiancés depuis quatre ans, dit-elle d'une voix ferme.

– Oui ; et Dieu sait combien de temps il va nous falloir attendre encore. Pauvre Edward ! Cela le décourage complètement. Puis, tirant de sa poche une petite miniature, elle ajouta : Pour empêcher toute possibilité d'erreur, soyez assez bonne pour regarder ce visage. Il ne le flatte pas, assurément, mais pourtant, je crois que vous ne pourrez vous méprendre sur la personne qu'il représente. Voilà trois ans que je l'ai.

Elle le lui mit dans les mains tout en parlant, et lorsque Elinor vit le portrait, quelque doute qu'eussent pu lui laisser en l'esprit sa crainte d'une décision trop hâtive ou son désir de découvrir un mensonge, elle n'en put éprouver aucun sur le fait que ce fût le visage d'Edward. Elle le restitua presque à l'instant, en avouant la ressemblance.

– Je n'ai jamais pu, reprit Lucy, lui donner mon portrait en retour, ce qui me contrarie beaucoup, car il a toujours été si désireux de l'avoir. Mais je suis résolue à le faire faire, dès la première occasion.

– Vous avez parfaitement raison, répondit Elinor avec calme. Elles firent alors quelques pas en silence. Lucy fut la première à parler.

– Assurément, dit-elle, je n'éprouve absolument aucun doute sur ce que vous ne gardiez fidèlement ce secret, parce que vous devez savoir combien il est important pour nous qu'il ne parvienne pas aux oreilles de sa mère ; car elle n'y donnerait jamais son approbation, sans doute. Je n'aurai aucune fortune, et j'imagine qu'elle est une femme excessivement fière.

– Je n'ai certes pas cherché à vous tirer des confidences, dit Elinor, mais vous ne faites que me rendre justice en imaginant qu'on peut compter sur moi. Votre secret est en sûreté auprès de moi ; mais pardonnez-moi si j'exprime quelque surprise devant une communication aussi peu nécessaire. Vous avez au moins dû avoir le sentiment que le fait, pour moi, de la connaître, ne pouvait pas ajouter à sa sécurité.

En disant cela, elle regarda intensément Lucy, avec l'espoir de découvrir quelque chose dans sa physionomie – peut-être la fausseté de la majeure partie de ce qu'elle avait dit ; mais le visage de Lucy ne subit aucun changement.

– J'avais peur que vous ne pensiez que je prenais une grande liberté avec vous, dit-elle, en vous disant tout cela. Je ne vous connais pas depuis longtemps, certes, tout au moins personnellement ; mais il y a fort longtemps que je vous connais, ainsi que toute votre famille, par les descriptions qui m'en ont été faites ; et dès que je vous ai vue, j'ai presque eu le sentiment que vous étiez une vieille connaissance. D'ailleurs, dans le

133

cas présent, il m'a réellement semblé qu'une explication vous était due, après que j'eusse posé des questions aussi pertinentes sur la mère d'Edward ; et j'ai le malheur de n'avoir pas un être à qui je puisse demander conseil. Anne est la seule personne qui soit au courant, et elle ne possède aucun jugement. En vérité, elle me fait beaucoup plus de mal que de bien, car je suis constamment dans la crainte qu'elle ne me trahisse. Elle ne sait pas tenir sa langue, comme vous avez dû vous en apercevoir, et je suis sûre d'avoir eu l'autre jour la plus grosse frayeur du monde quand le nom d'Edward a été prononcé par Sir John, de peur qu'elle ne contât toute l'histoire. Vous ne vous imaginez pas ce que tout cela me fait souffrir en esprit. Je m'étonne seulement d'être encore en vie après tout ce que j'ai souffert pour l'amour d'Edward, au cours de ces quatre dernières années. Tout est en suspens, et si incertain ; et nous nous voyons si rarement – nous ne pouvons guère nous rencontrer plus de deux fois par an ! Assurément, je m'étonne que mon cœur ne soit pas complètement brisé !

Elle tira alors son mouchoir ; mais Elinor ne ressentit pas beaucoup de compassion.

– Parfois, reprit Lucy, après s'être essuyé les yeux, je me demande s'il ne vaudrait pas mieux, pour lui comme pour moi, rompre complètement. En disant cela, elle regarda sa compagne bien en face. Mais alors, à d'autres moments, je n'ai pas assez de résolution pour cela. Je ne puis supporter l'idée de le rendre si malheureux – comme il le serait, j'en suis sûre, si je faisais seulement mention d'une chose pareille. Et pour moi-même, aussi – il m'est tellement cher ! – je ne crois pas que j'en aurais le courage. Que me conseilleriez-vous de faire en un cas semblable, miss Dashwood ? Que feriez-vous vous-même ?

– Pardonnez-moi, répondit Elinor, surprise par cette question ; mais je ne puis vous donner aucun conseil, en des circonstances pareilles. Il faut que ce soit votre propre jugement qui vous dirige.

– Assurément, reprit Lucy après quelques minutes de silence de part et d'autre, sa mère devra l'établir un jour ou l'autre ; mais comme ce pauvre Edward est abattu à ce sujet ! Vous ne l'avez pas trouvé affreusement découragé quand il était à Barton ? Il était tellement malheureux, quand il nous a quittées, à Longstaple, pour aller chez vous, que je craignais que vous ne le trouviez véritablement malade.

– Il venait donc de chez son votre oncle, quand il est venu nous voir ?

– Oh, oui, il avait séjourné une quinzaine chez nous. Vous croyiez qu'il venait tout droit de Londres ?

– Non, répondit Elinor, dont l'émotion était particulièrement sensible à toute circonstance nouvelle en faveur de la véracité de Lucy. Je me souviens qu'il nous a dit qu'il avait passé quinze jours chez des amis près de Plymouth. Elle se souvint aussi de sa propre surprise sur le moment, de ce qu'il n'eût rien dit de plus au sujet de ces amis, et de son silence total, même, quant à leur nom.

– L'avez-vous trouvé lamentablement à court d'entrain ? répéta Lucy.

– En effet, en particulier lors de son arrivée.

– Je l'ai supplié de faire un effort, de peur que vous ne soupçonniez ce qui se passait ; mais cela l'a rendu si mélancolique, de ne pouvoir rester plus d'une quinzaine auprès de moi, et de me voir tellement affectée ! Pauvre garçon ! Je crains qu'il n'en soit encore de même pour lui, à présent ; car il écrit avec un découragement affreux. J'ai reçu une lettre de lui juste avant mon départ d'Exeter ; – tirant une lettre de sa poche, et en montrant négligemment la suscription à Elinor – Vous connaissez son écriture, sans doute ; et elle est vraiment charmante ; mais cette adresse n'est pas aussi bien écrite que d'ordinaire. Il était fatigué, sans doute, car il venait de remplir le plus possible le feuillet qu'il me destinait.

Elinor vit que c'était son écriture, et il ne lui fut plus possible de douter. Le portrait, elle s'était autorisée à le croire, avait pu être obtenu accidentellement ; il pouvait n'être pas un cadeau d'Edward ; mais une correspondance entre eux, par lettres, ne pouvait subsister qu'en supposant des fiançailles positives, ne pouvait être autorisée par rien d'autre ; pendant quelques instants elle fut presque accablée – son cœur s'effondra en elle, et elle put à peine se tenir debout ; mais il était indispensable qu'elle fît un effort, et elle lutta si résolument contre l'oppression de ses sentiments, que son succès fut rapide, et, pour l'instant, complet.

– Nous écrire l'un à l'autre, dit Lucy, remettant la lettre dans sa

135

poche, c'est le seul réconfort que nous ayons dans ces longues séparations. Oui, j'ai pourtant, moi, un autre réconfort, – son portrait ; mais le pauvre Edward n'a même pas celui-là. Si seulement il avait mon portrait, il serait tranquille, dit-il. Je lui ai donné une mèche de mes cheveux, montée dans une bague, la dernière fois qu'il a séjourné à Longstaple et cela a été pour lui une petite consolation, a-t-il dit, encore que faible, en comparaison d'un portrait. Peut-être avez-vous remarqué cette bague quand vous l'avez vu ?

– En effet, dit Elinor, d'une voix calme, sous laquelle se dissimulaient un émoi et une tristesse qui dépassaient tout ce qu'elle eût encore jamais ressenti. Elle était mortifiée, scandalisée, confondue.

Heureusement pour elle, elles étaient alors parvenues à la maisonnette, et la conversation ne pouvait pas être poursuivie. Après être restées quelques minutes avec elles, les demoiselles Steele retournèrent au Park, et Elinor eut alors loisir de réfléchir et d'être malheureuse.

XXIII

Quelque faible que pût être, d'une façon générale, la confiance d'Elinor en la véracité de Lucy, il lui fut impossible, après avoir réfléchi sérieusement, de la soupçonner dans le cas présent, où aucune tentation ne pouvait justifier la folie qu'il y aurait à inventer un mensonge d'une telle envergure. Ce que Lucy avait affirmé être vrai, donc, Elinor n'en pouvait, n'en osait, plus douter, – d'autant plus que tout était étayé de toutes parts par de telles probabilités et de telles preuves, et n'était contredit par rien, en dehors de ses propres désirs. L'occasion de leur connaissance chez Mr. Pratt constituait un fondement pour le reste, à la fois indiscutable et inquiétant ; et la visite d'Edward aux environs de Plymouth, son état d'esprit mélancolique, le mécontentement que lui donnaient ses propres perspectives d'avenir, son attitude incertaine envers elle, la connaissance intime manifestée par les demoiselles Steele au sujet de Norland et de leurs liens de famille, qui l'avait souvent surprise, – le portrait, la lettre, la bague, – tout cela réuni formait un ensemble de témoignages qui anéantissait toute crainte de le condamner injustement, et établissait comme un fait qu'aucune partialité ne pouvait écarter, la façon indigne dont il l'avait traitée. Son ressentiment devant une telle conduite, son indignation d'en avoir été dupe, furent tels que, pour quelques instants brefs, elle se sentit seule en cause ; mais d'autres idées, d'autres considérations, se présentèrent bientôt. Edward l'avait-il trompée intentionnellement ? Avait-il feint pour elle une affection qu'il n'éprouvait pas ? Ses fiançailles avec Lucy étaient-elles des fiançailles du cœur ? Non ; quoi qu'elles eussent pu être jadis, elle ne pouvait pas croire qu'elles le fussent à présent. L'affection d'Edward lui était entièrement acquise. Sur ce point, elle n'avait pu être dupée. Sa mère, ses sœurs, Fanny – toutes avaient eu conscience des sentiments qu'il éprouvait pour elle à Norland ; ce n'était pas une illusion de sa propre vanité. Il l'aimait certainement. Comme cette persuasion fut un adoucissement pour son cœur ! Que ne pouvait-elle la tenter de pardonner ! Il avait été répréhensible de sa part, hautement répréhensible, de rester à Norland après qu'il avait commencé à sentir que son influence sur lui était supérieure à ce qu'elle devait être. En vérité, sa conduite était indéfendable ; mais s'il lui avait fait du mal, comme il s'en était fait davantage à lui-même ! Si le cas d'Elinor était pitoyable, celui d'Edward était désespéré ! Son imprudence l'avait rendu malheureux pour quelque temps, mais elle semblait l'avoir privé, lui, de toute chance de connaître jamais autre chose que le malheur. Elle pourrait, avec le temps, retrouver la tranquillité, mais *lui*, qu'avait-il, comme perspective d'avenir ? Pourrait-il être jamais raisonnablement heureux avec Lucy Steele ? Pourrait-il, en mettant hors de cause son affection pour elle-même, et compte tenu de sa probité, de sa délicatesse et de son esprit bien formé, se satisfaire d'une femme comme elle, – illettrée, artificieuse et égoïste ?

L'engouement juvénile de la dix-neuvième année devait naturellement l'avoir rendu aveugle à tout ce qui n'était pas sa beauté et son amabilité ; mais les quatre années suivantes, – années qui, si elles sont passées d'une façon rationnelle, améliorent tellement l'entendement, – devaient lui avoir ouvert les yeux à ses défauts d'éducation ; cependant que cette même période de temps passée, quant à elle, parmi une compagnie inférieure et à des occupations plus frivoles, l'avait peut-être dépouillée de cette simplicité qui avait pu donner jadis un caractère intéressant à sa beauté.

Si, dans l'hypothèse où il eût cherché à l'épouser, elle, Elinor, les difficultés à prévoir de la part de sa mère avaient paru considérables, comme elles devaient à présent, en toute probabilité, être plus grandes, alors que l'objet de sa promesse lui était indubitablement inférieur par les liens de famille, et sans doute par la fortune ! Ces difficultés, à vrai dire, avec un cœur si étranger à Lucy, pouvaient bien ne pas peser trop lourdement sur sa patience ; mais combien mélancolique était l'état de la personne pour qui l'attente de l'opposition familiale pouvait être ressentie comme un soulagement !

Tandis que ces considérations se présentaient à elle en une succession douloureuse, elle versa plus de larmes sur lui que sur elle-même. Soutenue par la conviction de n'avoir rien fait qui méritât son malheur actuel, et consolée par la croyance qu'Edward n'avait rien fait pour forfaire à son estime, elle se dit qu'elle pourrait, dès maintenant, sous la première douleur cuisante de ce coup affreux, se maîtriser suffisamment pour garder sa mère et ses sœurs de tout soupçon de la vérité. Et elle parvint à répondre si bien à sa propre attente, que lorsqu'elle les rejoignit au dîner, deux heures seulement après avoir commencé à subir l'extinction de tous ses espoirs les plus chers, personne n'eût supposé, d'après l'aspect des sœurs, qu'Elinor pleurât en secret sur des obstacles qui devaient la séparer à jamais de l'objet de son amour, et que Marianne s'appesantît intérieurement sur les perfections d'un homme dont elle se sentait entièrement posséder le cœur, et qu'elle s'attendait à voir dans chacune des voitures qui passaient à proximité de leur maison.

La nécessité de cacher à sa mère et à Marianne ce qui lui avait été confié sous le sceau du secret, ne fut pas pour Elinor, bien qu'elle l'obligeât à des efforts incessants, une aggravation de sa douleur. Au contraire, ce lui fut un soulagement de se voir épargnée la communication de ce qui leur causerait tant de chagrin, et de n'être pas contrainte, non plus, d'entendre la condamnation d'Edward, laquelle déborderait probablement de l'excès de leur affection partiale pour elle, et qu'elle se sentait incapable de supporter.

Elle savait qu'elle ne pouvait recevoir nul secours de leurs avis ni de leur conversation ; leur tendresse et leur douleur ne feraient qu'ajouter à sa détresse, alors que sa maîtrise de soi ne recevrait d'encouragement ni de leur exemple ni de leurs louanges. Elle était plus forte seule, et son propre bon sens la soutint si bien, que sa fermeté fut aussi inébranlée, son apparence de gaieté aussi invariable, qu'il leur était possible de l'être sous le poids de regrets aussi poignants et aussi frais.

Quelles qu'eussent été les souffrances que lui avait causées sa première conversation avec Lucy sur ce sujet, elle éprouva bientôt un vif désir de la renouveler, et cela pour plus d'une raison. Elle voulait entendre répéter de nombreux détails touchant leurs fiançailles, elle voulait comprendre plus clairement ce que ressentait réellement Lucy pour Edward ; s'il y avait quelque manque de sincérité dans sa déclaration de tendre affection pour lui ; et elle désirait tout particulièrement convaincre Lucy, par son empressement à revenir sur la question, et le calme avec lequel elle s'en entretiendrait, qu'elle ne s'y intéressait qu'à titre d'amie, ce qui, craignait-elle, devait être resté pour le moins douteux après son agitation involontaire lors de leur entretien de la matinée. Que Lucy fût disposée à être jalouse d'elle, voilà qui lui paraissait fort probable ; il était évident qu'Edward avait toujours parlé en chantant ses louanges : cela résultait non pas simplement de l'affirmation de Lucy, mais de ce qu'elle se fût hasardée à lui confier, après une durée si courte de connaissance personnelle, son secret de son propre aveu aussi manifestement important. Et même le renseignement donné en plaisantant par Sir John devait avoir été de quelque poids. Mais, en vérité, tandis qu'Elinor demeurait tellement assurée, en son for intérieur, d'être réellement aimée d'Edward, point n'était besoin d'autre considération de probabilités pour qu'elle trouvât naturel que Lucy fût jalouse ; et qu'elle le fût, sa confidence même en fournissait la preuve. Quelle autre raison pouvait-il y avoir à la révélation de l'affaire, que de faire connaître ainsi à Elinor les droits supérieurs de Lucy sur Edward, et de lui apprendre à l'éviter à l'avenir ? Elle eut peu de difficultés à pénétrer jusque-là les intentions de sa rivale, et, si elle était fermement résolue à agir envers elle comme le dictaient tous les principes de l'honneur et de l'honnêteté, à combattre sa propre affection pour Edward, et à le voir aussi peu que possible, elle ne pouvait se refuser la consolation d'essayer de convaincre Lucy de ce que son cœur était sans blessure. Et comme elle ne pouvait maintenant avoir à entendre sur ce sujet rien de plus douloureux que ce qui lui avait déjà été dit, elle ne douta pas qu'il ne lui fût possible de subir avec calme une répétition des détails.

Mais ce ne fut pas immédiatement qu'elle put trouver l'occasion de le faire, bien que Lucy fût aussi bien disposée qu'elle à profiter de toute possibilité qui se présenterait ; car il ne fit pas souvent assez beau pour qu'elles pussent faire ensemble une promenade dans laquelle elles auraient le plus de facilités pour se séparer des autres ; et quoiqu'elles se vissent au moins un soir sur deux, soit au Park, soit à la maisonnette, et principalement dans la première de ces deux maisons, on ne pouvait pas supposer qu'elles se rencontrassent pour causer. Une telle pensée ne serait jamais venue en tête à Sir John ni à lady Middleton, et c'est pourquoi l'on n'accordait que fort peu de loisir à la causerie générale, et pas du tout aux entretiens particuliers. Ils se rencontraient pour manger, pour boire, et pour rire ensemble, pour jouer aux cartes, aux « conséquences », ou à tout autre jeu suffisamment bruyant.

Deux ou trois réunions de ce genre avaient eu lieu, sans offrir à Elinor aucune possibilité d'un entretien particulier avec Lucy, lorsque Sir John se présenta un matin à la maisonnette pour les supplier, au nom de la charité, de dîner toutes avec lady Middleton le lendemain, car il était obligé d'aller à son club, à Exeter, et elle serait, sans cela, toute seule, à l'exception de sa mère et des demoiselles Steele. Elinor, qui prévit une meilleure possibilité pour la fin qu'elle avait en vue, dans une réunion telle que le serait sans doute celle-ci, où elles seraient plus libres entre elles, sous la direction paisible et bienséante de lady Middleton, que lorsque son mari les réunissait dans un dessein unique et bruyant, accepta immédiatement l'invitation ; Margaret, avec la permission de sa mère, s'y plia de même ; et Marianne, bien qu'il lui répugnât toujours de se joindre à aucune de leurs réunions, fut persuadée par sa mère, qui ne pouvait supporter de la voir s'isoler de toute chance d'amusement, d'y aller également.

Les jeunes filles s'y rendirent, et lady Middleton fut heureusement préservée de la solitude affreuse qui l'avait menacée. L'insipidité de la réunion fut exactement telle que l'avait prévu Elinor ; elle ne produisit pas une seule nouveauté de pensée ou d'expression, et rien ne pouvait être moins intéressant que l'ensemble de leurs entretiens, aussi bien dans la salle à manger qu'au salon ; les enfants les accompagnèrent dans cette dernière pièce, et, tant qu'ils y demeurèrent, elle fut trop convaincue de l'impossibilité d'engager l'attention de Lucy, pour tenter de le faire. Ils ne le quittèrent que lorsqu'on desservit le thé. La table de jeu fut alors mise en place, et Elinor commença à s'émerveiller elle-même, d'avoir jamais entretenu l'espoir de trouver le temps pour une conversation au Park. Elles se levèrent toutes, afin de se préparer à une partie en commun.

– Je suis contente, dit lady Middleton à Lucy, que vous ne terminiez pas ce soir le panier de cette pauvre petite Anna-Maria ; car je suis sûre que cela doit vous fatiguer les yeux de faire un ouvrage en filigrane à la lumière des chandelles. Et nous donnerons une compensation à cette petite cocotte chérie pour sa déception de demain, de sorte que j'espère qu'elle n'aura pas trop de chagrin.

Cette indication fut suffisante ; Lucy se ressaisit à l'instant, et répondit :

– En vérité, vous vous trompez, Lady Middleton ; j'attends simplement pour savoir si vous pouvez constituer votre groupe sans moi, sinon je me serais déjà mise à mon ouvrage en filigrane. Je ne voudrais, pour rien au monde, causer de déception à ce petit ange, et si vous avez besoin de moi, maintenant, à la table de jeu, je suis résolue à terminer le panier après le souper.

– Vous êtes bien gentille ; j'espère que cela ne vous fera pas mal aux yeux ; voudriez-vous sonner pour qu'on apporte des bougies pour la table à ouvrage ? Ma pauvre petite fille, je le sais, serait fort déçue, si le panier n'était pas terminé demain ; car, bien que je lui aie dit qu'il ne le serait certainement pas, elle compte qu'il sera achevé.

Lucy tira aussitôt à elle sa table à ouvrage, et se rassit avec un empressement qui semblait dénoter qu'elle ne pouvait goûter à un plus grand délice qu'à celui de faire un panier en filigrane pour une enfant gâtée.

Lady Middleton proposa aux autres un robre de « cassino ». Personne n'y souleva d'objection, sauf Marianne, qui, avec son absence de respect habituel pour les formes de la civilité générale, s'écria :

– Milady aura la bonté de m'excuser, elle sait que je déteste les cartes. Je vais me mettre au pianoforte ; je n'y ai pas touché depuis qu'il a été accordé. Et, sans plus de cérémonie, elle s'éloigna et se dirigea vers l'instrument.

Lady Middleton prit un air qui signifiait qu'elle remerciait le ciel de n'avoir jamais dit une chose aussi impolie.

– Marianne est incapable de rester longtemps éloignée de cet instrument, voyez-vous, madame, dit Elinor, s'efforçant de mettre du baume sur la blessure ; et cela ne m'étonne guère, car c'est le pianoforte qui possède le meilleur son que j'aie jamais entendu.

Les cinq autres devaient alors tirer leurs cartes.

– Peut-être, reprit Elinor, si la coupe me désignait pour sortir du jeu, pourrais-je être de quelque utilité à miss Lucy Steele, en lui roulant ses papiers ; il y a encore tant d'ouvrage pour finir le panier, qu'il doit être impossible qu'avec son travail seul, elle l'achève ce soir. Cet ouvrage me plairait énormément, si elle veut bien me permettre d'y prendre part.

– Vraiment, je vous serai fort obligée de votre aide, s'écria Lucy, car je constate qu'il y a plus à faire que je ne le croyais ; et il serait vraiment désolant d'infliger, malgré tout, une déception à cette chère Anna-Maria.

– Oh, voilà qui serait terrible, en effet, dit miss Steele, pauvre petite âme, comme je l'aime, vraiment !

– Vous êtes fort aimable, dit Lady Middleton à Elinor ; et comme cet ouvrage vous plaît réellement, peut-être vous agréera-t-il autant de n'entrer dans le jeu qu'au robre suivant ; ou bien voulez-vous courir votre chance maintenant ?

Elinor profita joyeusement de la première de ces propositions, et ainsi, grâce à un peu de cette adresse que Marianne ne pouvait jamais condescendre à pratiquer, elle parvint à ses propres fins tout en faisant plaisir à lady Middleton. Lucy lui fit place avec empressement, et les deux belles rivales furent ainsi assises côte à côte à la même table, et occupées avec toute l'harmonie possible à faire progresser le même ouvrage. Le pianoforte, devant lequel Marianne, absorbée dans sa propre musique et ses propres pensées, avait déjà oublié qu'il y eût quelqu'un dans la pièce, outre elle-même, était heureusement si près d'elles que miss Dashwood jugea qu'elle pouvait maintenant, en toute sécurité, sous le couvert de son bruit, aborder le sujet intéressant, sans aucun risque d'être entendue de la table à jeu.

XXIV

D'une voix ferme, quoique prudente, Elinor commença ainsi :

– Je mériterais mal la confiance dont vous m'avez honorée, si je n'éprouvais aucun désir de la voir poursuivie, ni aucune curiosité complémentaire à ce sujet. Je ne m'excuserai donc pas de l'aborder à nouveau.

– Je vous remercie, s'écria chaleureusement Lucy, d'avoir rompu la glace ; vous avez ainsi rassuré mon cœur ; car je craignais, d'une façon ou d'une autre, de vous avoir offensée par ce que je vous ai dit ce lundi-là.

– M'offenser ! Comment avez-vous pu le supposer ? Croyez-moi – et Elinor prononça ces mots avec la sincérité la plus complète – rien ne pouvait être plus éloigné de mon intention que de vous donner une telle idée. Pouviez-vous avoir, pour cette confiance, un motif qui ne fût pas honorable et flatteur pour moi ?

– Et pourtant, je vous assure bien, repartit Lucy, dont les petits yeux vifs étaient pleins de signification, qu'il semblait y avoir dans vos façons une froideur et un déplaisir qui m'ont mise fort mal à l'aise. Je me disais que vous deviez sûrement m'en vouloir ; et je me suis gourmandée depuis lors, d'avoir pris la liberté de vous importuner de mes affaires. Mais je suis très contente de constater que ce n'était que ma propre imagination, et qu'en réalité vous ne m'en voulez pas. Si vous saviez quelle consolation cela a été pour moi de soulager mon cœur en vous parlant de ce à quoi je pense à chaque instant de ma vie, votre compassion vous porterait assurément à fermer les yeux sur tout le reste.

– En vérité, je crois aisément que cela a été pour vous un grand soulagement de m'avouer votre situation, et soyez assurée que vous n'aurez jamais lieu de vous en repentir. Votre cas est fort malheureux ; vous me paraissez entourée de difficultés, et vous aurez besoin de toute votre affection mutuelle pour vous soutenir sous leur faix. Mr. Ferrars, à ce que je crois, est entièrement sous la dépendance de sa mère.

– Il ne possède que deux mille livres en propre ; ce serait folie de sa part de se marier dans ces conditions, bien que, pour ma part, je sois prête à renoncer volontiers, sans un soupir, à toute perspective d'une fortune plus considérable. J'ai toujours été habituée à un revenu fort mince, et je pourrais lutter pour lui, contre toute pauvreté ; mais je l'aime trop pour être le moyen égoïste de le dépouiller, peut-être, de tout ce que sa mère pourrait lui donner s'il se mariait de façon à lui plaire. Il faut que nous attendions, peut-être de longues années. Avec presque tout autre homme au monde, ce serait là une perspective alarmante ; mais rien ne pourra me priver, je le sais, de l'affection et de la constance d'Edward.

– Cette conviction doit vous tenir lieu de tout ; et il est certainement soutenu par la même confiance en la vôtre. Si la force de votre attachement réciproque avait fait défaut, comme elle le ferait tout naturellement chez bien des gens et dans bien des circonstances, au cours de fiançailles de quelques années, votre situation aurait été, certes, digne de pitié.

À ces mots, Lucy leva les yeux ; mais Elinor prit soin de garder son visage de toute expression qui pût donner à ses paroles une tendance suspecte.

– L'amour d'Edward pour moi, dit Lucy, a été passablement mis à l'épreuve par notre longue absence – si longue ! – depuis l'échange de notre première promesse, et il a si bien résisté à cette épreuve, que je serais impardonnable d'en douter maintenant. Je puis dire en toute sécurité qu'il ne m'a jamais donné, depuis le début, un seul instant de crainte à ce sujet.

Elinor ne sut guère si elle devait sourire ou soupirer devant cette affirmation. Lucy reprit :

– Je suis plutôt d'un tempérament jaloux ; aussi, par nature, et, en raison de notre situation différente dans la vie, de ce qu'il a été beaucoup plus mêlé au monde que moi, et de notre séparation continuelle, étais-je suffisamment portée au soupçon – pour avoir découvert la vérité en un instant, s'il y avait eu le moindre changement dans son attitude envers moi quand nous nous sommes revus, ou tout découragement que je n'aurais pu m'expliquer, ou s'il avait plus parlé d'une dame que d'une autre, ou paru en quoi que ce fût moins heureux à Longstaple qu'il ne l'était jadis. Je ne prétends pas dire que je sois particulièrement observatrice ou perspicace en général, mais, dans un cas semblable, je suis sûre que je ne saurais me méprendre.

« Tout cela, se dit Elinor, est fort joli ; mais cela ne saurait nous en imposer, ni à l'une ni à l'autre. »

– Mais, dit-elle, après un bref silence, quelles sont vos intentions ? Ou n'en avez-vous aucune, si ce n'est d'attendre le décès de Mrs. Ferrars, ce qui est une extrémité mélancolique et révoltante ? Son fils est-il résolu à s'y soumettre, et à subir tout l'ennui des nombreuses années d'indécision auxquelles cela peut vous entraîner, plutôt que de courir le risque de son déplaisir momentané en avouant la vérité ?

– Si nous pouvions être certains qu'il ne serait que momentané ! Mais Mrs. Ferrars est une femme fort obstinée et orgueilleuse, et, dans son premier accès de colère en l'apprenant, elle assurerait probablement toute sa fortune à Robert ; cette idée-là, par égard pour Edward, m'inspire des craintes qui dissipent toute mon inclination pour des mesures précipitées.

– Et par égard pour vous, aussi, sinon vous pousseriez votre désintéressement au-delà de la raison.

Lucy regarda de nouveau Elinor et se tut.

– Connaissez-vous Mr. Robert Ferrars ? demanda Elinor.

– Pas du tout, je ne l'ai jamais vu ; mais je m'imagine qu'il est tout différent de son frère, – bête, et avantageux.

– Avantageux ! répéta miss Steele, dont l'oreille avait perçu ce mot grâce à un silence soudain dans la musique de Marianne. Ah, elles parlent de leurs soupirants préférés, je le suppose.

– Non, ma sœur, s'écria Lucy, là, tu te trompes ; nos soupirants préférés ne sont pas des avantageux.

– Je puis affirmer que celui de miss Dashwood n'en est pas un, dit Mrs. Jennings, riant de bon cœur, car c'est l'un des jeunes hommes les plus modestes et les plus gentils que j'aie jamais vus. Mais quant à Lucy, c'est une petite personne tellement rusée, qu'il n'y a pas moyen de découvrir qui elle aime.

– Oh ! s'écria miss Steele, se retournant pour leur lancer un regard significatif, je suppose que le soupirant de Lucy est tout aussi modeste et gentil que celui de miss Dashwood.

Elinor rougit, malgré elle. Lucy se mordit la lèvre, et regarda sa sœur avec colère. Il s'établit entre elles un silence de quelques instants. Lucy fut la première à y mettre fin, en disant, sur un ton plus bas, bien que Marianne leur donnât à ce moment la puissante protection d'un concerto magnifique :

– Je vais vous faire part honnêtement d'un projet qui m'est récemment venu en tête, pour arriver à une décision ; en vérité, il faut que je vous admette dans le secret, car vous y êtes directement intéressée. Je suppose que vous avez suffisamment fréquenté Edward pour savoir qu'il préférerait l'Église à toute autre profession ; or, mon projet, c'est qu'il entre dans les Ordres le plus tôt possible, et alors, grâce à l'intérêt que vous lui portez, intérêt que, j'en suis sûre, vous auriez l'amabilité de mettre en œuvre par amitié pour lui, et, je l'espère, par quelque égard pour moi, votre frère pourrait se laisser persuader de lui confier la cure de Norland – laquelle, paraît-il, est très bonne, et dont le titulaire actuel ne vivra probablement plus longtemps. Cela suffirait pour nous permettre de nous marier, et nous pourrions nous en remettre au temps et à la chance, quant au reste.

– Je serais toujours heureuse, répondit Elinor, de manifester toute marque de mon estime et de mon amitié pour Mr. Ferrars ; mais ne vous rendez-vous pas compte que mon influence en semblable occurrence, serait parfaitement superflue ? Il est le frère de Mrs. John Dashwood – ce doit être là une recommandation suffisante pour son mari.

– Mais Mrs. John Dashwood n'approuverait guère l'entrée d'Edward dans les Ordres.

– Alors, je soupçonne plutôt que l'intérêt que je pourrais lui porter serait de bien peu d'effet.

Elles restèrent de nouveau silencieuses pendant de longues minutes.

Enfin Lucy s'écria, avec un profond soupir :

– Je crois que le plus sage serait de mettre fin immédiatement à l'affaire en rompant les fiançailles. Nous semblons tellement entourés de difficultés de tous côtés, que, bien que cela dût nous rendre malheureux sur le moment, nous serions peut-être plus heureux en fin de compte. Mais vous ne voulez pas me donner votre conseil, miss Dashwood ?

– Non, répondit Elinor, avec un sourire qui dissimulait des sentiments fort agités, sur un pareil sujet, je ne vous en donnerai certainement pas. Vous savez fort bien que mon opinion n'aurait, pour vous, aucun poids, à moins qu'elle ne coïncidât avec vos désirs.

– En vérité, vous me jugez mal, répondit Lucy, avec beaucoup de solennité ; je ne connais personne dont je place le jugement aussi haut que le vôtre ; et je crois véritablement que si vous me disiez : « Je vous conseille certes de mettre fin à vos fiançailles avec Edward Ferrars, ce sera plus conforme à votre bonheur, à l'un et à l'autre », je me résoudrais à le faire aussitôt.

Elinor rougit du manque de sincérité de l'épouse future d'Edward, et répondit :

– Ce compliment m'effaroucherait efficacement, au point de m'empêcher de donner aucun avis sur la question, si j'en avais conçu un. Il place bien trop haut mon influence ; le pouvoir de séparer deux personnes aussi tendrement attachées, c'est trop pour un indifférent.

– C'est parce que vous êtes quelqu'un d'indifférent, dit Lucy, non sans une légère pique, et insistant d'une façon particulière sur ces paroles, que votre jugement pourrait précisément avoir pour moi un tel poids. S'il était possible de supposer que vous eussiez un parti-pris quelconque, en raison de vos propres sentiments, votre opinion ne vaudrait pas la peine qu'on l'obtînt.

Elinor estima que le plus sage était de ne faire aucune réponse à cette remarque, de peur qu'elles ne s'induisissent mutuellement à un surcroît, peu convenable, d'aisance et d'absence de réserve, et elle était même partiellement décidée à ne plus jamais aborder ce sujet. Aussi, un nouveau silence, long de nombreuses minutes, succéda-t-il à ces paroles ; et Lucy fut encore la première à y mettre fin.

– Serez-vous à Londres cet hiver, miss Dashwood ? dit-elle, avec toute sa suffisance accoutumée.

– Certainement non.

– Je le regrette fort, repartit l'autre, cependant que ses yeux prenaient un éclat plus vif à cette nouvelle ; cela m'aurait fait un tel plaisir de vous y voir ! Mais sans doute y irez-vous, malgré tout. Assurément, votre frère et votre sœur vous prieront d'aller les voir.

– Il ne sera pas en mon pouvoir d'accepter leur invitation, même s'ils me convient.

– Comme cela est malencontreux ! J'avais véritablement compté vous y voir ! Anne et moi, nous devons aller vers la fin de janvier chez des parents qui réclament notre visite depuis plusieurs années. Mais moi, je n'y vais que pour avoir l'occasion de voir Edward – il y sera en février –, sinon, Londres n'aurait pas de charmes pour moi ; je n'ai pas le cœur à cela.

Elinor fut bientôt appelée à la table de jeu par la terminaison du premier robre, et l'entretien confidentiel des deux dames arriva ainsi à sa fin, – à laquelle elles se soumirent l'une et l'autre sans répugnance, car rien n'avait été dit, de part ou d'autre, qui les incitât à moins se déplaire mutuellement qu'elles ne l'avaient fait au préalable ; et Elinor prit place à la table de jeu, avec la conviction mélancolique que non seulement Edward était sans affection pour la personne qui devait devenir sa femme, mais qu'il n'avait même aucune chance de jouir, dans le mariage, d'un bonheur raisonnable, que lui aurait donné une affection sincère de la part de Lucy, car l'intérêt personnel seul pouvait induire une femme à obliger un homme à tenir une promesse de mariage dont, elle semblait en avoir parfaitement conscience, il était las.

Dès lors, ce sujet ne fut plus jamais repris par Elinor ; et quand il fut remis sur le tapis par Lucy, qui manquait rarement une occasion de l'aborder, et prenait particulièrement soin d'informer sa confidente de son bonheur chaque fois qu'elle recevait une lettre d'Edward, il fut traité par celle-là avec calme et prudence, et écarté dès que le permettait la civilité ;

car il lui semblait que de telles conversations étaient une faveur que Lucy ne méritait pas, et étaient dangereuses pour elle-même.

Le séjour des demoiselles Steele à Barton Park fut prolongé bien au-delà de ce que prévoyait leur invitation primitive. Leur faveur s'accrut ; on ne pouvait se passer d'elles. Sir John ne voulut pas entendre parler de leur départ ; et, en dépit de leurs engagements nombreux et depuis longtemps convenus à Exeter, en dépit de la nécessité absolue dans laquelle elles étaient, d'y rentrer immédiatement afin de les tenir, – nécessité qui était en pleine vigueur à la fin de chaque semaine, – elles se laissèrent persuader de rester près de deux mois au Park et d'assister à la célébration congrue de cette fête qui exige une part plus qu'ordinaire de bals privés et de grands dîners pour en proclamer l'importance.

XXV

Bien que Mrs. Jennings eût l'habitude de passer une bonne partie de l'année chez ses enfants et chez ses amis, elle n'était pas sans posséder elle-même une habitation bien établie. Depuis la mort de son mari, qui avait tenu avec succès un commerce dans une partie moins élégante de la ville, elle habitait tous les ans, en hiver, une maison dans l'une des rues voisines de Portman Square[1]. C'est vers cette demeure qu'elle commença, aux approches de janvier, à tourner ses pensées, et un jour, à brûle-pourpoint, et d'une façon fort inattendue pour elles, elle pria les deux aînées des demoiselles Dashwood de l'y accompagner. Elinor, sans remarquer le changement de teint de sa sœur, et le regard chargé d'animation, qui n'exprimait nulle indifférence à ce projet, y opposa immédiatement, pour elles deux, un refus reconnaissant mais absolu, dans lequel elle croyait exprimer leurs penchants conjoints. La raison alléguée fut leur résolution bien prise de ne pas quitter leur mère à cette époque de l'année. Mrs Jennings accueillit ce refus avec quelque surprise, et répéta aussitôt son invitation.

– Grand Dieu ! Je suis sûre que votre mère peut fort bien se passer de vous, et je vous prie instamment de m'accorder le plaisir de votre compagnie, car j'y suis fermement décidée. Ne vous imaginez pas que vous m'imposerez quelque gêne, car je ne me dérangerai nullement pour vous. Il faudra simplement que j'expédie Betty par la diligence, et cela, j'espère que mes moyens me le permettent. Nous pourrons tenir très bien toutes les trois dans ma chaise de poste ; et quand nous serons à Londres, s'il ne vous plaît pas de vous rendre partout où je vais, fort bien : vous pourrez toujours sortir avec l'une de mes filles. Je suis sûre que votre mère n'y verra pas d'inconvénient ; car j'ai eu tellement de chance à me défaire

---

[1] C'est une place aristocratique, non loin de Hyde Park (Marble Arch). *(N. du Tr.)*

de mes enfants, qu'elle me considérera comme une personne toute désignée pour vous confier à moi ; et si je ne parviens pas à marier convenablement l'une au moins d'entre vous, ce ne sera pas ma faute. J'en dirai un mot à tous les jeunes gens, vous pouvez y compter.

– J'ai idée, dit Sir John, que miss Marianne n'aurait pas d'objection à un projet de ce genre, si sa sœur aînée voulait bien s'y plier. Il est certes bien cruel qu'elle ne puisse pas se divertir un peu parce que miss Dashwood ne le désire pas ! C'est pourquoi je vous conseillerais, à vous deux, de partir pour Londres, quand vous en aurez assez de Barton, sans en souffler mot à miss Dashwood.

– Voyons, s'écria Mrs. Jennings, je serai certes prodigieusement ravie de la compagnie de miss Marianne, – que miss Dashwood soit, ou non, de la partie ; mais plus on est de fous, plus on rit, – voilà ce que je dis, et je croyais qu'il serait plus agréable pour elles d'être ensemble ; parce que, si elles se fatiguaient de moi, elles pourraient se causer entre elles, et rire derrière mon dos de mes façons bizarres. Mais il me faut l'une ou l'autre, sinon l'une et l'autre. Juste ciel ! Comment croyez-vous que je pourrai vivre, toute seule, dans mon coin, – moi qui ai toujours été habituée, jusqu'à cet hiver, à avoir Charlotte auprès de moi ? Voyons, miss Marianne, topez-là, et que ce soit une affaire entendue, et si miss Dashwood change d'avis d'ici là, ma foi, tant mieux !

– Je vous remercie, madame, je vous remercie sincèrement, dit Marianne, avec feu ; votre invitation vous a acquis à tout jamais ma gratitude, et cela me ferait le plus grand plaisir, – oui, presque le plus grand plaisir dont je sois capable, – de pouvoir l'accepter. Mais ma mère, ma chère et bonne maman... je sens la justice de ce qu'a fait valoir Elinor, et si elle devait être rendue moins heureuse, moins à son aise, par notre absence... Oh, non, rien ne m'inciterait à la quitter. Cela ne doit pas être une lutte, – il ne le faut pas.

Mrs. Jennings lui réitéra l'assurance que Mrs. Dashwood pouvait parfaitement se passer d'elles ; et Elinor, qui comprenait à présent sa sœur, et voyait à quel point elle était devenue indifférente à presque toute autre chose, à cause de son ardent désir de retrouver Willoughby, ne fit plus d'opposition directe au projet, et se contenta de s'en remettre à la décision de sa mère ; elle ne s'attendit guère, toutefois, à recevoir de celle-ci un appui dans son effort en vue d'empêcher une visite qu'elle ne pouvait approuver quant à sa sœur, et que, pour son propre compte, elle avait des raisons spéciales d'éviter. Quel que fût le désir de Marianne, sa mère serait empressée à le favoriser, – elle ne pouvait s'attendre à influencer celle-ci en lui conseillant une prudence d'attitude dans une affaire au sujet de laquelle elle n'avait même jamais pu lui inspirer de la défiance ; et elle n'osait pas lui expliquer le motif de sa propre répugnance à aller à Londres. Que Marianne, difficile comme elle l'était, connaissant foncièrement les façons de Mrs. Jennings, et invariablement dégoûtée par elles, passât sur tout désagrément de ce genre ; qu'elle négligeât tout ce qui devait être particulièrement blessant pour ses sentiments irritables, dans sa poursuite d'un seul objet, – c'était là une preuve si forte, si totale, de l'importance pour elle de cet objet, qu'Elinor, malgré tout ce qui s'était passé, n'était pas disposée à en être témoin.

Lorsqu'elle fut informée de cette invitation, Mrs. Dashwood, persuadée qu'une telle excursion causerait beaucoup d'amusement à ses deux filles, et percevant, sous toute l'attention affectueuse envers sa personne, à quel point le cœur de Marianne y était intéressé, ne voulut pas entendre parler d'un refus de cette offre à cause d'elle : elle insista pour qu'elles l'acceptassent immédiatement toutes les deux, et se mit alors à prévoir, avec sa gaieté habituelle, toute une variété d'avantages qui résulteraient pour elles toutes de cette séparation.

– Je suis ravie de ce projet, s'écria-t-elle ; il est exactement ce que je pourrais souhaiter. Margaret et moi en profiterons autant que vous. Quand vous serez parties, ainsi que les Middleton, nous mènerons toutes deux une vie bien tranquille et heureuse, avec nos livres et notre musique ! Comme vous trouverez Maragaret en progrès quand vous reviendrez ! Et j'ai aussi un petit projet de modifications pour vos chambres, qui pourra maintenant être exécuté sans dérangement pour personne. Il est fort juste que vous alliez effectivement à Londres. Je voudrais que toute jeune femme de votre condition dans le monde connût les amusements et les façons de Londres. Vous serez confiées aux soins d'une femme excellente et maternelle, dont la bonté à votre égard ne peut faire pour moi aucun doute. Et, en toute probabilité, vous verrez votre frère ; et quels que puissent être ses défauts, ou les défauts de sa femme, quand je considère de qui il est le fils, je ne puis supporter de vous voir si totalement éloignés les uns des autres.

– Bien qu'avec votre souci habituel de notre bonheur, dit Elinor, vous ayez pallié tous les obstacles au projet actuel qui se présentaient à vous, il y a pourtant une objection qui, à mon avis, ne peut être écartée si facilement.

Le visage de Marianne s'allongea.

– Et que va donc proposer ma chère et prudente Elinor ? dit Mrs. Dashwood. Quel obstacle formidable va-t-elle maintenant mettre en avant ? Ne me dis pas un mot au sujet de la dépense !

– Mon objection est celle-ci : bien que j'aie la meilleure opinion du cœur de Mrs. Jennings, elle n'est pas une femme dont la compagnie puisse nous donner du plaisir, ou dont la protection nous fera valoir.

– C'est fort vrai, répondit sa mère ; mais vous ne jouirez à peu près pas de sa compagnie, en dehors de celle d'autres personnes, et vous paraîtrez presque toujours en public avec lady Middleton.

– Si Elinor est effarouchée par son aversion pour Mrs. Jennings, dit Marianne, il n'y a rien là, du moins, qui doive m'empêcher, moi, d'accepter son invitation. Je n'ai pas de pareils scrupules, et je suis sûre que je pourrais m'accommoder de tous les désagréments de ce genre avec très peu d'effort.

Elinor ne put s'empêcher de sourire devant cette manifestation d'indifférence à l'égard des façons d'une personne envers qui elle avait souvent éprouvé de la difficulté à persuader Marianne de se conduire avec une politesse raisonnable, et elle résolut intérieurement que si sa sœur persistait à partir, elle partirait de même ; car elle ne jugeait pas convenable que Marianne fût abandonnée à la merci de Mrs. Jennings pour tout le réconfort de ses heures d'intérieur. Elle fut d'autant plus aisément réconciliée avec cette résolution, qu'elle se souvint qu'Edward Ferrars, au dire de Lucy, ne devait pas être à Londres avant le mois de février, et que leur visite pourrait, sans être déraisonnablement écourtée, se trouver terminée avant cette date.

– Je veux que vous y alliez toutes les deux, dit Mrs Dashwood ; ces objections sont légères. Vous aurez grand plaisir à être à Londres, et surtout à être ensemble ; et si Elinor voulait jamais condescendre à prévoir du plaisir, elle le prévoirait là, provenant de sources variées ; elle en espérerait peut-être un peu, du fait de mieux connaître la famille de sa belle-sœur.

Elinor avait souvent souhaité une occasion d'essayer d'affaiblir la conviction, chez sa mère, de l'attachement mutuel entre Edward et elle, afin que le choc pût être moindre quand toute la vérité serait révélée ; et maintenant, devant cette attaque, bien qu'elle désespérât presque totalement du succès, elle se força à entamer son dessein en disant, avec tout le calme dont elle était capable :

– J'aime beaucoup Edward Ferrars, et je serai toujours contente de le voir ; mais quant au reste de la famille, il m'est parfaitement indifférent d'en être, ou non, jamais connue.

Mrs. Dashwood sourit et ne dit rien. Marianne leva les yeux avec étonnement, et Elinor se dit qu'elle aurait tout aussi bien pu se taire.

Après fort peu de conversation supplémentaire, il fut finalement convenu que l'invitation serait acceptée sans réserves. Mrs. Jennings reçut cette nouvelle avec beaucoup de joie, et force assurances d'amabilité et de soins ; elle ne fut d'ailleurs pas la seule à qui elle fit plaisir. Sir John fut ravi ; car pour un homme dont l'inquiétude dominante était la crainte d'être seul, l'acquisition de deux habitants venant grossir le nombre de ceux de Londres était quelque chose. Lady Middleton elle-même prit la peine d'être ravie, ce qui, pour elle, était assez étranger à ses habitudes ; et quant aux demoiselles Steele, et tout particulièrement Lucy, elles n'avaient jamais été aussi heureuses de leur vie qu'en apprenant cette nouvelle.

Elinor se soumit à cet arrangement, qui allait à l'encontre de ses désirs, avec moins de répugnance qu'elle ne s'était attendue à en éprouver. Quant à elle, il lui était à présent indifférent d'aller à Londres ou non, et quand elle vit sa mère si foncièrement satisfaite de ce projet, et sa sœur ragaillardie, grâce à lui, dans son aspect, sa voix, et ses façons, rétablie dans toute son animation habituelle, et soulevée à un niveau de gaieté plus qu'habituel, elle ne put pas être mécontente de la cause, et eut peine à se permettre quelque méfiance à l'égard de la conséquence.

La joie de Marianne atteignit presque au-delà du bonheur, tellement étaient considérables la perturbation de son entrain et son impatience d'être partie. Sa répugnance à quitter sa mère était la seule chose qui la ramenât au calme ; et au moment de se séparer d'elle, son chagrin de ce chef fut extrême. La douleur de sa mère ne fut guère moindre, et Elinor fut la seule des trois qui semblât considérer la séparation comme rien moins qu'éternelle.

Leur départ eut lieu dans la première semaine de janvier. Les Middleton devaient suivre quelque huit jours plus tard. Les demoiselles Steele continuèrent leur séjour au Park, et ne devaient le quitter qu'avec le reste de la famille.

XXVI

Elinor ne pouvait se trouver dans la voiture avec Mrs. Jennings, au début d'un voyage à Londres sous sa protection, et au titre de son invitée, sans s'émerveiller de sa propre situation, tant avait été brève leur connaissance avec cette dame, tant elles étaient peu adaptées l'une à l'autre par l'âge et le caractère, et tant ses objections à une telle mesure avaient été nombreuses, quelques jours seulement auparavant ! Mais toutes ces objections avaient été vaincues ou écartées, avec cet heureux élan de jeunesse que Marianne possédait en partage avec sa mère ; et Elinor, malgré tous les doutes qui l'assaillaient de temps à autre quant à la constance de Willoughby, ne pouvait être témoin du ravissement d'espoir délicieux qui emplissait l'âme entière et rayonnait dans les yeux de Marianne, sans ressentir tout le vide de ses propres perspectives d'avenir, toute l'absence de gaieté de son propre état d'esprit, en comparaison, et sans se dire qu'elle serait bien heureuse de pouvoir prendre part aux préoccupations de la situation de Marianne afin d'avoir en vue le même objet animateur, la même possibilité d'espoir. Toutefois, il fallait maintenant un délai court, fort court, pour décider de ce qu'étaient les intentions de Willoughby ; selon toute probabilité, il était déjà en ville. La hâte de Marianne à partir déclarait qu'elle comptait bien l'y trouver ; et Elinor était résolue non seulement à s'assurer toutes les lumières nouvelles, quant à son caractère, que pourraient lui donner sa propre observation ou l'expérience d'autrui, mais encore à observer son attitude à l'égard de Marianne, avec un zèle attentif, afin de se rendre compte de ce qu'il était, et de ce qu'il comptait faire, avant qu'eussent eu lieu beaucoup de rencontres. Au cas où le résultat de ses observations serait défavorable, elle était résolue tout au moins à ouvrir les yeux à sa sœur ; s'il en était autrement, ses efforts seraient d'une nature différente : – il lui faudrait alors apprendre à éviter toute comparaison égoïste, et à bannir tout regret qui pût amoindrir sa satisfaction devant le bonheur de Marianne.

Elles mirent trois jours à faire leur voyage, et l'attitude de Marianne en cours de route fut un spécimen heureux de ce qu'on pouvait attendre de sa complaisance et de sa sociabilité futures envers Mrs. Jennings. Elle demeura silencieuse durant presque tout le parcours, absorbée dans ses propres méditations, et ne parlant presque jamais volontairement, sauf quand quelque objet d'une beauté pittoresque dans le champ de leur vision lui tirait une expression de ravissement adressée exclusivement à sa sœur. Aussi, pour faire compensation à cette attitude, Elinor prit-elle immédiatement possession du poste de civilité qu'elle s'était assigné ; elle se comporta avec les plus grands égards pour Mrs. Jenning, causa avec elle, rit avec elle, et l'écouta chaque fois qu'elle le put ; Mrs. Jennings, de son côté, les traita toutes les deux avec toute l'amabilité possible, fut en toutes circonstances pleine de sollicitude pour leur bien-être et leur plaisir, et ne se montra inquiète que parce qu'elle ne pouvait pas leur faire choisir elles-mêmes leurs menus à l'auberge, ni leur tirer un aveu de ce qu'elles préférassent le saumon à la morue, ou la poule bouillie aux côtelettes de veau. Elles arrivèrent à Londres dès trois heures, le troisième jour, contentes d'être délivrées, après un tel voyage, de la prison d'une voiture, et prêtes à supporter tout le luxe d'un bon feu.

La maison était richement aménagée, et les jeunes filles furent immédiatement mises en possession d'une chambre fort confortable. Elle avait été naguère celle de Charlotte, et, au-dessus de la cheminée, était encore accroché un paysage en soies de couleur dont elle était l'auteur, et qui prouvait qu'elle avait passé non sans résultat sept ans dans un grand pensionnat de Londres.

Comme le dîner ne devait être prêt que deux heures au moins après leur arrivée, Elinor résolut d'utiliser ce délai pour écrire à sa mère, et s'assit à cet effet. Au bout de quelques instants, Marianne en fit autant.

– Moi, j'écris aux nôtres, Marianne, dit Elinor, ne ferais-tu pas mieux de différer ta lettre d'un jour ou deux ?

– Ce n'est pas à ma mère que je vais écrire, répondit précipitamment Marianne, comme si elle désirait éviter tout surcroît d'interrogation.

Elinor ne dit rien de plus ; l'idée lui vint immédiatement qu'elle devait donc écrire à Willoughby, et la conclusion qui s'ensuivit aussitôt, ce fut que, quelque mystérieusement qu'ils entendissent mener l'affaire, ils devaient être fiancés. Cette conviction, bien qu'elle ne fût pas entièrement satisfaisante, lui causa du plaisir, et elle continua sa lettre avec plus d'allant. Celle de Marianne fut terminée en fort peu de minutes ; quant à la longueur, ce ne pouvait être rien de plus qu'un billet : elle fut alors pliée, cachetée, et adressée avec une rapidité pleine d'ardeur. Elinor crut pouvoir distinguer un gros W dans la suscription, et à peine fut-elle achevée, que Marianne, tirant la sonnette, prescrivit au valet de pied qui répondit à son appel de faire porter cette lettre pour elle par la poste à deux pence[1]. La question fut ainsi tranchée sur l'heure.

Son entrain se maintint encore fort vigoureux, mais il avait une agitation qui l'empêcha de causer beaucoup de plaisir à sa sœur, et cette agitation s'accrut à mesure que le soir s'approchait. Elle fut presque incapable de manger au dîner, et lorsqu'elles retournèrent ensuite au salon, elle parut écouter avec inquiétude le bruit de chaque voiture.

Ce fut pour Elinor une grosse satisfaction de constater que Mrs. Jennings, du fait qu'elle fût fort occupée dans sa chambre, ne s'apercevait que fort peu de ce qui se passait. On vint servir le thé, et Marianne avait déjà été déçue plus d'une fois par un coup frappé à une porte voisine, lorsqu'il s'en fit soudain entendre un autre, vigoureux, qu'il était impossible de prendre pour un coup frappé à une autre maison. Elinor se sentit sûre qu'il annonçait l'approche de Willoughby, et Marianne, se levant en sursaut, s'avança vers la porte. Tout demeura silencieux ; cette situation ne pouvait pas être supportée au-delà de quelques secondes ; elle ouvrit la porte, fit quelques pas vers l'escalier, et après avoir tendu l'oreille pendant une demi-minute, rentra au salon dans un état d'agitation tel que le produirait naturellement la conviction d'avoir entendu celui qu'elle attendait ; dans l'extase de son émotion du moment, elle ne put s'empêcher de s'écrier :

– Oh, Elinor, c'est Willoughby ; oui, c'est lui ! et elle semblait

---

[1] 20 centimes (or). C'était le tarif de l'époque pour les lettres par exprès pour Londres même ; rappelons que les timbres-poste n'existaient pas encore. *(N. du Tr.)*

presque prête à s'élancer dans ses bras, lorsqu'apparut le colonel Brandon.

Ce fut une secousse trop forte pour qu'elle pût la supporter avec calme et elle sortit immédiatement de la pièce. Elinor fut déçue, elle aussi ; mais en même temps son affection pour le colonel Brandon assura à celui-ci un bon accueil de sa part, et elle éprouva une douleur toute particulière de ce qu'un homme qui avait un tel faible pour sa sœur pût percevoir qu'elle ne ressentait que chagrin et déception en le voyant. Elle vit à l'instant que cela n'était pas passé inaperçu pour lui, qu'il avait même observé Marianne au moment où elle était sortie de la pièce, avec un étonnement et une inquiétude qui lui laissaient le loisir de se souvenir de ce qu'exigeait la civilité envers elle-même.

– Votre sœur est-elle souffrante ? dit-il.

Elinor répondit, non sans chagrin, qu'elle l'était, et parla ensuite de maux de tête, de manque d'entrain, de surmenage, et de tout ce à quoi elle pouvait décemment attribuer la conduite de sa sœur.

Il l'écouta avec l'attention la plus sérieuse, mais, paraissant se ressaisir, n'en dit pas plus long à ce sujet, et se mit aussitôt à parler du plaisir qu'il avait de les voir à Londres, posant les questions habituelles au sujet de leur voyage et des amis qu'elles avaient laissés derrière elles.

C'est de cette façon calme, avec bien peu d'intérêt de part et d'autre, qu'ils continuèrent à causer, abattus l'un et l'autre, et ayant l'un et l'autre leurs pensées occupées ailleurs. Elinor désirait vivement lui demander si Willoughby était à Londres, mais elle craignait de lui faire de la peine en l'interrogeant sur son rival ; et en fin de compte, pour dire quelque chose, elle lui demanda s'il était resté à Londres depuis la dernière fois où elle l'avait vu.

– Oui, répondit-il avec un peu d'embarras, j'y suis resté presque tout le temps ; je suis allé une ou deux fois à Delaford, pour quelques jours, mais il n'a jamais été en mon pouvoir de retourner à Barton.

Cette réponse, jointe à la façon dont elle était dite, remit immédiatement en mémoire à Elinor toutes les circonstances de son départ de cette localité, ainsi que l'inquiétude et les soupçons qu'elles avaient causés à Mrs. Jennings, et elle craignit que sa question n'eût sous-entendu beaucoup plus de curiosité à ce sujet qu'elle n'en avait ressenti.

Mrs. Jennings ne tarda pas à entrer.

– Oh, mon Colonel ! s'écria-t-elle, avec son habituelle gaieté bruyante. Je suis prodigieusement contente de vous voir, – navrée de n'avoir pu venir plus tôt – excusez-moi, mais j'ai été obligée de regarder un peu partout, et d'arranger mes affaires ; car voilà longtemps que je n'ai été chez moi, et vous savez qu'on a toujours tout un monde de petites choses hétéroclites à faire, après qu'on a été absent un certain temps ; et puis, il a fallu que je m'entende avec Cartwright... Seigneur ! J'ai été occupée comme une abeille depuis le dîner ! Mais dites-moi, je vous prie, mon Colonel, comment vous avez pu deviner que je serais à Londres aujourd'hui ?

– J'ai eu le plaisir de l'apprendre chez Mrs. Palmer, où je viens de dîner.

– Ah, vraiment ? Eh bien, et comment vont-ils tous, chez eux ? Comment va Charlotte ? Je vous garantis qu'elle doit être d'un bel embonpoint, à présent !

– Mrs. Palmer m'a paru en excellente santé, et je suis chargé de vous dire que vous la verrez certainement demain.

– Oui-dà ; c'est bien ce que je pensais. Eh bien, mon Colonel, j'ai amené avec moi deux jeunes personnes, comme vous le voyez – c'est-à-dire que vous n'en voyez qu'une présentement, mais il y en a une autre quelque part... C'est votre amie miss Marianne, par surcroît, – vous ne serez pas peiné de l'apprendre. Je ne sais pas ce qu'à vous deux, Mr. Willoughby et vous, vous ferez à son sujet. Hé, oui, c'est une belle chose, que d'être jeune et bien faite ! Enfin, j'ai été jeune autrefois, mais je n'ai jamais été bien belle, – tant pis pour moi ! Néanmoins, j'ai décroché un mari excellent, et je ne sais pas ce que peut faire de plus la plus grande beauté ! Ah, le pauvre homme ! Voilà huit ans, et plus, qu'il est mort... Mais, mon Colonel, où donc avez-vous été, depuis que nous nous sommes séparés ? Et comment marche votre affaire ? Voyons, voyons, pas de secrets entre amis !

Il répondit avec sa douceur accoutumée à toutes ses interrogations, mais sans la satisfaire sur aucune. Elinor se mit alors à préparer le thé, et Marianne fut contrainte de réapparaître.

Après son entrée, le colonel Brandon devint plus pensif et plus silencieux qu'il ne l'avait été auparavant, et Mrs. Jennings ne put obtenir de lui qu'il restât longtemps. Aucun autre visiteur ne parut ce soir-là, et les dames furent unanimement d'accord pour se coucher de bonne heure.

Marianne se leva le lendemain matin, ayant recouvré son entrain et sa bonne mine. La déception de la veille au soir semblait oubliée, dans l'espoir de ce qui devait arriver ce jour-là. Elles n'avaient pas terminé leur déjeuner depuis longtemps, que la calèche de Mrs. Palmer s'arrêtait à la porte, et au bout de quelques minutes elle entra dans la pièce, toute rieuse ; tellement ravie de les voir toutes, qu'il était difficile de savoir si elle avait plus de plaisir à revoir sa mère ou les demoiselles Dashwood ; tellement surprise de leur arrivée à Londres, bien que ce fût là ce qu'elle avait espéré tout au long ; tellement en colère de ce qu'elles eussent accepté l'invitation de sa mère après avoir décliné la sienne, bien que, par ailleurs elle ne leur eût jamais pardonné de n'être pas venues !

– Mr. Palmer sera bien heureux de vous voir, dit-elle. Que croyez-vous qu'il ait dit quand il a appris que vous deviez venir avec maman ? Je l'oublie, à présent, mais c'était quelque chose de si cocasse !

Au bout d'une heure ou deux passées à ce que sa mère appelait un agréable bavardage, ou, en d'autres termes, à tous les genres d'interrogations touchant toutes leurs connaissances, quant à Mrs. Jennings, et à rire sans cause, pour ce qui était de Mrs. Palmer, cette dernière proposa qu'elles l'accompagnassent toutes dans quelques magasins où elle avait affaire ce matin-là ; à quoi Mrs. Jennings et Elinor consentirent avec empressement, comme ayant également quelques emplettes à effectuer de leur côté ; et Marianne, bien qu'elle eût commencé par refuser, se laissa persuader d'être de la partie.

Où qu'elles allassent, elle était manifestement toujours sur le qui-vive. Dans Bond Street, tout particulièrement, où se traita une bonne partie de ce qu'elles avaient à faire, ses yeux furent en interrogation constante : et quel que fût le magasin dans lequel le groupe était actif, son esprit était également détourné de tout ce qui intéressait et occupait les autres. Agitée et mécontente partout, elle ne put jamais donner à sa sœur son opinion au sujet d'aucun article à acheter, quoiqu'il pût les concerner toutes deux également ; elle ne recevait de plaisir de rien ; elle était impatiente uniquement d'être de retour à la maison, et parvint avec difficulté à maîtriser sa contrainte devant les lenteurs ennuyeuses de Mrs. Palmer, dont l'œil se laissait prendre à tout ce qui était joli, coûteux, ou nouveau ; qui avait une envie folle de tout acheter, ne pouvait se décider sur rien, et gaspillait son temps dans le ravissement et l'indécision.

La matinée était fort avancée lorsqu'elles rentrèrent à la maison ; et à peine furent-elles de retour, que Marianne s'élança avidement à l'étage et, quand Elinor la suivit, elle la trouva qui s'éloignait de la table avec un visage attristé qui indiquait que Willoughby n'avait pas donné signe de vie.

– Aucune lettre n'a-t-elle été déposée ici depuis que nous sommes sorties ? dit-elle au valet de pied qui entrait à ce moment avec les paquets. Elle reçut une réponse négative. Vous en êtes tout à fait sûr ? repartit-elle. Êtes-vous certain qu'aucun domestique, aucun portier, n'a laissé de lettre ni de billet ?

Le domestique répondit que personne n'en avait laissé.

– Comme c'est curieux, vraiment ! dit-elle, d'une voix basse et déçue, en s'éloignant vers la fenêtre.

« Vraiment curieux, en effet ! se dit intérieurement Elinor, regardant sa sœur avec inquiétude. Si elle n'avait pas su qu'il fût en ville, elle ne lui aurait pas écrit comme elle l'avait fait ; elle eût écrit à Combe Magna ; et s'il est à Londres, comme il est curieux qu'il ne vienne ni n'écrive ! Oh, ma chère mère, vous devez avoir tort d'autoriser que des fiançailles entre une fille si jeune et un homme si peu connu soient poursuivies d'une façon aussi douteuse, aussi mystérieuse ! Il me tarde, à moi, de m'enquérir ; mais comment supportera-t-on mon intervention ! »

Elle résolut, après avoir un peu réfléchi, au cas où les apparences continueraient encore bien des jours à être aussi déplaisantes qu'elles l'étaient à présent, d'exposer de la façon la plus vigoureuse à sa mère la nécessité d'une enquête sérieuse sur cette affaire.

Mrs. Palmer et deux dames d'un certain âge, amies intimes de Mrs. Jennings, qu'elle avait rencontrées et invitées au cours de la matinée, dînèrent avec elles. Celle-là les quitta peu après le thé, pour s'acquitter de ses obligations mondaines de la soirée ; et Elinor fut obligée de contribuer à la formation d'une table de whist pour les autres. Marianne n'était d'aucun secours en pareille occurrence, car elle n'avait jamais voulu apprendre ce jeu ; mais bien qu'elle disposât de son temps, la soirée ne fut nullement plus productrice de plaisir pour elle que pour Elinor, car elle se passa dans toute l'inquiétude de l'attente et la douleur de la déception. Elle tenta parfois, pendant quelques minutes, de lire ; mais le livre ne tardait pas à être rejeté, et elle revenait à l'occupation plus intéressante qui consistait à marcher de long en large à travers la pièce, à s'arrêter un instant chaque fois qu'elle arrivait à la fenêtre, dans l'espoir de distinguer le coup tant attendu frappé à la porte.

XXVII

– Si ce temps doux se maintient encore longtemps, dit Mrs. Jennings, quand elles se retrouvèrent au premier déjeuner le lendemain matin, Sir John ne sera pas content de quitter Barton la semaine prochaine ; il est triste pour un chasseur de perdre un jour de plaisir. Pauvres âmes ! Je les plains toujours quand ça leur arrive, ils semblent le prendre tellement à cœur !

– C'est vrai, s'écria Marianne, d'une voix joyeuse, et en s'avançant jusqu'à la fenêtre, tout en parlant, pour examiner le temps qu'il faisait. Je n'avais pas pensé à cela. Ce temps-là va retenir beaucoup de chasseurs à la campagne.

Ce fut un rappel heureux ; tout son entrain lui fut restitué grâce à lui.

– Il fait certes un temps charmant pour eux, reprit-elle, s'asseyant pour déjeuner, le visage heureux. Comme cela doit leur faire plaisir ! Mais (avec un léger renouveau d'inquiétude) on ne peut pas s'attendre à ce que cela dure longtemps. À cette époque de l'année, et après une telle série de jours pluvieux, nous n'en aurons certainement plus que très peu. Les gelées viendront bientôt à demeure, et, en toute probabilité, avec vigueur. D'ici un jour ou deux, peut-être : cette douceur extrême ne peut guère durer plus longtemps – voire, il se peut qu'il gèle ce soir.

– Quoi qu'il en soit, dit Elinor, désirant empêcher Mrs. Jennings de percer les pensées de sa sœur aussi nettement qu'elle le faisait elle-même, je suppose que nous aurons Sir John et lady Middleton à Londres dès la fin de la semaine prochaine.

– Oui, ma chérie, je vous le garantis. Mary en fait toujours à sa tête.

« Et maintenant, conjectura silencieusement Elinor, elle va écrire à Combe par la poste d'aujourd'hui. »

Mais si elle le fit, la lettre fut écrite et expédiée dans un secret qui éluda toute sa vigilance à s'en assurer. Quelle que pût être la vérité de l'affaire, et quelque éloignée que fût Elinor d'en éprouver un contentement total, néanmoins, pendant qu'elle voyait Marianne pleine d'entrain, elle ne pouvait être elle-même fort inquiète. Et Marianne était effectivement pleine d'entrain, heureuse de la douceur du temps, et plus heureuse encore dans l'attente de la gelée.

La matinée se passa principalement à déposer des cartes chez les connaissances de Mrs. Jennings, pour leur apprendre qu'elle était à Londres, et Marianne fut occupée tout le temps à observer la direction du vent, à surveiller les variations du ciel, et à imaginer un changement dans l'air.

– Tu ne trouves pas qu'il fait plus froid que ce matin, Elinor ? Il me semble y avoir une différence fort nette. C'est à peine si je peux conserver les mains chaudes, même dans mon manchon. Il n'en était pas ainsi hier, à ce qu'il me semble. Les nuages ont l'air de se dissiper, aussi, le soleil va paraître dans un instant, et nous aurons un après-midi lumineux.

Elinor fut alternativement divertie et chagrinée ; mais Marianne persévéra, et vit chaque soir, dans l'éclat du feu, et chaque matin, dans l'aspect de l'atmosphère, les symptômes certains des gelées qui s'approchaient.

Les demoiselles Dashwood n'eurent pas plus de raison d'être mécontentes du train de vie et du cercle de relations de Mrs. Jennings, que de sa conduite à leur égard, laquelle était invariablement bienveillante. Tout, dans les dispositions de son ménage, était ordonné avec la plus grande libéralité et, à part quelques vieux amis de la City, qu'au grand regret de lady Middleton, elle n'avait jamais laissé tomber, elle ne fit visite à personne à qui une présentation pût, en quoi que ce fût, froisser les susceptibilités de ses jeunes compagnes. Contente de se trouver plus agréablement placée, sous ce rapport, qu'elle ne s'y était attendue, Elinor s'accommoda bien volontiers de l'absence de plaisir réel que lui procuraient toutes leurs réunions du soir, et qui, que ce fût à la maison ou chez autrui, constituées exclusivement en vue des cartes, ne pouvaient offrir que peu d'attraits pour l'amuser.

Le colonel Brandon, qui avait ses entrées permanentes, fut presque tous les jours des leurs ; il venait afin de voir Marianne et de causer avec Elinor, qui trouvait souvent plus de satisfaction à converser avec lui qu'à tout autre événement quotidien, mais qui voyait aussi, avec beaucoup de préoccupation, l'intérêt qu'il continuait à témoigner à sa sœur. Elle craignait que cet intérêt n'allât en se renforçant. Elle fut attristée de voir avec quel sérieux il observait souvent Marianne, et il était certainement plus abattu que lorsqu'il avait séjourné à Barton.

Environ une semaine après leur arrivée, il devint certain que Willoughby était arrivé, lui aussi. Sa carte était sur la table lorsqu'elles rentrèrent de leur promenade en voiture de la matinée.

– Juste ciel ! s'écria Marianne ; il est venu ici pendant que nous étions sorties !

Elinor, ravie d'être assurée de la présence de Willoughby à Londres, se hasarda alors à dire :

– Comptes-y, il reviendra demain.

Mais Marianne parut à peine l'entendre, et, à l'entrée de Mrs. Jennings, elle s'échappa avec la précieuse carte.

Cet événement, tout en ragaillardissant Elinor, rendit à sa sœur toute son agitation primitive, et même davantage. À partir de cet instant, son esprit ne fut jamais en repos ; l'attente de voir Willoughby à toute heure du jour la rendit impropre à quoi que ce fût. Elle insista pour qu'on la laissât à la maison, le lendemain matin, quand les autres sortirent.

Les pensées d'Elinor étaient pleines de ce qui pouvait se passer dans Berkeley Street pendant leur absence, mais un coup d'œil lancé à sa sœur, lors de leur retour, suffit à lui apprendre que Willoughby n'avait pas renouvelé sa visite. On apporta à l'instant même un billet, qui fut posé sur la table.

– Pour moi ? s'écria Marianne, s'avançant avec précipitation.

– Non, madame, pour ma maîtresse.

Mais Marianne, non convaincue, le prit aussitôt en main.

– Il est, en effet, pour Mrs. Jennings ; comme c'est contrariant !

– Tu attendais donc une lettre ? dit Elinor, incapable de garder plus longtemps le silence.

– Oui, un peu... pas beaucoup.

Après un bref silence :

– Tu n'as pas confiance en moi, Marianne.

– Oh, Elinor ! Ce reproche, venant de toi ! Toi, qui n'as confiance en personne !

– Moi ! répliqua Elinor, non sans confusion ; en vérité, Marianne, je n'ai rien à raconter.

– Moi non plus, répondit Marianne, avec énergie ; notre situation est donc pareille. Nous n'avons ni l'une ni l'autre rien à dire : toi, parce que tu ne communiques rien, et moi, parce que je ne cache rien.

Elinor, peinée de cette accusation de réserve chez elle-même, qu'elle n'était pas libre de dissiper, ne savait comment, en des circonstances semblables, pousser Marianne à plus de franchise.

Mrs. Jennings parut bientôt, et le billet lui ayant été remis, elle le lut à haute voix. Il était de lady Middleton, annonçant leur arrivée à Conduit Street la veille au soir, et priant sa mère et ses cousines de passer la soirée du lendemain chez elle. Les affaires de Sir John, et, quant à elle, un rhume violent, les empêchaient de passer ce jour-là à Berkeley Street. L'invitation fut acceptée ; mais quand s'approcha l'heure du rendez-vous, bien que la civilité commune à l'égard de Mrs. Jennings exigeât qu'elles l'accompagnassent toutes les deux dans une pareille visite, Elinor eut quelque difficulté à persuader sa sœur de s'y rendre, car elle n'avait toujours pas vu Willoughby, et, partant, n'était pas moins disposée à s'amuser au dehors, que peu désireuse de courir le risque de le laisser revenir en son absence.

Elinor constata, quand la soirée fut terminée, que le tempérament n'est pas sensiblement modifié par un changement de résidence ; car, bien qu'il fût à peine installé à Londres, Sir John était parvenu à réunir autour de lui près de vingt jeunes gens, et à les amuser au moyen d'un bal. C'était là une affaire qui n'avait cependant pas l'approbation de lady Middleton.

À la campagne, une sauterie improvisée était fort admissible, mais à Londres, où la réputation d'élégance était chose plus importante et moins facile à atteindre, c'était trop risquer, pour le plaisir de quelques jeunes filles, de répandre le bruit que lady Middleton avait donné une petite sauterie de huit ou neuf couples, avec deux violons, et une simple collation disposée sur le buffet.

Mr. et Mrs. Palmer étaient au nombre des invités ; en ce qui concerne celui-là, qu'ils n'avaient pas encore vu depuis leur arrivée à Londres, – car il avait soin d'éviter l'apparence de toute attention envers sa belle-mère, et, partant, ne s'approchait jamais d'elle, – ils n'en reçurent aucun signe de reconnaissance lors de leur entrée. Il les regarda à peine, sans paraître savoir qui elles étaient, et se contenta d'adresser un signe de tête à Mrs. Jennings, de l'autre côté de la pièce. Marianne jeta un coup d'œil circulaire par le salon lorsqu'elle y entra ; il suffisait : *il* n'était pas là, et elle s'assit, aussi peu disposée à recevoir qu'à communiquer du plaisir. Après qu'ils eurent été réunis environ une heure, Mr. Palmer s'approcha négligemment des demoiselles Dashwood afin d'exprimer sa surprise de les voir à Londres, bien que le colonel Brandon eût été informé chez lui de leur arrivée, et qu'il eût dit lui-même quelque chose de fort cocasse en apprenant qu'elles devaient venir.

– Je vous croyais toutes les deux dans le Devonshire, dit-il.

– Vraiment ? répondit Elinor.

– Quand y retournez-vous ?

– Je n'en sais rien. Et c'est ainsi que se termina leur entretien.

Marianne n'avait, de sa vie, été aussi peu disposée à danser que ce soir-là, et cet exercice ne lui avait jamais causé tant de fatigue. Elle s'en plaignit lorsqu'elle retourna à Berkeley Street.

– Oui-dà, dit Mrs. Jennings, nous connaissons fort bien la raison de tout ça : si une certaine personne, que nous ne nommerons pas, avait été là, vous n'auriez pas été le moins du monde fatiguée, et, à dire vrai, ce n'a pas été bien joli de sa part de ne pas vous y rencontrer, alors qu'il était invité.

– Invité ! s'écria Marianne.

– C'est ce que m'a dit ma fille Middleton, car il paraît que Sir John l'a rencontré quelque part dans la rue, ce matin.

Marianne ne dit plus rien, mais prit un air extrêmement blessé. Impatiente, dans cette situation, de faire quelque chose qui pût conduire au soulagement de sa sœur, Elinor résolut d'écrire le lendemain matin à sa mère, et espérait, en suscitant ses craintes au sujet de la santé de Marianne, provoquer ces interrogations qui avaient été trop longtemps retardées ; et elle fut encore plus ardemment poussée à ce projet en s'apercevant, après le premier déjeuner du lendemain, que Marianne écrivait de nouveau à Willoughby, car elle ne pouvait supposer que ce fût à quelque autre personne.

Vers le milieu de la journée, Mrs. Jennings sortit seule pour vaquer à ses affaires, et Elinor commença aussitôt sa lettre, cependant que Marianne, trop agitée pour s'occuper, trop inquiète pour causer, allait d'une fenêtre à l'autre, ou s'asseyait auprès du feu dans une méditation mélancolique. Elinor fut très pressante dans sa démarche auprès de sa mère, contant tout ce qui s'était passé, ses soupçons au sujet de l'inconstance de Willoughby, et la poussant, par tous les arguments du devoir et de l'affection, à exiger de Marianne un compte rendu de sa situation véritable par rapport à lui.

Sa lettre était à peine terminée, qu'un coup frappé fut le précurseur d'un visiteur, et l'on annonça le colonel Brandon. Marianne, qui l'avait déjà aperçu par la fenêtre, et qui détestait toute espèce de compagnie, quitta la pièce avant qu'il n'y entrât. Il avait l'air plus grave qu'à l'ordinaire, et, bien qu'il exprimât sa satisfaction, à trouver miss Dashwood seule, comme s'il avait quelque chose de personnel à lui dire, il resta assis quelque temps sans prononcer une parole. Elinor, persuadée qu'il avait à lui faire une communication au sujet de sa sœur, en attendit avec impatience le début. Ce n'était pas la première fois qu'elle éprouvait le même genre de conviction ; car, plus d'une fois déjà, commençant par la remarque : « Votre sœur semble souffrante aujourd'hui », ou : « Votre sœur a l'air abattue », il avait paru être sur le point soit de révéler, soit de demander quelque chose qui l'intéressait tout particulièrement. Après un arrêt de plusieurs minutes, leur silence fut rompu par lui : il lui demanda, d'une voix qui trahissait quelque agitation, quand il devait la féliciter de l'acquisition d'un frère. Elinor ne s'attendait pas à une question pareille, et, n'ayant pas de réponse prête, elle fut contrainte d'employer l'expédient simple et commun de lui demander ce qu'il entendait par là. Il essaya de sourire tandis qu'il répondait :

– Les fiançailles de votre sœur avec Mr. Willoughby sont connues, d'une façon fort générale.

– Elles ne peuvent être connues d'une façon générale, repartit Elinor, car sa famille elle-même n'en sait rien.

Il parut surpris, et dit :

– Je vous demande pardon ; je crains que mon interrogation n'ait été impertinente ; mais je n'avais pas pensé qu'il y eût une intention de secret, car ils s'écrivent ouvertement, et l'on parle universellement de leur mariage.

– Comment cela se peut-il ? Par qui avez-vous pu en entendre parler ?

– Par bien des gens – par certains que vous ne connaissez absolument pas, par d'autres avec lesquels vous êtes fort intime – Mrs. Jennings, Mrs. Palmer et les Middleton. Mais enfin, j'aurais pu ne pas le croire, car là où l'esprit répugne peut-être un peu à se laisser convaincre, il trouvera toujours quelque chose pour étayer ses doutes – si je n'avais pas, lorsque le domestique m'a introduit aujourd'hui, vu par hasard dans sa main une lettre adressée à Mr. Willoughby et de l'écriture de votre sœur. Je suis venu m'informer, mais j'étais convaincu avant d'avoir posé la question. Tout est-il définitivement conclu ? Est-il possible de... ? Mais je n'ai aucun droit, et je ne pourrais avoir aucune chance de réussir. Excusez-moi, miss Dashwood. Je crois que j'ai eu tort d'en dire aussi long, mais je sais à peine que faire, et j'ai la plus grande confiance en votre prudence. Dites-moi que tout est décidé d'une façon absolue, que toute tentative... bref, que la dissimulation, si la dissimulation est possible, est tout ce qui me reste.

Ces paroles, qui apportèrent à Elinor l'aveu direct de son amour pour Marianne, l'émurent considérablement. Elle fut incapable de dire immédiatement quoi que ce fût, et même quand elle eut recouvré ses esprits, elle se livra pendant quelques instants à un débat intérieur au sujet de la réponse la plus convenable à faire. Elle connaissait si peu l'état de choses réel existant entre Willoughby et sa sœur, qu'elle pouvait tout aussi bien, en essayant de l'expliquer, en dire trop que trop peu. Pourtant, comme elle était convaincue que l'affection de Marianne pour Willoughby ne pouvait laisser aucun espoir de succès pour le colonel Brandon, quelle que pût être la suite de cette affection, et comme elle désirait en même temps couvrir sa conduite à l'encontre de tout blâme, elle estima plus prudent et plus amical, après quelque réflexion, d'en dire plus qu'elle n'en savait ou croyait en réalité. Elle avoua, donc, que bien qu'elle n'eût jamais été mise au courant par les intéressés de l'état de leur situation mutuelle, elle n'avait aucun doute quant à leur affection réciproque, et qu'elle n'était pas étonnée d'apprendre qu'ils échangeassent des lettres.

Il l'écouta avec une attention silencieuse, et lorsqu'elle se tut, il se leva immédiatement et, après avoir dit, d'une voix chargée d'émotion :

– Je souhaite à votre sœur tout le bonheur imaginable ; et à Willoughby, qu'il s'efforce de la mériter – il prit congé et s'en alla.

Elinor ne tira de cette conversation aucun sentiment réconfortant qui diminuât l'inquiétude de son esprit sur d'autres points ; elle resta, au contraire, avec l'impression mélancolique du malheur du colonel Brandon, et fut empêchée même de la voir dissipée par son anxiété au sujet de l'événement même qui devait le confirmer.

XXVIII

Il ne se produisit rien, au cours des trois ou quatre jours qui suivirent, pour faire regretter à Elinor ce qu'elle avait fait en s'adressant à sa mère ; car Willoughby ne se présenta ni n'écrivit. Elles devaient, vers la fin de cette période, assister à une réception chez lady Middleton, réception dont Mrs. Jennings était tenue éloignée par l'indisposition de sa fille cadette ; et Marianne se prépara à cette réception dans un état d'abattement total, insouciante de son aspect, et apparemment indifférente sur le point de s'y rendre ou non, sans le moindre air d'espoir ni une seule expression de plaisir. Elle resta au coin du feu, dans le salon, après le thé, jusqu'au moment de l'arrivée de lady Middleton, sans bouger une seule fois de son siège ni changer d'attitude, perdue dans ses propres pensées et insensible à la présence de sa sœur ; et lorsque, enfin, on leur dit que lady Middleton les attendait à la porte, elle tressaillit comme si elle avait oublié qu'on attendît quelqu'un.

Elles arrivèrent en temps voulu à leur destination, et, dès que le permit la file de voitures qui les précédaient, descendirent, gravirent l'escalier, entendirent annoncer leur nom d'un palier à un autre d'une voix perceptible, et pénétrèrent dans une salle splendidement illuminée, toute pleine de monde, et où il faisait intolérablement chaud. Lorsqu'elles eurent payé leur tribut de politesse en faisant une révérence devant la maîtresse de maison, on leur permit de se mêler à la foule et de prendre leur part de chaleur et d'incommodité auxquelles leur arrivée devait nécessairement ajouter un surcroît. Après quelque temps passé à dire peu de chose et à en faire encore moins, lady Middleton s'installa pour faire une partie de cassino, et comme Marianne ne se sentait pas en humeur de se remuer, Elinor et elle, réussissant heureusement à trouver des chaises, s'assirent non loin de la table.

Elles n'étaient pas restées longtemps ainsi, lorsque Elinor aperçut Willoughby, debout à quelques pas d'elles, en conversation sérieuse avec une grande femme à l'aspect fort mondain. Elle ne tarda pas à croiser son regard, et il s'inclina aussitôt, mais sans tenter de lui parler, ni de s'approcher de Marianne, bien qu'il ne pût pas ne pas la voir, puis il reprit son entretien avec la même dame. Elinor se tourna involontairement vers Marianne, pour voir si l'incident avait pu être inaperçu d'elle. C'est à ce moment seulement qu'elle l'aperçut, et, tout son visage luisant d'un ravissement soudain, elle se serait dirigée vers lui à l'instant, si sa sœur ne l'avait retenue par le bras.

– Grand Dieu ! s'écria-t-elle, il est là, il est là ! Oh ! Pourquoi ne me regarde-t-il pas ? Pourquoi ne puis-je lui parler ?

– Je t'en prie, je t'en prie, calme-toi, fit Elinor, et ne trahis pas devant tous ceux qui sont ici ce que tu éprouves. Peut-être ne t'a-t-il pas encore aperçue.

Mais c'était là plus qu'elle n'en pouvait croire elle-même, et être calme en un tel moment, c'était non seulement au-delà des possibilités de Marianne, mais c'était au-delà de ses désirs. Elle resta assise, tourmentée d'une impatience qui affectait chacun de ses traits.

Enfin, il se retourna de nouveau, et les regarda toutes deux ; elle se leva d'un bond, et, prononçant son nom d'un ton affectueux, lui tendit la main. Il s'approcha, et s'adressant plutôt à Elinor qu'à Marianne, comme s'il eût désiré éviter son regard et eût été résolu à ne pas remarquer son attitude, s'enquit à la hâte de la santé de Mrs. Dashwood, et demanda depuis quand elles étaient à Londres. Elinor fut privée de toute présence d'esprit par un tel abord, et fut incapable de dire un mot. Mais les sentiments de sa sœur s'exprimèrent à l'instant. Son visage s'empourpra totalement, et elle s'écria, d'une voix chargée de la plus vive émotion :

– Juste ciel, Willoughby, qu'est-ce que cela signifie ? Vous n'avez pas reçu mes lettres ? Vous ne voulez pas me serrer la main ?

Il ne put l'éviter, alors, mais le contact de Marianne lui parut douloureux, et il ne tint sa main que l'espace d'un instant. Pendant tout ce temps, il luttait manifestement pour recouvrer sa maîtrise de soi. Elinor observa son visage, et vit son expression qui devenait plus sereine. Au bout d'un instant de silence, il parla avec calme.

– J'ai eu l'honneur de me présenter dans Berkeley Street mardi dernier, et j'ai vivement regretté de n'avoir pas eu la chance de vous rencontrer, ainsi que Mrs. Jennings. Ma carte n'a pas été perdue, je l'espère.

– Mais vous n'avez pas reçu mes billets ? s'écria Marianne, en proie à l'inquiétude la plus folle. Il y a là quelque erreur, j'en suis sûre, quelque erreur épouvantable. Qu'est-ce que cela peut vouloir dire ? Dites-moi, Willoughby, pour l'amour du ciel, dites-moi ce qu'il y a ?

Il ne fit pas de réponse ; son teint se modifia, et tout son embarras lui revint ; mais, comme si, croisant le regard de la jeune dame avec qui il s'était entretenu précédemment, il avait senti la nécessité d'un effort immédiat, et après avoir dit :

– Oui, j'ai eu le plaisir de recevoir la nouvelle de votre arrivée à Londres, que vous avez eu la bonté de m'envoyer ; il se détourna précipitamment en s'inclinant légèrement, et rejoignit son amie.

Marianne, prise à présent d'une pâleur affreuse, et incapable de se tenir debout, se laissa tomber sur sa chaise, et Elinor, s'attendant d'un instant à l'autre à la voir défaillir, essaya de la dissimuler à la vue d'autrui, tout en la ranimant avec de l'eau de lavande.

– Va le trouver, Elinor, s'écria-t-elle, dès qu'elle put parler, et force-le à revenir auprès de moi. Dis-lui qu'il faut que je le revoie, qu'il faut que je lui parle à l'instant. Je ne puis goûter de repos – je n'aurai pas un instant de tranquillité, tant que tout cela ne sera expliqué, – quelque épouvantable malentendu... Oh, va le trouver à l'instant !

– Comment cela peut-il se faire ? Non, ma chère Marianne, il faut que tu attendes. Ce n'est pas ici le lieu qui convient aux explications. Attends simplement jusqu'à demain.

Mais ce ne fut qu'avec difficulté qu'elle l'empêcha de le suivre elle-même ; quant à la persuader de réfréner son agitation, d'attendre avec l'apparence tout au moins, du calme, qu'elle pût lui parler d'une façon plus privée et plus efficace, c'était impossible, car Marianne continua sans arrêt à donner expression, à mi-voix, à la douleur de ses sentiments, en poussant des exclamations de détresse. Peu de temps après, Elinor vit

Willoughby qui quittait la salle par la porte donnant vers l'escalier et, disant à Marianne qu'il était parti, elle fit valoir l'impossibilité de lui parler encore ce soir-là, comme argument nouveau pour qu'elle se tînt calme. Elle demanda immédiatement à sa sœur de supplier Lady Middleton de les ramener à la maison, car elle était trop malheureuse pour rester une minute de plus.

Lady Middleton, bien qu'elle fût au beau milieu d'un robre, ayant été avisée que Marianne était souffrante, était trop polie pour s'opposer un seul instant à son désir de partir ; et après qu'elle eut remis ses cartes à une amie, elles partirent aussitôt qu'il fut possible de trouver la voiture. C'est à peine si une parole fut prononcée au cours de leur trajet de retour à Berkeley Street. Marianne était dans une angoisse silencieuse, trop oppressée même pour les larmes ; mais comme Mrs. Jennings, heureusement, n'était pas rentrée, elles purent se rendre tout droit dans leur chambre, où l'ammoniaque la fit un peu revenir à elle. Elle fut bientôt déshabillée, et dans son lit, et comme elle semblait désireuse d'être seule, sa sœur la quitta alors, et, pendant qu'elle attendait le retour de Mrs Jennings, eut tout le loisir de méditer sur le passé.

Qu'il y eût eu quelque genre de promesse de mariage entre Willoughby et Marianne, elle n'en pouvait pas douter ; et il semblait également évident que Willoughby en fût las ; car quelle que fût encore l'ardeur de Marianne à entretenir ses propres désirs, Elinor ne pouvait attribuer une semblable conduite à une erreur ou à un malentendu quelconque. Elle ne pouvait s'expliquer que par une modification radicale des sentiments. Son indignation eût encore été plus violente qu'elle ne l'était si elle n'avait été témoin de cet embarras qui avait semblé dénoter chez lui la conscience de sa propre inconduite, et qui empêchait Elinor de le croire suffisamment dévergondé pour avoir, dès l'abord, joué avec les affections de sa sœur sans aucun dessein qui supportât l'examen. L'absence pouvait avoir affaibli son inclination, et l'intérêt pouvait l'avoir déterminé à la surmonter, mais elle ne pouvait se résoudre à douter qu'il eût existé naguère une telle inclination.

Quant à Marianne, elle ne pouvait réfléchir sans la plus profonde inquiétude aux coups douloureux que devait déjà lui avoir donnés une telle rencontre, et à ceux, encore plus cruels, qui pouvaient l'attendre dans sa conséquence probable. Sa propre situation y gagnait en comparaison, car aussi longtemps qu'il lui était possible d'estimer Edward autant que jamais, quel que fût le degré de séparation que leur infligeât l'avenir, son esprit garderait toujours un soutien. Mais toutes les circonstances susceptibles d'aggraver un tel mal semblaient se réunir pour rehausser la détresse de Marianne jusque dans une séparation définitive d'avec Willoughby, – une rupture immédiate et irrémédiable avec lui.

XXIX

Avant que la servante leur eût allumé le feu le lendemain, ou que le soleil eût gagné quelque empire sur une sombre et froide matinée de janvier, Marianne, à demi vêtue seulement, était agenouillée devant l'une des banquettes des fenêtres afin de profiter du peu de lumière qu'elle y pouvait obtenir, et écrivait aussi vite que le lui permettait un flot continu de larmes. C'est en cette situation qu'Elinor, réveillée par son agitation et ses sanglots, l'aperçut tout d'abord ; et, après l'avoir observée quelques instants avec une inquiétude silencieuse, dit, d'un ton chargé de la douceur la plus indulgente :

– Marianne, puis-je te demander... ?

– Non, Elinor, répondit-elle, ne demande rien ; bientôt, tu sauras tout.

Le calme un peu désespéré dont cela fut dit ne dura que le temps qu'il lui fallut pour le dire, et fut suivi aussitôt par un retour du même chagrin excessif. Il lui fallut plusieurs minutes avant de pouvoir continuer sa lettre, et les fréquents éclats de douleur qui l'obligèrent encore, par moments, à retenir sa plume, prouvaient assez qu'elle se disait qu'en toute probabilité elle écrivait pour la dernière fois à Willoughby.

Elinor lui donna tous les soins tranquilles et discrets qu'il était en son pouvoir de donner ; et elle aurait essayé de l'apaiser et de la calmer encore davantage, si Marianne ne l'eût suppliée, avec toute l'ardeur d'une irritabilité nerveuse, de ne lui parler pour rien au monde. En des circonstances pareilles, il était préférable pour l'une et l'autre qu'elles ne restassent pas longtemps ensemble ; et l'état agité de l'esprit de Marianne l'empêcha non seulement de demeurer dans la chambre un seul instant après qu'elle fut habillée, mais, exigeant à la fois la solitude et un changement de lieu, l'obligea à errer par la maison jusqu'à l'heure du déjeuner, en évitant de voir qui que ce fût.

Au premier déjeuner, elle ne mangea ni ne tenta de manger rien ; et l'activité d'Elinor fut alors employée en totalité, non pas à la presser, ni à la plaindre, ni à avoir l'air de l'observer, mais à s'efforcer d'accaparer pour elle-même toute l'attention de Mrs. Jennings.

Comme c'était là un repas agréable à Mrs. Jennings, il durait assez longtemps, et elles étaient juste en train de s'installer, quand il fut terminé, autour de la table à ouvrage commune, lorsqu'une lettre fut remise à Marianne ; elle la saisit précipitamment des mains du domestique, et, prise d'une pâleur mortelle, sortit aussitôt de la pièce en courant, Elinor, qui vit ainsi, aussi nettement que si elle avait vu la suscription, que la lettre devait provenir de Willoughby, ressentit à l'instant une telle faiblesse au cœur qu'elle fut presque incapable de tenir la tête levée, et demeura là, prise d'un tremblement général tel qu'elle craignit qu'il ne pût échapper à l'attention de Mrs. Jennings. Cette excellente dame, toutefois, perçut seulement que Marianne avait reçu une lettre de Willoughby, ce qui lui semblait être une fort bonne plaisanterie, et qu'elle traita en conséquence, en exprimant, tout en riant, l'espoir qu'elle la trouverait à son goût. Quant à la détresse d'Elinor, elle était trop activement occupée à mesurer des longueurs de lainages pour sa couverture, pour la remarquer en quoi que ce fût ; et, continuant avec calme son entretien, dès que Marianne eut disparu, elle dit :

– Ma parole ! Je n'ai, de ma vie, vu une jeune femme si désespérément éprise ! Mes filles, ce n'était rien, comparées à elle, et Dieu sait pourtant si elles étaient sottes ! Mais pour ce qui est de miss Marianne, elle est complètement changée. J'espère, du fond du cœur, qu'il ne la fera plus attendre longtemps, car il est bien pénible de lui voir un air aussi malade et désolé. Dites-moi : quand doivent-ils se marier ?

Elinor, bien qu'elle n'eût jamais été moins disposée à parler qu'à cet instant, se força à répondre à une telle attaque ; c'est pourquoi, essayant de sourire, elle répondit :

– Vous vous êtes donc réellement persuadée, madame, à force d'en parler, que ma sœur était fiancée à Mr. Willoughby ? Je croyais que ce n'avait été qu'une plaisanterie, mais une question aussi sérieuse semble en impliquer davantage : et je vous prie, en conséquence, de vouloir bien ne plus vous y méprendre. Je vous assure vraiment que rien ne m'étonnerait plus que d'apprendre qu'ils dussent se marier.

– Fi donc, fi donc, miss Dashwood ! Comment pouvez-vous parler ainsi ? Ne savons-nous pas tous qu'il faut que ce soit un mariage – qu'ils ont été éperdument amoureux l'un de l'autre dès le premier instant où ils se sont vus ? Ne les ai-je pas vus ensemble, dans le Devonshire, tous les jours, et toute la journée ? Et ne savais-je pas que votre sœur est venue à Londres avec moi tout exprès pour acheter des toilettes de mariée ? Voyons, voyons, vous ne m'en ferez pas accroire ! Parce que, vous-même, vous en faites un tel secret, vous croyez que personne n'a ses cinq sens ; mais il n'en est rien, je vous l'affirme, car voilà bien longtemps que la chose est sue, par toute la ville. Moi, j'en parle à tout le monde, et Charlotte de même.

– En vérité, madame, dit Elinor avec beaucoup de gravité, vous vous trompez. Certes, vous faites une chose fort discourtoise en répandant ce bruit, et vous le constaterez, bien que vous ne me croyiez pas en ce moment.

Mrs. Jennings se mit de nouveau à rire, mais Elinor n'eut pas le courage d'en dire davantage, et, comme il lui tardait du moins de savoir ce qu'avait écrit Willoughby, elle courut à leur chambre, où, dès qu'elle eut ouvert la porte, elle vit Marianne étendue sur le lit, étouffant presque de douleur, une lettre à la main, et deux ou trois autres éparpillées autour d'elle. Elinor s'approcha, mais sans dire un mot ; et s'asseyant sur le lit, elle lui prit la main, l'embrassa plusieurs fois affectueusement, puis se laissa aller à un accès de larmes, qui, au début, fut à peine moins violent que celui de Marianne. Celle-ci, quoiqu'elle fût incapable de parler, parut sensible à toute la tendresse de cette attitude, et après quelque temps passé ainsi en affliction conjointe, elle mit toutes les lettres dans les mains d'Elinor ; puis, se couvrant le visage de son mouchoir, elle se mit presque à hurler de douleur. Elinor, qui savait qu'un tel chagrin, quelque affreux qu'il fût à voir, devait suivre son cours, veilla sur elle jusqu'à ce que cet excès de souffrance se fût quelque peu dépensé, et, se tournant alors avec avidité vers la lettre de Willoughby, lut ce qui suit :

« Bond Street, *Janvier.*

» Chère Madame,

» Je viens d'avoir l'honneur de recevoir votre lettre, dont je me permets de vous remercier sincèrement. Je regrette vivement d'apprendre qu'il y a eu, dans mon attitude d'hier soir, quelque chose qui n'a pas emporté votre approbation ; et bien que je sois totalement incapable de découvrir en quoi j'ai pu avoir le malheur de vous offenser, j'implore votre pardon pour ce qui, je vous en donne l'assurance, a été parfaitement inintentionnel. Je ne songerai jamais à mes relations d'antan avec votre famille dans le Devonshire sans le plaisir le plus reconnaissant, et je me flatte qu'il ne sera jamais rompu par quelque erreur ou malentendu quant à mes actes. Mon estime pour toute votre famille est fort sincère ; mais si j'ai eu le malheur de donner lieu à l'idée de quelque chose qui dépasse ce que j'ai ressenti, ou que j'ai eu l'intention d'exprimer, je me reprocherai de n'avoir pas été plus réservé dans mes professions de cette estime. Que j'aie pu en vouloir dire davantage, vous avouerez que cela est impossible, lorsque vous saurez que mes affections sont depuis longtemps retenues ailleurs, et je crois qu'il ne s'écoulera pas beaucoup de semaines avant que cet engagement ne soit un fait accompli. C'est avec un profond regret que j'obéis à votre injonction de vous restituer les lettres dont vous m'avez honoré, ainsi que la mèche de cheveux que vous m'avez si aimablement offerte.

» Je suis, chère Madame, votre humble serviteur le plus obéissant,

John Willoughby. »

On imagine sans peine avec quelle indignation une telle lettre dut être lue par miss Dashwood. Bien qu'elle sût, avant de la commencer, qu'elle devait apporter un aveu de l'inconstance de Willoughby et confirmer leur séparation à tout jamais, elle n'avait pas prévu qu'on pût tolérer des termes pareils pour l'annoncer ; elle n'eût pas, non plus, pu supposer Willoughby capable de se départir de l'apparence de tout sentiment honorable et délicat, de s'éloigner du décorum habituel d'un gentleman – au point d'envoyer une lettre d'une cruauté aussi impudente – une lettre qui, au lieu d'apporter, avec son désir de reprendre sa liberté, quelques professions de regret, ne reconnaissait aucune rupture de foi, et niait absolument toute affection particulière – une lettre dont chacune des lignes était une insulte, et qui proclamait que son auteur était profondément endurci dans la scélératesse. Elle s'y arrêta quelque temps, avec un étonnement indigné ; puis la relut à plusieurs reprises ; mais chaque lecture ne servit qu'à accroître son aversion horrifiée à l'égard de cet homme, et ses sentiments étaient tellement chargés de rancœur contre lui, qu'elle n'osait pas se hasarder à parler, de peur de blesser encore davantage Marianne, en traitant la rupture de leur promesse, non pas comme la perte, pour elle, de quelque bien possible, mais comme une évasion hors du pire et du plus irrémédiable des maux – de l'union, pour toute sa vie, avec un homme dénué de principes, – comme la délivrance la plus réelle, comme le plus important des bienfaits.

Dans ses graves méditations sur le contenu de la lettre, sur la dépravation de l'esprit qui pouvait la dicter et, probablement, sur l'esprit fort différent d'une autre personne toute différente, qui n'avait absolument d'autre rapport avec cette affaire que celui que le cœur d'Elinor lui accordait avec tout ce qui se passait, elle oublia la détresse immédiate de sa sœur, elle oublia qu'elle avait sur ses genoux trois lettres non encore lues, et elle oublia si complètement depuis combien de temps elle avait été dans la chambre, que lorsque, entendant une voiture s'arrêter devant la porte, elle alla à la fenêtre pour voir qui pouvait venir à une heure aussi déraisonnablement matinale, elle fut tout étonnée d'apercevoir la calèche de Mrs. Jennings, qui, elle le savait, n'avait été commandée que pour une heure. Résolue à ne pas quitter Marianne, bien qu'elle fût sans espoir de contribuer, pour le moment, à la tranquilliser, elle courut bien vite s'excuser de ne pas accompagner Mrs. Jennings, en raison de l'indisposition de sa sœur. Mrs. Jennings, pleine d'un souci foncièrement bienveillant pour ce qui en était la cause, admit promptement cette excuse, et Elinor, après s'être assurée qu'elle était partie sans encombre, retourna auprès de Marianne, qu'elle trouva essayant de se lever du lit, et qu'elle rejoignit juste à temps pour l'empêcher de tomber par terre, prise de faiblesse et d'étourdissement consécutifs à une longue privation de repos et de nourriture convenable ; car, depuis bien des jours, elle n'avait pas eu d'appétit, et depuis bien des jours elle n'avait pas véritablement dormi ; et maintenant que son esprit n'était plus soutenu par la fièvre de l'incertitude, la conséquence de cet état de choses se faisait sentir sous forme de maux de tête, de faiblesse d'estomac, et d'un abattement nerveux général. Un verre de vin, qu'Elinor se procura tout de suite pour elle, la réconforta un peu, et elle put enfin exprimer dans une certaine mesure qu'elle était sensible à sa bonté, en disant :

– Pauvre Elinor ! Comme je te rends malheureuse !

– Je voudrais seulement, répondit sa sœur, qu'il y eût quelque chose que je pusse faire pour te réconforter.

Ces paroles, comme l'eussent été n'importe quelles autres, en furent trop pour Marianne, qui ne put que s'écrier, dans l'angoisse de son cœur :

– Oh ! Elinor ! Comme je suis malheureuse ! avant que sa voix ne se perdit entièrement dans les sanglots.

Elinor ne fut plus capable d'être le témoin silencieux de ce torrent de douleur sans résistance.

– Ressaisis-toi, chère Marianne, s'écria-t-elle, si tu ne veux pas te tuer, et tuer tous ceux qui t'aiment. Pense à ta mère ; pense à sa détresse pendant que tu souffres, toi ; pour elle, il faut que tu te ressaisisses.

– Je ne peux pas, je ne peux pas, s'écria Marianne ; laisse-moi, si je te fais de la peine ; laisse-moi, hais-moi, oublie-moi ; mais ne me torture pas ainsi. Oh ! comme il est facile à ceux qui n'ont pas de chagrin pour leur compte de parler de se ressaisir ! Heureuse, heureuse Elinor, toi, tu ne peux te faire une idée de ce que je souffre !

– C'est moi que tu appelles heureuse, Marianne ? Ah, si tu savais ! Et tu peux donc me croire heureuse, quand je te vois si lamentable ?

– Pardonne-moi, pardonne-moi ! – jetant les bras autour du cou de sa sœur – ; je sais que tu te mets à ma place ; je sais quel cœur tu as ; et pourtant tu es – tu dois être heureuse ; Edward t'aime... qu'est-ce donc, ah, qu'est-ce donc qui peut détruire un tel bonheur ?

– Bien, bien des circonstances, dit gravement Elinor.

– Non, non, non ! s'écria farouchement Marianne. Il t'aime, et n'aime que toi. Tu ne *peux pas* avoir de chagrin.

– Je ne puis avoir de plaisir pendant que je te vois dans cet état.

– Et tu ne me verras jamais autrement. Ma détresse est de celles que rien ne peut dissiper.

– Il ne faut pas parler ainsi, Marianne. N'as-tu pas de consolations ? Pas d'amis ? Ta perte est-elle telle qu'elle ne laisse aucune possibilité de consolation ? Quelque violente que soit ta douleur actuelle, songe à ce que tu aurais souffert si la découverte de son caractère avait été remise à plus tard, si tes fiançailles s'étaient prolongées pendant des mois et des mois, comme elles auraient pu l'être, avant qu'il ne lui eût plu d'y mettre fin ! Chaque jour supplémentaire de confiance heureuse, de ta part, aurait rendu le coup plus épouvantable.

– Mes fiançailles ! s'écria Marianne. Il n'y a pas eu de fiançailles.

– Pas de fiançailles !

– Non ; il n'est pas aussi indigne que tu le crois. Il n'a pas rompu sa foi avec moi.

– Mais il t'a dit qu'il t'aimait ?

– Oui – non – jamais d'une façon absolue. C'était sous-entendu, chaque jour, mais cela n'a jamais été explicitement déclaré. Parfois, j'ai cru que ce l'avait été, mais cela ne s'est jamais fait.

– Pourtant, tu lui as écrit ?

– Oui, – cela pouvait-il être répréhensible, après tout ce qui s'était passé ? Mais je suis incapable de parler.

Elinor ne dit plus rien, et, revenant aux trois lettres, qui suscitèrent à présent une curiosité bien plus forte que précédemment, elle les parcourut rapidement toutes. La première, qui était celle que sa sœur avait envoyée à Willoughby lors de leur arrivée à Londres, était ainsi conçue :

« Berkeley Street, *janvier.*

« Comme vous serez surpris, Willoughby, de recevoir ceci, et je crois que vous éprouverez quelque chose de plus que de la surprise quand vous saurez que je suis à Londres ! L'occasion d'y venir, bien que ce fût avec Mrs. Jennings, a été une tentation à laquelle nous n'avons pas pu résister.

J'espère que vous recevrez ce mot à temps pour venir ici ce soir, mais je ne veux pas y compter. En tout cas, je vous attendrai demain. Pour le moment, adieu.

« M. D. »

Son second billet, écrit le matin qui avait suivi la sauterie chez les Middleton, était libellé ainsi :

« Je ne puis exprimer combien j'ai été déçue de vous avoir manqué avant-hier, ni à quel point j'ai été étonnée de n'avoir pas reçu de réponse à un billet que je vous ai adressé il y a plus d'une semaine. Je m'attendais à avoir de vos nouvelles, et encore davantage à vous voir, chaque heure du jour. Je vous en prie, revenez nous voir le plus tôt possible, et expliquez-moi la raison de mon attente vaine. Vous feriez bien de venir plus tôt une autre fois, parce que nous sommes généralement sorties dès une heure. Nous sommes allées hier soir chez lady Middleton, où il y a eu une sauterie. On m'a dit que vous étiez invité. Mais cela se peut-il ? Il faut que vous ayez bien changé depuis notre séparation, s'il se peut qu'il en soit ainsi, et que vous ne soyez pas venu. Mais je ne veux pas supposer que cela soit possible, et j'espère recevoir très prochainement votre assurance personnelle qu'il en est autrement.

« M. D. »

Le contenu du dernier billet qu'elle lui avait adressé était le suivant :

« Que faut-il que je m'imagine, Willoughby, d'après votre attitude d'hier soir ? Encore une fois, j'en exige une explication. J'étais préparée à vous voir avec le plaisir que produisait naturellement notre séparation, avec la familiarité que notre intimité à Barton me paraissait justifier. J'ai été repoussée, en vérité ! J'ai passé une nuit misérable à essayer d'excuser une attitude qu'on ne peut guère qualifier de rien de moins qu'insultante ; mais bien que je n'aie pas encore pu concevoir une excuse raisonnable à

185

votre conduite, je suis parfaitement prête à entendre la justification que vous en donnerez. Vous avez peut-être été renseigné à tort, ou trompé à dessein, sur quelque chose qui me touche, et qui peut m'avoir rabaissée dans votre opinion. Dites-moi ce qu'il en est, expliquez les motifs qui vous ont fait agir, et je serai satisfaite de pouvoir vous satisfaire. Cela me peinerait, certes, d'être obligée de penser du mal de vous ; mais s'il faut que cela soit, – s'il me faut apprendre que vous n'êtes pas tout ce que nous vous avons cru jusqu'ici, que vos sentiments à l'égard de nous tous manquaient de sincérité, que votre conduite envers moi avait simplement le dessein de me tromper, – que cela soit dit le plus tôt possible ! Mes sentiments sont, pour le moment, dans un état d'indécision affreuse ; je désire vous acquitter, mais la certitude, d'un côté ou de l'autre, sera douce, en comparaison de ce que je souffre maintenant. Si vos sentiments ne sont plus ce qu'ils étaient, vous voudrez bien me restituer mes billets, ainsi que la mèche de cheveux qui est en votre possession.

« M. D. »

Que de pareilles lettres, si pleines d'affection et de confiance, eussent pu recevoir une telle réponse, Elinor, par égard pour Willoughby, eût répugné à le croire. Mais la condamnation qu'elle prononça contre lui ne lui fit pas fermer les yeux sur ce qu'il y avait eu d'incorrect à ce qu'elles eussent jamais été écrites ; et elle se désolait silencieusement sur l'imprudente qui avait osé donner de telles preuves spontanées de tendresse, non justifiées par tout ce qui les avait précédées, et condamnées de la façon la plus cruelle par les événements, lorsque Marianne, s'apercevant qu'elle avait terminé sa lecture des lettres, lui dit qu'elles ne renfermaient rien que n'eût écrit n'importe qui dans la même situation.

– Je me sentais, ajouta-t-elle, aussi solidement engagée envers lui que si l'accord juridique le plus strict nous avait liés l'un à l'autre.

– Je le crois volontiers, dit Elinor ; mais, malheureusement, il ne l'a pas senti de même.

– Mais si, il l'a senti, Elinor, – il l'a senti pendant des semaines et des semaines. Je le sais. Quelle que soit la cause du changement survenu à

186

présent chez lui (et seuls les artifices les plus noirs, employés contre moi, ont pu l'accomplir), je lui ai été naguère aussi chère que ma propre âme le pouvait désirer. Cette mèche de cheveux, qu'il peut maintenant rendre avec tant d'empressement, il me l'a demandée avec les supplications les plus instantes. Si tu avais vu son air, ses façons, si tu avais entendu sa voix, à ce moment... ! As-tu oublié la dernière soirée que nous avons passée ensemble à Barton ? Et le matin où nous nous sommes séparés ? Lorsqu'il m'a dit qu'il se passerait peut-être bien des semaines avant que nous ne puissions nous revoir, – sa détresse, – pourrai-je jamais oublier sa détresse ?

Pendant un instant ou deux elle fut incapable de dire un mot de plus ; mais quand cet émoi se fut dissipé, elle ajouta, d'un ton plus ferme :

– Elinor, j'ai été cruellement traitée, mais pas par Willoughby.

– Ma chère Marianne, par qui donc, si ce n'est par lui ? Qui a pu être son instigateur ?

– Le monde entier, plutôt que son propre cœur ! Je pourrais plutôt croire tous les êtres de ma connaissance ligués ensemble pour me ruiner dans son opinion que croire sa nature capable d'une telle cruauté. Cette femme dont il parle dans sa lettre – quelle qu'elle soit –, ou, bref, n'importe qui, sauf toi, qui m'es si chère, si chère, avec maman, et Edward, – peut avoir été assez barbare pour me donner un démenti. En dehors de vous trois, y a-t-il un être au monde que je ne soupçonnerais pas de mauvais desseins, plutôt que Willoughby, dont je connais si bien le cœur ?

Elinor ne voulut pas discuter, et se contenta de répondre :

– Quels que soient ceux qui ont été si odieusement tes ennemis, qu'ils soient frustrés de leur triomphe malveillant, ma chère sœur, en voyant avec quelle noblesse la conscience de ta propre innocence et de tes bonnes intentions soutient ton courage. C'est un orgueil raisonnable et louable qui résiste à une telle malveillance.

– Non, non, s'écria Marianne ; une détresse comme la mienne n'a pas d'orgueil. Peu m'importe qui pourra savoir que je suis malheureuse. Le triomphe de me voir en un tel état pourra être ouvert au monde entier.

Elinor, Elinor, ceux qui souffrent peu peuvent être aussi orgueilleux et aussi indépendants qu'il leur plaît, – ils peuvent résister à l'insulte, ou riposter à la mortification, – mais moi, j'en suis incapable. Il faut que je sente, – il faut que je sois malheureuse, – et ils ont toute liberté d'en savourer la conscience, ceux qui le peuvent.

– Mais par égard pour ma mère et pour moi...

– J'en ferais plus que pour moi-même. Mais paraître heureuse alors que je suis si meurtrie ! Ah ! qui pourrait l'exiger ?

De nouveau elles restèrent toutes deux silencieuses. Elinor était occupée à marcher pensivement du feu jusqu'à la fenêtre, de la fenêtre jusqu'au feu, sans savoir qu'elle recevait de la chaleur de l'un ou discernait des objets à travers l'autre ; et Marianne, assise au pied du lit, la tête appuyée contre l'une de ses colonnes, reprit la lettre de Willoughby, et, après avoir frémi à chacune de ses phrases, s'écria :

– C'en est trop ! Oh, Willoughby, Willoughby, se peut-il que vous ayez écrit cela ? Cruel, cruel ! Rien ne saurait vous acquitter, Elinor, rien ne le peut. Quoi qu'il ait pu apprendre à mon détriment, n'aurait-il pas dû réserver son jugement avant d'y prêter foi ? N'aurait-il pas dû m'en parler, m'avoir mise à même de me blanchir ? « La mèche de cheveux » (répétant les mots de la lettre) « que vous m'avez si aimablement offerte ». Cela, c'est impardonnable ! Willoughby, où était votre cœur quand vous avez écrit ces mots-là ? Oh, insolemment barbare ! Elinor, peut-il être justifié ?

– Non, Marianne, c'est absolument impossible.

– Et pourtant cette femme – qui sait ce qu'a pu être son cœur – depuis quand cela a pu être prémédité, et avec quelle longue patience ourdi par elle ! Qu'est-elle ? Qui peut-elle être ? De qui l'ai-je jamais entendu parler comme étant jeune et séduisante, parmi ses connaissances féminines ? Ah, de personne, de personne, – il ne me parlait que de moi !

Une autre pause s'ensuivit ; Marianne était fortement agitée, et l'entretien se termina ainsi :

– Elinor, il faut que je rentre à la maison. Il faut que j'aille réconforter maman. Nous ne pouvons pas partir demain ?

– Demain, Marianne !

– Oui ; pourquoi resterais-je ici ? Je ne suis venue que pour Willoughby. Et maintenant, qui se soucie de moi ? Qui a de l'estime pour moi ?

– Il serait impossible de partir demain. Nous devons à Mrs. Jennings beaucoup plus que de la civilité ; et la civilité la plus commune doit empêcher un départ aussi précipité que celui-là.

– Eh bien, alors, encore un jour ou deux, peut-être ; mais je ne peux pas rester ici longtemps ; je ne peux pas rester, pour subir les interrogations et les observations de tous ces gens-là. Les Middleton et les Palmer, – comment pourrai-je endurer leur pitié ? La pitié d'une femme comme lady Middleton ! Ah, que dirait-il, lui, de cela ?

Elinor lui conseilla de s'étendre à nouveau, ce qu'elle fit un instant ; mais aucune attitude ne pouvait lui donner de l'aise, et, dans une douloureuse agitation de l'esprit et du corps, elle passait d'une posture à une autre, jusqu'à ce que, devenant de plus en plus hystérique, elle put à grand-peine être maintenue sur le lit par sa sœur qui, pendant quelques instants, craignit d'être contrainte d'appeler du secours. Mais quelques gouttes de lavande, qu'elle se laissa enfin persuader de prendre, se montrèrent efficaces ; et depuis ce moment jusqu'au retour de Mrs. Jennings, elle demeura tranquille et immobile sur le lit.

XXX

Mrs. Jennings se rendit immédiatement à leur chambre à son retour, et, sans attendre qu'on eût répondu à sa prière d'être admise, ouvrit la porte et y entra avec un air sincèrement préoccupé.

– Comment allez-vous, ma chérie ? dit-elle, d'une voix profondément empreinte de compassion, à Marianne, qui détourna la tête sans tenter de répondre.

« Comment va-t-elle, miss Dashwood ? Pauvre petite ! Elle a vraiment fort mauvaise mine. Et ce n'est pas étonnant. Oui, ce n'est que trop vrai. Il doit se marier très prochainement – c'est un propre à rien ! Il lasse ma patience. Mrs. Taylor m'en a parlé il y a une demi-heure, et elle tient ça d'une amie intime de miss Grey elle-même, sinon je suis bien sûre que je ne l'aurais pas cru ; et déjà comme ça, j'étais presque prête à en tomber assise ! « Eh bien, lui ai-je dit, tout ce que je peux dire, c'est que, si c'est vrai, il a abominablement traité une jeune fille de ma connaissance, et je souhaite de toute mon âme que sa femme soit un fléau qui lui ronge le cœur. » Et c'est ce que je dirai toujours, ma chérie, vous pouvez y compter. Je ne m'imagine pas les hommes se conduisant de cette façon ; et si jamais je le revois, je lui donnerai un abattage comme il n'en a pas eu depuis bien longtemps ! Mais il y a une consolation, ma chère miss Marianne ; il n'est pas le seul jeune homme au monde qui mérite qu'on s'assure de lui, et avec votre joli visage, vous ne manquerez jamais d'admirateurs. Allons, pauvre petite ! Je ne veux pas la déranger plus longtemps, parce qu'il vaut mieux qu'elle pleure tout son soûl, et que ce soit fini. Heureusement, les Parry et les Sanderson viennent ce soir, et ça l'amusera. »

Après quoi elle s'en alla, sortant de la pièce sur la pointe des pieds, comme si elle avait pensé que le chagrin de sa jeune amie pût être accru par le bruit.

Marianne, à la surprise de sa sœur, résolut de dîner avec les autres.

Elinor alla même jusqu'à le lui déconseiller. Mais : « Non, elle voulait descendre ; elle le supporterait parfaitement, et les papotages sur son compte seraient moindres. » Elinor, contente de la voir pour un instant mue par un tel motif, bien qu'elle crût à peine possible qu'elle pût résister jusqu'à la fin du dîner, n'en dit pas plus long ; et, lui ajustant sa robe aussi bien qu'elle le pouvait pendant que Marianne était encore sur le lit, fut prête à l'aider à se rendre à la salle à manger dès qu'on les y appellerait.

Une fois qu'elle y fut, bien qu'elle eût l'air fort malheureuse, elle mangea mieux et fut plus calme que sa sœur ne l'avait espéré. Si elle avait essayé de parler, ou si elle avait eu conscience de la moitié des attentions bien intentionnées mais maladroites à son égard, ce calme n'eût pu être maintenu ; mais pas une syllabe ne s'échappa de ses lèvres, et ses pensées, attirées ailleurs, la tinrent dans l'ignorance de tout ce qui se passait devant elle.

Elinor, qui appréciait comme il convenait l'amabilité de Mrs. Jennings, bien que les effusions en fussent souvent malheureuses, et parfois même ridicules, lui en adressa les remerciements, et lui servit en retour les civilités, que sa sœur était incapable d'adresser ou de servir pour son propre compte. Leur excellente amie vit que Marianne était malheureuse, et se rendit compte qu'elle avait droit à tout ce qui pourrait tant soit peu lui alléger sa peine. Elle la traita donc avec toute l'indulgente bonté d'une mère envers une enfant préférée, le dernier jour de ses vacances. Il fallut donner à Marianne la meilleure place auprès du feu, la tenter de manger en lui présentant toutes les chatteries qui se trouvaient dans la maison, et l'amuser en lui contant toutes les nouvelles du jour. Si Elinor n'avait pas vu, sur le visage attristé de sa sœur, un obstacle à toute gaieté, elle aurait pu être divertie par les efforts déployés par Mrs. Jennings en vue de guérir une déception amoureuse au moyen d'une diversité de douceurs et d'olives, et d'un bon feu. Mais aussitôt que tout cela fut imprégné de force, par la répétition continuelle, sur le conscient de Marianne, elle fut incapable de rester plus longtemps. Avec une rapide exclamation de détresse, et un signe à sa sœur de ne pas la suivre, elle se leva tout de suite et se hâta de sortir de la pièce.

– Pauvre âme ! s'écria Mrs. Jennings, dès qu'elle fut partie ; comme cela me fait de la peine de la voir ! Et voilà qu'elle est bel et bien partie sans finir son vin ! Ni les cerises confites, non plus ! Seigneur ! On dirait que rien ne lui fait du bien ! Assurément, si je savais qu'il y eût quelque chose qui lui fît plaisir, je le ferais chercher par toute la ville. Ma foi, c'est bien, pour moi, la chose la plus inexplicable, qu'un homme traite aussi mal une aussi jolie fille ! Mais quand il y a beaucoup d'argent d'un côté, et presque rien de l'autre, que voulez-vous ! ils ne se soucient plus de ces choses-là !...

– Cette personne, donc – miss Grey, c'est ainsi que vous l'avez appelée, je crois – est très riche ?

– Cinquante mille livres[1], ma chérie. L'avez-vous jamais vue ? Il paraît que c'est une fille élégante, à la mode, mais sans beauté. Je me souviens fort bien de sa tante, Biddy Henshawe, qui a épousé un homme très riche. Mais ils sont tous riches dans la famille. Cinquante mille livres ! Et elles ne viendront pas trop tôt, d'après tout ce qu'on dit, car il paraît qu'il est aux abois. Rien d'étonnant à ça – à courir de tous les côtés avec son cabriolet et ses chevaux de chasse ! Enfin, cela ne signifie rien de parler ; mais quand un jeune homme, quel qu'il puisse être, s'en vient parler d'amour à une jolie fille et lui promet le mariage, il a vraiment tort de se dérober à sa parole, simplement parce qu'il devient pauvre, et qu'une fille plus riche est disposée à le prendre. Pourquoi, dans un cas semblable, ne pas vendre ses chevaux, louer sa maison, congédier ses domestiques, et effectuer immédiatement une réforme complète ? Je suis bien sûre que miss Marianne aurait été prête à attendre jusqu'à ce que les choses se soient arrangées. Mais ça ne convient pas, au jour où nous sommes ; les jeunes gens de notre époque ne veulent renoncer absolument à rien, en fait de plaisir.

– Savez-vous quel genre de personne est miss Grey ? Passe-t-elle pour aimable ?

– Je n'en ai jamais entendu dire de mal ; en vérité, je n'ai à peu près jamais entendu parler d'elle ; sauf que Mrs. Taylor m'a bel et bien dit, ce matin, que Mrs. Walker lui avait un jour laissé entendre qu'elle croyait

---

[1] 1 250 000 francs-or. *(N. du Tr.)*

que Mr. et Mrs. Ellison ne seraient pas fâchés de marier miss Grey, parce qu'elle n'a jamais pu s'accorder avec Mrs. Ellison.

– Et qui sont les Ellison ?

– Ses tuteurs, ma chérie. Mais elle est majeure, à présent, et elle a le droit de choisir pour son compte ; et elle a fait un joli choix !... Et voilà – après s'être tue un instant – que votre pauvre sœur est allée dans sa chambre, je le suppose, pour gémir toute seule ? Il n'y a rien qu'on puisse se procurer pour la consoler ? Pauvre petite ! Il semble vraiment cruel de la laisser seule. Enfin, tout à l'heure, nous aurons quelques amis, et cela l'amusera un peu. À quoi jouerons-nous ? Elle déteste le whist, je le sais ; mais n'y a-t-il pas de jeu en commun qui lui plaise ?

– Chère madame, cette amabilité est bien superflue. Marianne, en toute probabilité, ne quittera plus sa chambre de la soirée. Je la persuaderai, si je le peux, de se coucher de bonne heure, car je suis sûre qu'elle a besoin de repos.

– Oui, je crois que c'est ce qui vaut le mieux pour elle. Qu'elle choisisse elle-même ce qu'elle désire pour son souper, et aille se coucher. Grand Dieu ! Il n'y a rien d'étonnant à ce qu'elle ait eu si mauvaise mine et l'air si abattu depuis une semaine ou deux, car cette affaire était, je le suppose, suspendue au-dessus de sa tête depuis tout ce temps-là. Ainsi donc, c'est la lettre arrivée aujourd'hui qui l'a achevée ! Pauvre âme ! Assurément, si j'en avais eu la moindre idée, je ne l'aurais pas plaisantée à ce sujet, pas pour tout l'argent que je puis avoir. Mais aussi, n'est-ce pas, comment aurais-je deviné une chose pareille ? j'étais persuadée que ce n'était rien de plus qu'une banale lettre d'amour, et vous savez bien que les jeunesses aiment qu'on rie d'elles à cette occasion. Seigneur, comme Sir John et mes filles seront contrariés quand ils apprendront ça ! Si j'avais eu toute ma tête, j'aurais pu entrer, en passant, dans leur maison de Conduit Street, au retour, pour leur en parler. Mais je les verrai demain.

– Il serait superflu, j'en suis sûre, que vous recommandiez à Mrs. Palmer et à Sir John de ne jamais prononcer le nom de Mr. Willoughby, ni de ne faire la moindre allusion à ce qui s'est passé devant ma sœur, Leur propre bienveillance doit leur indiquer la cruauté foncière qu'il y aurait pour eux à paraître savoir quoi que ce soit de cette affaire, en sa présence ;

et moins on m'en parlera, à moi-même, plus on ménagera mes susceptibilités, comme vous le croirez facilement, chère madame.

– Ah, grand Dieu, oui, je le crois en effet ! Il doit être terrible pour vous d'entendre qu'on en parle ; et quant à votre sœur, assurément, je ne lui en soufflerais mot, pour rien au monde. Vous avez vu : je n'en ai rien fait, de tout le dîner. Il en est de même de Sir John et de mes filles, car ils sont tous fort réfléchis et prévenants – surtout si je leur en glisse un mot, comme je ne manquerai pas de le faire. Quant à moi, j'estime que moins on parle de ces choses-là, mieux ça vaut, plus tôt ça passe et s'oublie. Et d'ailleurs, les papotages, quel bien font-ils jamais, dites ?

– En l'espèce, ils ne peuvent que faire du mal, – plus, peut-être, que dans beaucoup de cas analogues, car, ici, il y a eu des circonstances qui, par égard pour tous ceux qui y sont mêlés, en font une chose impropre à devenir un sujet de conversation publique. Il faut que je rende cette justice à Mr. Willoughby : il n'a rompu aucune promesse positive à ma sœur.

– Mon Dieu, ma chérie ! Ne vous avisez pas de le défendre ! Pas de promesse positive, vraiment ! Après lui avoir fait visiter de fond en comble Allenham House, et s'être décidé sur les pièces mêmes où ils vivraient dorénavant !

Elinor, par égard pour sa sœur, ne pouvait pas pousser la chose plus à fond, et elle espéra que cela n'était pas exigé d'elle par égard pour Willoughby ; car, bien que Marianne eût beaucoup à perdre, il n'avait que fort peu à gagner à la publication de la vérité réelle. Après un bref silence de part et d'autre, Mrs. Jennings, avec toute son hilarité naturelle, laissa de nouveau éclater un torrent de paroles.

– Enfin, ma chérie, c'est à juste titre qu'on dit qu'à quelque chose malheur est bon, car tout cela sera à l'avantage du colonel Brandon. Il finira par l'avoir ; certes, oui. Notez bien ce que je vous dis : ils seront mariés pour la Saint-Jean ! Seigneur, comme cette nouvelle lui fera plaisir ! J'espère qu'il viendra ce soir. Tout compte fait, ce sera un meilleur parti pour votre sœur. Deux mille livres par an, sans dette ni empêchement, – à part la petite enfant de l'amour, c'est vrai ; oui, je l'avais oubliée, mais on pourra la mettre en apprentissage au dehors à peu de frais ; et puis, quelle importance ça a-t-il ? Delaford est un joli coin, je vous l'assure ; exactement ce que j'appelle un gentil coin, à l'ancienne mode, plein de commodités et d'agréments ; avec un jardin entouré de grands murs couverts des meilleurs arbres fruitiers du pays ; et quel beau mûrier dans un coin ! Seigneur, comme Charlotte et moi, nous nous sommes empiffrées, la seule fois que nous y sommes allées ! Et puis, il y a un pigeonnier, des viviers magnifiques, et un très joli canal ; et, bref, tout ce qu'on peut désirer ; et, de plus, c'est près de l'église, et à un quart de mille seulement de la route à péage, de sorte qu'on ne s'y ennuie jamais, car il suffit qu'on aille s'asseoir, là-bas, dans le vieux bosquet d'ifs derrière la maison, pour voir toutes les voitures qui passent. Oh, c'est un coin charmant ! Un boucher tout près du village, et le presbytère à un jet de pierre. Pour mon goût, mille fois plus joli que Barton Park, où ils sont obligés de faire venir leur viande de trois milles, et n'ont pas de voisin plus proche que votre mère. Enfin, je ferai venir le Colonel dès que je le pourrai. Voyez-vous, un clou chasse l'autre. Si seulement nous pouvons lui chasser de la tête Willoughby !

– Oui, si seulement nous parvenons à cela, madame, dit Elinor, nous irons très bien, avec ou sans le colonel Brandon. Sur quoi elle se leva, et alla rejoindre Marianne, qu'elle trouva, comme elle s'y attendait, dans sa chambre, accoudée, dans une détresse silencieuse, devant le maigre résidu d'un feu qui, jusqu'à l'entrée d'Elinor, avait constitué sa seule lumière.

– Tu ferais mieux de me laisser seule, – telle fut la seule marque d'attention que reçut d'elle sa sœur.

– Je vais te laisser seule, dit Elinor, si tu te couches.

Mais, en raison de la perversité momentanée de sa souffrance impatiente, elle refusa d'abord de le faire. La persuasion grave, quoique douce, de sa sœur, l'amena pourtant bientôt à composition, et Elinor la vit poser sa tête douloureuse sur l'oreiller et la vit, comme elle l'espérait, en devoir de goûter à un calme repos, avant de la quitter.

Dans le salon, où elle se rendit alors, elle fut bientôt rejointe par Mrs. Jennings, tenant à la main un verre à vin rempli de quelque chose.

– Ma chérie, dit-elle en entrant, je me suis souvenue à l'instant que j'ai chez moi du meilleur vin vieux de Constantia qui ait jamais été goûté,

– alors, j'en apporte un verre pour votre sœur. Mon pauvre mari ! Comme il l'aimait ! Chaque fois qu'il était pris d'un accès de sa goutte coliqueuse, il disait que ce vin-là lui faisait plus de bien que tout au monde. Portez-le donc à votre sœur.

– Chère madame, répondit Elinor, souriant devant la différence des maux pour lesquels il était prescrit, comme vous êtes bonne ! Mais je viens de quitter Marianne au lit, et, je l'espère, presque endormie ; et comme je crois que rien ne lui sera aussi salutaire que le repos, avec votre permission, je boirai moi-même ce vin.

Mrs. Jennings, tout en regrettant de n'être pas venue cinq minutes plus tôt, fut satisfaite du compromis, et Elinor, tandis qu'elle en avalait l'objet principal, songea que, si ses bons effets sur une goutte coliqueuse étaient à présent de peu d'importance pour elle, son pouvoir de guérison pour un cœur déçu pourrait s'essayer aussi raisonnablement sur elle-même que sur sa sœur.

Le colonel Brandon entra pendant que les dames prenaient le thé, et, à sa façon de jeter un regard circulaire par la pièce pour chercher des yeux Marianne, Elinor s'imagina immédiatement qu'il n'espérait ni ne désirait la voir là, et, bref, qu'il était déjà au courant de ce qui occasionnait son absence. Mrs. Jennings ne fut pas prise de la même idée ; car, peu après l'entrée du Colonel, elle traversa la pièce, jusqu'à la table à thé à laquelle présidait Elinor, et lui dit à mi-voix :

– Le Colonel a toujours l'air aussi grave, comme vous le voyez. Il ne sait rien de l'affaire ; mettez-le donc au courant, ma chérie.

Peu après, il rapprocha sa chaise de celle d'Elinor, et, avec un regard qui lui indiquait parfaitement qu'il était bien renseigné, lui demanda des nouvelles de sa sœur.

– Marianne ne se sent pas bien, dit-elle. Elle a été souffrante toute la journée ; et nous l'avons persuadée de se coucher.

– Peut-être, alors, répondit-il avec hésitation, ce que j'ai appris ce matin se trouve-t-il être vrai, – il doit y avoir là plus de vrai que je n'ai pu croire possible au premier abord ?

– Qu'avez-vous appris ?

– Qu'un gentleman, que j'avais lieu de croire... bref, qu'un homme que je savais fiancé... mais comment vous dire cela ? Si vous le savez déjà, comme vous le devez assurément, je puis m'épargner cette peine.

– Vous voulez dire, répondit Elinor, avec un calme contraint, le mariage de Mr. Willoughby avec miss Grey. Oui, nous savons tout cela. Il semble qu'aujourd'hui ait été un jour d'éclaircissement général, car ce matin même nous a dévoilé la chose. Mr. Willoughby est insondable ! Où l'avez-vous appris ?

– Chez un papetier de Pall Hall, où j'avais affaire. Deux dames attendaient leur voiture, et l'une d'elles contait à l'autre l'union projetée, d'une voix qui s'efforçait si peu au secret qu'il m'a été impossible de ne pas tout entendre. Le nom de Willoughby, de John Willoughby, fréquemment répété, attira d'abord mon attention, et il s'ensuivit une affirmation positive, selon quoi tout était à présent définitivement convenu en ce qui concerne son mariage avec miss Grey, – la chose ne devait plus être tenue secrète – il devait s'effectuer d'ici quelques semaines, avec beaucoup de détails relatifs aux préparatifs, et autres questions. Il y a un point dont je me souviens tout particulièrement, parce qu'il a servi à identifier encore mieux le personnage : aussitôt que la cérémonie serait accomplie, ils devaient se rendre à Combe Magna, sa propriété du Somersetshire. Quel fut mon étonnement ! Mais il serait impossible de décrire ce que j'en ai ressenti. La dame communicative, – je l'appris après m'être renseigné, car je suis resté dans le magasin jusqu'à ce qu'elle fût partie, – était une certaine Mrs. Ellison, et c'est là le nom, comme j'en ai été informé depuis, de la tutrice de miss Grey.

– En effet. Mais avez-vous appris de même que miss Grey possède cinquante mille livres ? C'est là, si tant est que ce soit quelque part, que nous pouvons peut-être trouver une explication.

– Il se peut ; mais Willoughby est capable – du moins, je crois... Il se tut un instant, puis il ajouta, d'une voix qui semblait trahir un doute envers lui-même : – Et votre sœur... comment a-t-elle... ?

– Sa douleur a été fort vive. Je puis seulement espérer qu'elle pourra être courte en proportion. Ç'a été, et c'est, un chagrin bien cruel. Jusqu'à hier, je crois, elle n'a jamais douté de son affection ; et même maintenant, peut-être... mais moi, je suis presque convaincue qu'il n'a jamais ressenti d'attachement véritable pour elle. Il a été plein de mauvaise foi ! Et, en certains points, il semble qu'il y ait chez lui une dureté de cœur.

– Ah ! dit le colonel Brandon, il y en a, en effet ! Mais votre sœur ne... je crois que vous l'avez dit... elle ne voit pas cela exactement comme vous ?

– Vous connaissez son caractère, et vous pouvez vous imaginer comme elle le justifierait encore, si elle le pouvait.

Il ne répondit rien ; et peu après, du fait qu'on desservît le thé et que l'on disposât les tables de jeu, le sujet fut nécessairement abandonné. Mrs. Jennings, qui les avait observés avec plaisir pendant qu'ils causaient, et qui s'attendait à voir l'effet de la communication de miss Dashwood sous la forme d'une gaieté instantanée chez le colonel Brandon, telle qu'elle conviendrait à un homme dans la fleur de la jeunesse, de l'espérance et du bonheur, le vit, avec stupéfaction, demeurer toute la soirée plus grave et plus pensif qu'à l'ordinaire.

XXXI

Après une nuit de sommeil meilleur qu'elle ne l'avait espéré, Marianne se réveilla le lendemain matin à la même conscience de détresse avec laquelle elle avait fermé les yeux.

Elinor l'encouragea le plus possible à parler de ce qu'elle ressentait ; et avant que le déjeuner ne fût prêt, elles avaient à maintes reprises passé en revue la question, – avec la même conviction assurée et les mêmes conseils affectueux de la part d'Elinor, les mêmes sentiments impétueux et les mêmes opinions variables chez Marianne, que précédemment. Parfois elle croyait Willoughby aussi malheureux et aussi innocent qu'elle-même, et à d'autres moments elle perdait toute consolation dans l'impossibilité de l'absoudre. À un moment, elle était absolument indifférente aux regards du monde entier ; l'instant d'après, elle était disposée à s'en retirer à jamais ; après quoi elle était capable de lui résister avec énergie. Sur un point, toutefois, elle était ferme, quand on en venait au fait : c'était d'éviter, là où ce serait possible, la présence de Mrs. Jennings, et de garder résolument le silence lorsqu'elle serait obligée de la subir. Son cœur était cuirassé contre l'idée que Mrs. Jennings pût prendre part à ses souffrances et y compatir.

– Non, non, non ! Cela ne se peut pas ! s'écria-t-elle ; il n'est pas possible qu'elle sente quoi que ce soit. Son amabilité n'est pas de la bonté ; sa bienveillance n'est pas de la tendresse. Tout ce dont elle a besoin, ce sont des potins, et je ne lui plais que parce que je lui en fournis.

Elinor n'avait pas besoin de cet éclat pour être assurée de l'injustice à laquelle sa sœur se laissait souvent aller dans son opinion des autres, en raison du raffinement irritable de son propre esprit, et de la trop grande importance qu'elle attachait aux délicatesses d'une forte sensibilité et aux grâces des façons polies. Semblable à la moitié du reste du monde, si tant est qu'il y ait plus de la moitié des gens qui soient intelligents et bons, Marianne, avec d'excellentes aptitudes et un caractère excellent, n'était ni raisonnable, ni sincère. Elle demandait aux autres les mêmes opinions et les mêmes sentiments que les siens, et elle jugeait de leurs motifs d'après l'effet immédiat de leurs actes sur elle-même. C'est ainsi qu'il se produisit un incident, pendant que les deux sœurs étaient ensemble dans leur chambre après le déjeuner, qui rabaissa encore le cœur de Mrs. Jennings dans son estime : car, en raison de sa propre faiblesse, il se trouva être une source de douleur nouvelle pour elle, bien que Mrs. Jennings eût été mue, en la circonstance, par un désir de bienveillance totale.

Tenant une lettre dans sa main tendue, et le visage souriant gaiement, en raison de la conviction qu'elle avait d'apporter un réconfort, elle entra dans leur chambre en disant :

– Tenez, ma chérie, je vous apporte quelque chose qui, j'en suis sûre, vous fera du bien.

Marianne en avait entendu assez. En un instant, son imagination plaça devant ses yeux une lettre de Willoughby, pleine de tendresse et de contrition, expliquant tout ce qui s'était passé, satisfaisante, convaincante ; et suivie immédiatement de Willoughby lui-même, se précipitant avec empressement dans la pièce, pour confirmer, à ses pieds, par l'éloquence de ses yeux, les assurances de sa lettre. L'œuvre d'un instant fut détruite par le suivant. L'écriture de sa mère, jamais, jusqu'alors, importune, fut devant ses yeux ; et dans l'acuité de la déception qui succéda à une telle extase de quelque chose qui était plus que de l'espoir, il lui sembla que jamais, jusqu'en cet instant, elle n'avait souffert.

Aucun langage à sa portée dans ses instants de bonheur le plus éloquent, n'eût pu exprimer la cruauté de Mrs. Jennings ; et elle ne put, à présent, lui adresser de reproches qu'au moyen des larmes qui lui ruisselèrent des yeux avec une violence passionnée, – reproches, toutefois, si totalement perdus, quant à leur objet, qu'après avoir exprimé bien des fois sa pitié, elle se retira, en la renvoyant encore à la lettre en guise de consolation. Mais la lettre, lorsqu'elle fut suffisamment calme pour la lire, lui apporta peu de réconfort. Willoughby en remplissait chacune des pages. Sa mère, encore confiante en leurs fiançailles, et comptant aussi ardemment que jamais sur la constance du jeune homme, avait simplement été poussée, par la requête d'Elinor, à adjurer Marianne de se montrer plus franche envers elles deux, – et cela, avec une telle tendresse, à son égard, une telle affection pour Willoughby, et une telle conviction de leur bonheur futur l'un par l'autre, qu'elle en pleura de douleur cuisante pendant qu'elle la lut de bout en bout.

Toute son impatience de se retrouver dans son foyer lui revint alors : sa mère lui fut plus chère que jamais, – plus chère en raison de l'excès même de sa confiance mal placée en Willoughby, et elle insista farouchement pour partir. Elinor, incapable pour son compte de décider s'il valait mieux pour Marianne être à Londres ou à Barton, n'offrit, de son côté, d'autre conseil que celui de la patience, jusqu'à ce que fussent connus les désirs de sa mère ; et elle obtint enfin le consentement de sa sœur à attendre d'être renseignée sur ce point.

Mrs. Jennings les quitta plus tôt qu'à l'ordinaire ; car elle ne pouvait être tranquille tant que les Middleton et les Palmer ne pussent se lamenter autant qu'elle ; et, refusant catégoriquement l'offre que lui fit Elinor de l'accompagner, sortit seule pour le restant de la matinée. Elinor, le cœur fort gros, se rendant compte du chagrin qu'elle allait occasionner, et percevant, par la lettre de Marianne, combien peu elle avait réussi à en poser les fondements, s'assit alors pour écrire à sa mère une relation de qui s'était passé, et la supplier de lui donner ses instructions pour l'avenir ; cependant que Marianne, qui entra au salon quand Mrs. Jennings fut sortie, demeurait collée à la table où Elinor écrivait, observant l'avancement de sa plume, se lamentant sur elle en raison de la difficulté d'une telle tâche, et se lamentant encore plus affectueusement sur l'effet qu'elle produirait sur sa mère.

Elles avaient continué ainsi environ un quart d'heure, lorsque Marianne, dont les nerfs ne pouvaient alors supporter un bruit, soudain tressaillit en entendant un coup frappé à la porte.

– Qui cela peut-il être ? s'écria Elinor. Et à une heure aussi matinale, encore ! Je croyais vraiment que nous aurions été à l'abri de toute intrusion !

Marianne alla à la fenêtre.

– C'est le colonel Brandon ! dit-elle d'un ton contrarié. Nous ne sommes jamais à l'abri d'une intrusion de sa part !

– Il n'entrera pas, comme Mrs. Jennings n'est pas là.

– Je ne m'y fierais pas, dit Marianne, battant en retraite vers sa chambre. Un homme qui n'a que faire de son temps n'a pas conscience de son intrusion dans celui des autres.

L'événement donna raison à sa conjecture, bien qu'elle fût fondée sur l'injustice et l'erreur, car le colonel Brandon entra effectivement ; et Elinor, qui était convaincue que c'était la sollicitude pour Marianne qui l'amenait là, et qui vit cette sollicitude dans son air agité et mélancolique, et dans la façon inquiète, quoique brève, dont il s'enquit d'elle, ne put pas pardonner à sa sœur de l'avoir jugé avec tant de légèreté.

– J'ai rencontré Mrs. Jennings dans Bond Street, dit-il, après les premières salutations, et elle m'a encouragé à venir bravement ; et j'ai été d'autant plus facilement encouragé que j'ai cru probable que je vous trouverais seule, ce dont j'étais fort désireux. Mon dessein, – mon désir – mon seul souhait en le désirant – je l'espère, je le crois, – c'est d'être l'artisan d'un réconfort, – non, il ne faut pas que je dise : d'un réconfort, – d'un réconfort actuel, – mais d'une conviction, d'une conviction durable, pour l'esprit de votre sœur. Mon estime pour elle, pour vous, pour votre mère... voulez-vous me permettre de la prouver en vous rapportant certaines circonstances que seule une affection bien sincère, – seul un désir profond d'être utile... ? Je crois que j'y suis justifié, – et pourtant, là où tant d'heures ont été passées à me convaincre que j'ai raison, n'y a-t-il pas quelque raison de craindre que je puisse me tromper ? Il se tut.

– Je vous comprends, dit Elinor. Vous avez à me dire, sur le compte de Mr. Willoughby, quelque chose qui dévoilera mieux son caractère. Ce récit fait par vous sera le plus grand acte d'amitié qui se puisse témoigner pour Marianne. Ma gratitude vous sera immédiatement assurée par tout renseignement à cet effet, et la sienne vous en sera nécessairement acquise, avec le temps. Veuillez donc me dire ce qu'il en est.

– Vous allez l'apprendre ; et, pour être bref, quand j'ai quitté Barton en octobre dernier – mais cela ne vous en donnera aucune idée, – il faut que je remonte plus haut. Vous trouverez en moi un narrateur fort maladroit, miss Dashwood ; je sais à peine par où commencer. Il sera nécessaire, je crois, de conter brièvement mon histoire, – et elle sera courte. Sur un tel sujet, – soupirant profondément, – je ne puis qu'être peu tenté de me montrer prolixe.

Il s'arrêta un instant pour rassembler ses souvenirs ; puis, avec un nouveau soupir, il reprit :

– Vous avez sans doute complètement oublié une conversation (il n'est pas à supposer qu'elle ait pu produire quelque impression sur vous) – une conversation entre nous, un soir, à Barton Park, – c'était un soir de sauterie – dans laquelle j'ai fait allusion à une dame que j'avais connue jadis et qui ressemblait, dans une certaine mesure, à votre sœur Marianne.

– En effet, répondit Elinor, je ne l'ai pas oubliée.

Il parut content de ce souvenir, et ajouta :

– Si je ne me laisse pas abuser par l'incertitude, par la partialité d'un souvenir chargé de tendresse, il y a entre elles une ressemblance très forte, aussi bien dans l'esprit que dans la personne, – la même chaleur de cœur, la même ardeur d'imagination et de courage. Cette dame était une de mes plus proches parentes, orpheline dès sa petite enfance, et sous la tutelle de mon père. Nos âges étaient sensiblement les mêmes, et nous avons été camarades de jeux et amis depuis nos toutes premières années. Je n'ai pas souvenir d'une époque où je n'ai pas aimé Eliza ; et mon affection pour elle, à mesure que nous grandissions, était telle que, peut-être, à en juger par mon actuelle gravité mélancolique et maussade, vous pourriez me croire incapable d'en avoir jamais ressenti. La sienne, pour moi, était, je crois, aussi fervente que l'attachement de votre sœur pour Mr. Willoughby, et elle n'a pas été moins malheureuse, bien que par suite d'une cause différente. À l'âge de dix-sept ans, elle fut perdue pour moi, à jamais. On la maria – on la maria à l'encontre de son inclination – à mon frère ; la fortune était considérable, et notre domaine familial était fort obéré. Et c'est là, je le crains, tout ce qu'on peut dire à la décharge de celui qui était à la fois son oncle et son tuteur. Mon frère ne la méritait pas ; il ne l'aimait même pas. J'avais espéré que son affection pour moi la soutiendrait dans toutes les difficultés ; et il en fut ainsi pendant quelque temps ; mais en fin de compte, la détresse de sa situation – car elle eut à supporter beaucoup de manque de bienveillance – l'emporta sur toute sa résolution, et bien qu'elle m'eût promis que rien... mais comme je conte incompréhensiblement ! Je ne vous ai même pas dit comment cela se fit. Nous étions à quelques heures de nous enfuir ensemble en Écosse[1]. La traîtrise, ou la sottise, de la servante de ma cousine nous trahit. Je fus banni chez un parent qui habitait fort loin de là, et elle fut privée de toute liberté, de toute compagnie, de tout plaisir, jusqu'à ce que le désir de mon père l'emportât. J'avais trop compté sur sa force d'âme, et le coup fut rude, – mais si son mariage avait été heureux, jeune comme je l'étais alors, quelques mois me l'auraient nécessairement fait accepter, ou tout au moins je n'aurais pas à le déplorer actuellement. Mais il n'en fut pas ainsi. Mon frère n'avait pas d'affection pour elle ; ses plaisirs n'étaient pas ce qu'ils auraient dû être, et, dès le début, il la traita sans bienveillance. La conséquence de tout cela, sur un esprit aussi jeune, aussi vif, aussi inexpérimenté que celui de Mrs. Brandon, ne fut que trop naturelle. Elle commença par se résigner à tout le malheur de sa situation ; et il eût été heureux qu'elle n'eût pas vécu pour surmonter les regrets que lui causa mon souvenir. Mais peut-on s'étonner qu'avec un tel mari pour inciter à l'inconstance, et sans un ami pour la conseiller ou la retenir (car mon père ne vécut que quelques mois après leur mariage, et moi, j'étais, avec mon régiment aux Indes Orientales), elle ait chu ? Si j'étais resté en Angleterre, peut-être... mais j'avais l'intention de favoriser leur bonheur à tous deux en m'éloignant d'elle pendant des années, et c'est pour cette raison que j'avais obtenu ma mutation. Le coup que m'avait porté le mariage d'Eliza, reprit-il, d'une voix qui trahissait une grande agitation, fut d'un poids, insignifiant, – ne fut rien du tout, – en comparaison de ce que je ressentis lorsque j'appris, environ deux ans après, son divorce. C'est cela qui a jeté

---

[1] Les mariages s'effectuaient autrefois plus aisément – (en particulier sans publications ni délai de résidence) – en Écosse qu'en Angleterre ; le village de Gretna Green, à quelques milles au nord de Carlisle, et juste au-delà de la frontière, est resté célèbre par les mariages rapides qui s'y célébraient. Cette pratique a subsisté jusqu'en 1856. *(N. du Tr.)*

sur moi cette tristesse, – maintenant encore, le souvenir de ce que j'ai souffert... »

Il était incapable d'en dire davantage, et, se levant précipitamment, déambula quelques minutes par la pièce. Elinor, émue par son récit, et plus encore par sa douleur, était incapable de parler. Il perçut son inquiétude, et, venant à elle, lui prit la main, la pressa et la baisa avec un respect reconnaissant. Quelques minutes supplémentaires d'efforts silencieux lui permirent de poursuivre avec calme.

– Ce fut seulement près de trois ans après cette période malheureuse que je rentrai en Angleterre. Mon premier soin, lorsque j'y arrivai effectivement, ce fut naturellement de la rechercher ; mais les recherches furent aussi infructueuses que mélancoliques. Je ne pus trouver de traces d'elle remontant plus haut qu'à son premier séducteur, et il y avait tout lieu de craindre qu'elle ne se fût éloignée de lui que pour sombrer plus profondément dans une vie de péché. L'allocation à laquelle la loi lui donnait droit était hors de toute proportion avec sa fortune, et ne lui permettait même pas de vivre à l'aise ; et j'appris par mon frère qu'une tierce personne avait été habilitée, quelques mois auparavant, à la toucher. Il s'imaginait, et c'est avec calme qu'il pouvait s'imaginer cela, que sa prodigalité et la détresse qui en avait été la conséquence l'avaient obligée à en disposer pour jouir d'un secours immédiat. Enfin, cependant, et après que j'eus passé six mois en Angleterre, je la retrouvai. L'amitié pour un de mes anciens domestiques, qui avait, depuis, eu des malheurs, me conduisit à lui rendre visite dans une prison provisoire pour dettes, où il était enfermé ; et là, dans cette même maison, subissant une réclusion analogue, était ma sœur infortunée. Combien changée, combien fanée, usée par les souffrances aiguës de toute espèce ! C'est à peine si je pus croire que la silhouette mélancolique et maladive que j'avais devant les yeux était ce qui restait de la jeune fille ravissante, épanouie, en pleine santé, dont j'avais jadis été fou. Ce que j'ai souffert en la voyant ainsi !... Mais je n'ai aucun droit à blesser vos susceptibilités en tentant de décrire ma douleur – je vous ai déjà fait trop de peine. Qu'elle fût, selon toute apparence, au dernier stade de la phtisie, ce fut là – oui, dans une telle situation, ce fut ma plus grande consolation ! La vie ne pouvait rien pour elle, si ce n'est lui donner le temps de se mieux préparer à la mort, et cela lui fut octroyé.

Je la fis mettre dans un logement confortable, avec des serviteurs convenables ; je lui fis visite tous les jours pendant le reste de sa courte vie ; je l'assistai à ses derniers instants.

De nouveau, il s'arrêta pour se ressaisir ; et Elinor exprima ce qu'elle éprouvait, dans une exclamation de tendre sympathie à l'égard de son ami infortuné.

– Votre sœur, je l'espère, ne pourra pas se froisser, dit-il, de la ressemblance que je me suis figurée entre elle et ma pauvre compagne disgraciée. Leur sort, leur fortune, ne pourront être les mêmes ; et si le caractère naturellement aimable de l'une avait été protégé par un esprit plus ferme ou un mariage plus heureux, elle aurait pu être tout ce que – vous vivrez pour le voir – sera l'autre. Mais où mène tout cela ? J'ai l'air de vous avoir chagrinée pour rien. Ah, miss Dashwood, un sujet comme celui-là – inviolé depuis quatorze ans – il est dangereux de le toucher si peu que ce soit ! Je veux être plus calme, plus concis... Elle laissa à mes soins son seul enfant, une petite fille, le fruit de sa première liaison coupable, qui avait alors environ trois ans. Elle aimait cette enfant, et l'avait toujours gardée auprès d'elle. Ce fut pour moi un dépôt précieux et estimé ; et je me serais volontiers acquitté de ma charge au sens le plus strict, en veillant moi-même à son éducation, si la nature de nos situations l'avait permis ; mais je n'avais pas de famille, pas de foyer ; et ma petite Eliza fut donc placée à l'école. Je la voyais chaque fois que cela m'était possible, et après la mort de mon frère (qui a eu lieu il y a environ cinq ans, et qui m'a laissé la possession du domaine familial), elle est venue me voir fréquemment à Delaford. Je la faisais passer pour une parente éloignée ; mais je sais fort bien qu'on m'a en général soupçonné d'avoir avec elle un lien de parenté beaucoup plus proche. Il y a maintenant trois ans (elle venait d'atteindre sa quatorzième année) que je l'ai retirée de l'école pour la confier à la garde d'une femme fort respectable, habitant le Dorsetshire, et à qui l'on avait confié quatre ou cinq autres jeunes filles d'un âge sensiblement analogue, et, pendant deux ans, j'ai eu tout lieu d'être satisfait de sa situation. Mais, au mois de février dernier, voilà près d'un an, elle disparut soudain. Je l'avais autorisée (imprudemment, comme la suite l'a révélé), sur son désir instant, à se rendre à Bath avec une de ses jeunes amies, qui accompagnait son père, lequel y allait pour sa santé. Je le connaissais comme un excellent homme, et j'avais bonne opinion de sa fille – meilleure qu'elle ne le méritait, car, gardant fort obstinément et à bien mauvais escient le secret, elle ne voulut rien dire, et ne donner aucune indication, bien qu'elle sût certainement tout. Lui, le père, homme bien intentionné, mais peu perspicace, ne put sincèrement, je crois, donner aucun renseignement, car il était généralement resté enfermé à la maison, cependant que les jeunes filles se promenaient par la ville et faisaient les connaissances qu'il leur plaisait ; et il essaya de me convaincre, aussi foncièrement qu'il en était convaincu lui-même, que sa fille n'était mêlée en rien à l'affaire. Bref, je ne pus rien apprendre, si ce n'est qu'elle était partie ; tout le reste, pendant huit longs mois, fut laissé aux conjectures. Ce que j'ai pensé, ce que j'ai craint, on peut se l'imaginer ; et aussi ce que j'ai souffert.

– Juste ciel ! s'écria Elinor, se peut-il ? Se peut-il que Willoughby... ?

– La première nouvelle que j'aie reçue d'elle, reprit-il, m'est parvenue dans une lettre qu'elle m'a adressée, en octobre dernier. On me l'a fait suivre de Delaford, et je l'ai reçue le matin même de notre excursion projetée à Whitwell ; et ce fut là la raison pour laquelle j'ai quitté si brusquement Barton, ce qui, j'en suis sûr, a dû, sur le moment, sembler étrange à tout le monde, et, je le crois, a froissé d'aucuns. Mr. Willoughby était bien loin de s'imaginer, je le suppose, lorsque son air me reprochait l'impolitesse dont je faisais preuve en troublant la partie projetée, que j'étais appelé au loin pour soulager quelqu'un qu'il avait rendu pauvre et misérable ; mais s'il l'avait su, à quoi cela eût-il servi ? Eût-il été moins gai et moins heureux sous les sourires de votre sœur ? Non ; il avait déjà accompli ce que ne ferait aucun homme capable de sympathie pour un autre être. Il avait abandonné la jeune fille, de la jeunesse et de l'innocence de laquelle il avait abusé, dans une situation de la plus grande détresse, sans foyer avouable, sans secours, sans amies, et l'avait laissée dans l'ignorance de son adresse ! Il l'avait quittée en promettant de revenir ; il ne revint, ni n'écrivit, ni ne la secourut.

– Voilà qui dépasse tout ! s'écria Elinor.

– Son caractère est maintenant étalé devant vous, – dépensier, dissolu, et pire que l'un et l'autre. Sachant tout cela, comme je le sais à présent depuis bien des semaines, – devinez ce que j'ai dû éprouver en voyant votre sœur aussi attachée à lui que jamais, et en recevant l'assurance qu'elle devait l'épouser ; devinez ce que j'ai dû éprouver, par amitié pour vous toutes ! Lorsque je suis venu vous voir la semaine dernière, et que je vous ai trouvée seule, je venais résolu à connaître la vérité, encore que je fusse hésitant sur ce qu'il faudrait faire quand elle serait connue. Ma conduite a dû vous paraître étrange à ce moment-là ; mais à présent vous la comprendrez. Permettre que vous soyez toutes trompées ainsi ; voir votre sœur... ! Mais que pouvais-je faire ? Je n'avais nul espoir d'intervenir avec succès ; et parfois je pensais que l'influence de votre sœur pourrait encore le racheter. Mais maintenant, après qu'il la traitée d'une façon si peu honorable, qui sait quels ont été les desseins qu'il nourrissait à son égard ? Toutefois, quels qu'ils aient été, elle pourra maintenant, – et sans doute le fera-t-elle – se tourner avec reconnaissance vers sa propre condition, lorsqu'elle la comparera à celle de ma pauvre Eliza, quand elle considérera la situation misérable et désespérée de cette pauvre fille, et se la représentera chargée d'une affection pour lui aussi forte, encore plus forte que la sienne, et l'esprit tourmenté par des reproches à sa propre adresse, qui devront l'accompagner toute sa vie. Assurément, il faudra que cette comparaison ait pour elle son utilité. Elle en sentira que ses propres souffrances ne sont rien. Elles ne proviennent de nulle inconduite, et ne peuvent entraîner aucun déshonneur. Au contraire, chacun de ses amis devra en sentir son amitié encore renforcée. La sympathie pour son malheur, et le respect pour la force d'âme avec laquelle elle le supporte, devront fortifier tout attachement. Usez-en à votre discrétion, toutefois, pour lui faire part de ce que j'ai dit. C'est vous qui devez le mieux savoir quel en sera l'effet ; mais si je n'avais pas cru sérieusement et du fond du cœur que cela pût être utile, et diminuer ses regrets, je ne me serais pas permis de vous importuner de ce récit de mes malheurs de famille, d'une relation qui a pu sembler avoir le dessein de me faire valoir aux dépens d'autrui.

Les remerciements d'Elinor succédèrent à ce récit, avec une sincérité reconnaissante, et accompagnés, aussi, de l'assurance qu'elle s'attendait à ce que la communication à Marianne de ce qui s'était passé lui procurât un avantage sensible.

– J'ai été plus peinée, dit-elle, par les efforts qu'elle a faits pour le justifier, que par tout le reste ; car cela lui irrite l'esprit plus que ne le pourra faire la conviction la plus parfaite de son indignité. À présent, bien qu'elle doive tout d'abord en souffrir énormément, je suis sûre qu'elle se sentira bientôt plus tranquille. Avez-vous jamais revu Mr. Willoughby, poursuivit-elle après un bref silence, depuis que vous l'avez quitté à Barton ?

– Oui, répondit-il gravement, je l'ai revu une fois. Une rencontre était inévitable.

Elinor, surprise par son attitude, le regarda avec inquiétude, en disant :

– Quoi ! Vous l'avez rencontré pour...

– Je ne pouvais le rencontrer de nulle autre manière. Eliza m'avait avoué, quoique bien à contrecœur, le nom de son amant ; et quand il est revenu à Londres, moins de quinze jours après mon retour, nous nous sommes rencontrés sur rendez-vous, lui, pour défendre sa conduite, et moi, pour la punir. Nous en sommes sortis sans blessure, et c'est pourquoi cette rencontre ne s'est jamais ébruitée.

Elinor soupira en songeant à la nécessité imaginée de cet incident ; mais devant un homme et un soldat, elle n'osa pas le critiquer.

– Telle a été, dit le colonel Brandon, après un silence, la ressemblance malheureuse entre le sort de la mère et de la fille ! Et telle a été la façon imparfaite dont je me suis acquitté de ma mission de confiance !

– Est-elle encore à Londres ?

– Non ; dès qu'elle se fut remise de son accouchement, car je l'ai trouvée proche de sa délivrance, je l'ai envoyée, elle et son enfant, à la campagne, et c'est là qu'elle demeure.

Se souvenant peu après qu'il tenait probablement Elinor séparée de sa sœur, il mit fin à sa visite, après avoir reçu d'elle, à nouveau, les mêmes remerciements reconnaissants, et en la laissant toute pleine de compassion et d'estime envers lui.

XXXII

Quand les détails de cet entretien furent répétés par miss Dashwood à sa sœur, comme ils ne tardèrent pas à l'être, leur effet sur elle fut exactement ce qu'avait espéré constater celle-là. Non pas que Marianne parût douter de la vérité d'aucune de ses parties, car elle écouta le tout avec l'attention la plus constante et la plus soumise, ne présenta ni objection ni observations, ne tenta aucune défense de Willoughby, et sembla montrer, par ses larmes, qu'elle sentait bien que cela était impossible. Mais bien que cette attitude assurât à Elinor que la conviction de la culpabilité de ce dernier lui était rendue patente ; bien qu'elle en vît avec satisfaction l'effet, en ce sens, qu'elle n'évitait plus le colonel Brandon quand il se présentait, qu'elle lui parlait, et lui parlait même volontairement, avec une sorte de respect chargé de compassion ; et bien qu'elle lui vît un entrain moins violemment irrité que précédemment, elle ne la vit pas moins malheureuse. Son esprit se fixa effectivement, mais il se fixa dans un sombre abattement. Elle se ressentit encore plus douloureusement de la perte de la réputation de Willoughby qu'elle ne l'avait fait de la perte de son cœur ; la façon dont il avait séduit et abandonné miss Williams, la misère de cette pauvre fille, et le doute au sujet de ce qu'avaient jadis pu être ses desseins envers elle-même, – tout cela rongeait tellement son courage, qu'elle n'avait pas la force de parler de ce qu'elle ressentait, fût-ce même à Elinor ; et ses sombres méditations silencieuses sur ses chagrins occasionnèrent plus de peine à sa sœur que ne l'eût pu faire leur aveu le plus franc et le plus fréquent.

Reproduire les sentiments ou les phrases de Mrs. Dashwood lorsqu'elle reçut la lettre d'Elinor et y répondit, ce ne serait que répéter ce que sa fille avait déjà ressenti et dit : une déception à peine moins douloureuse que celle de Marianne et une indignation encore plus grande que celle d'Elinor. Il arriva d'elle de longues lettres, en succession rapide, disant tout ce qu'elle avait souffert et pensé ; exprimant sa sollicitude inquiète pour Marianne, et la suppliant de tenir tête avec courage à ce malheur. La nature du chagrin de Marianne devait certes être mauvaise, alors que sa mère pouvait parler de courage ! Combien mortifiante et humiliante devait être l'origine de ces regrets, auxquels elle pouvait désirer qu'elle ne s'abandonnât point !

À l'encontre de l'intérêt de son propre réconfort individuel, Mrs. Dashwood avait résolu qu'il vaudrait mieux pour Marianne être n'importe où, en un tel moment, plutôt qu'à Barton, où tout ce qui se présenterait à sa vue lui rappellerait le passé de la façon la plus vigoureuse et la plus affligeante, en lui mettant constamment Willoughby devant les yeux, tel qu'elle l'y avait toujours vu. Elle recommanda donc à ses filles de ne raccourcir en rien leur séjour chez Mrs. Jennings, séjour dont la durée, bien que n'ayant jamais été précisée, avait été supposée par tous devoir s'étendre sur cinq ou six semaines au moins. Toute une diversité d'occupations, d'objets, et de compagnie, qui ne pouvait s'obtenir à Barton, y serait inévitable, et pourrait encore, espérait-elle, faire goûter subrepticement à Marianne, par moments, quelque intérêt, dépassant sa personne, et même quelque plaisir, quel que fût le mépris avec lequel elle pouvait à présent repousser l'idée de l'un et de l'autre.

Quant à tout danger de revoir Willoughby, sa mère la considérait comme au moins autant en sûreté à cet égard à Londres qu'à la campagne, puisque toutes relations avec lui devaient à présent être rompues par tous ceux qui se disaient amis de Mrs. Dashwood. Le dessein ne pourrait jamais les amener sur le chemin l'un de l'autre ; la négligence ne pourrait jamais les laisser exposés à une surprise ; et le hasard avait moins de possibilités en sa faveur dans la foule de Londres que même dans la retraite de Barton, où il pourrait le contraindre à paraître devant elle lorsqu'il ferait cette visite à Allenham, lors de son mariage, que Mrs. Dashwood, après l'avoir prévue tout d'abord comme un événement probable, en était venue à attendre comme une chose certaine.

Elle avait encore une raison pour souhaiter que ses enfants restassent où elles étaient ; une lettre de son beau-fils lui avait dit que lui et sa femme devaient être à Londres avant le milieu de février, et elle estimait convenable qu'elles vissent parfois leur frère.

Marianne avait promis de se laisser guider par l'opinion de sa mère, et elle s'y soumit donc sans opposition, bien que cette opinion se révélât totalement différente de ce qu'elle avait souhaité et attendu, bien qu'il lui semblât qu'elle fût absolument erronée, formée d'après des motifs inexistants, et qu'en exigeant la continuation de son séjour à Londres, elle la privât du seul soulagement possible à sa misère, la sympathie personnelle de sa mère, et la condamnât à une compagnie et à des décors qui devaient l'empêcher de connaître jamais un instant de repos.

Mais ce lui fut une grande consolation de se dire que ce qui était pour elle une source de maux, serait un bien pour sa sœur ; et Elinor, par contre, soupçonnant qu'il ne serait pas en son pouvoir d'éviter totalement Edward, se consola en songeant que si leur séjour prolongé militait ainsi contre son propre bonheur, il valait mieux pour Marianne qu'un retour immédiat dans le Devonshire.

La vigilance à garder que sa sœur n'entendît jamais prononcer le nom de Willoughby ne fut pas inutile. Marianne, à son propre insu, en récolta tout l'avantage ; car ni Mrs. Jennings, ni Sir John, ni même Mrs. Palmer, ne parlèrent jamais de lui en sa présence. Elinor eût voulu que la même discrétion pût être étendue à elle-même, mais c'était impossible, et elle fut obligée d'entendre, jour sur jour, l'expression de leur indignation à tous.

Sir John n'eût pas cru cela possible : « Un homme dont il avait toujours eu tout lieu de penser du bien ! Un si bon garçon ! Il ne croyait pas qu'il y eût en Angleterre de cavalier plus hardi ! C'était une chose inexplicable. Il le vouait au diable, de tout son cœur. Il ne lui adresserait plus la parole, pour rien au monde, en quelque lieu qu'il le rencontrât ! Non, fût-ce même devant la remise de Barton ; et dussent-ils se trouver obligés d'attendre ensemble pendant deux heures ! Quel scélérat ! Quel fourbe, que cet animal-là ! Et la dernière fois qu'ils s'étaient vus, il lui avait encore offert l'un des petits chiots de Folly ! Et c'est comme cela que tout se terminait ! »

Mrs. Palmer, à sa façon, fut également en colère. « Elle était résolue à rompre immédiatement toutes relations avec lui et elle était bien contente de ne l'avoir jamais connu. Elle regrettait de tout son cœur que Combe Magna fût si proche de Barton ; mais cela n'avait pas d'importance, car l'endroit était beaucoup trop éloigné pour les visites ; elle le détestait tellement, qu'elle était décidée à ne plus jamais prononcer son nom, et qu'elle dirait à tous les gens qu'elle verrait quel bon à rien il était. »

Le reste de la sympathie de Mrs. Palmer se manifesta en se procurant tous les détails qu'il lui fut possible au sujet du mariage qui s'approchait, et en en faisant part à Elinor. Elle fut bientôt à même de dire chez quel carrossier était en construction la voiture neuve, par quel peintre était dessiné le portrait de Mr. Willoughby, et dans quel magasin l'on pouvait voir les toilettes de miss Grey.

L'insouciance calme et polie de lady Middleton à cette occasion fut un soulagement heureux pour l'entrain d'Elinor, oppressé comme il l'était souvent par l'amabilité bruyante des autres. Ce lui fut un puissant réconfort, que d'être sûre de ne susciter aucun intérêt chez une personne au moins parmi le cercle de leurs amis ; un puissant réconfort, que de savoir qu'il y avait *une* personne qui la rencontrerait sans ressentir de curiosité quant aux détails, ni d'inquiétude au sujet de la santé de sa sœur.

Toute qualité se voit parfois rehaussée, par les circonstances du moment, à une altitude supérieure à sa valeur réelle ; et elle fut parfois agacée par les condoléances importunes au point de priser la bonne éducation comme plus indispensable au réconfort, que la bienveillance.

Lady Middleton exprimait son sentiment sur l'affaire, environ une fois par jour, ou deux fois, si le sujet se trouvait abordé très souvent, en disant : « C'est vraiment fort scandaleux ! » et, grâce à ce soulagement continuel, quoique doux, il lui fut possible, non seulement de voir les demoiselles Dashwood, dès le début, sans la moindre émotion, mais de les voir bientôt sans se souvenir d'un seul mot de l'affaire ; et, ayant ainsi soutenu la dignité de son sexe, et exprimé son blâme fort net à l'encontre de ce qui était mauvais chez l'autre, elle se crut libre de se consacrer à l'intérêt de ses propres réunions, et résolut en conséquence (encore que ce fût un peu contraire à l'avis de Sir John), puisque Mrs. Willoughby allait être à la fois une femme élégante et riche, de déposer une carte chez elle aussitôt qu'elle serait mariée.

Les interrogations délicates et discrètes du colonel Brandon ne furent jamais importunes à miss Dashwood. Il avait largement mérité le privilège de la discussion intime de la déception de sa sœur, par le zèle amical avec lequel il s'était efforcé de la radoucir, et ils conversèrent toujours en confiance. La principale récompense que lui valut l'effort pénible de la révélation de chagrins passés et d'humiliations présentes, ce fut le regard plein de pitié dont Marianne l'observait parfois, et la douceur de sa voix chaque fois (bien que cela n'arrivât pas souvent) qu'elle était obligée, ou pouvait se contraindre, de lui parler. Ces indices lui donnèrent l'assurance que ses efforts avaient produit un accroissement de bienveillance à son égard, et ils donnèrent à Elinor l'espoir qu'elle pourrait encore s'augmenter à l'avenir ; mais Mrs. Jennings, qui ne savait rien de tout cela, – qui savait seulement que le Colonel continuait à se montrer aussi grave que jamais, et qu'elle ne réussissait jamais à le persuader de présenter lui-même sa demande, ni de lui confier, à elle, le soin de la présenter pour lui – commença, au bout de deux jours, à croire, qu'au lieu de la Saint-Jean, ils ne se marieraient qu'à la Saint-Michel, et, au bout d'une semaine, qu'ils ne se marieraient pas du tout. La bonne entente entre le Colonel et miss Dashwood semblait plutôt indiquer que les honneurs du mûrier, du canal et du bosquet d'ifs, lui seraient réservés, à elle ; et Mrs. Jennings avait, depuis quelque temps, complètement cessé de penser à Mr. Ferrars.

Au début de février, moins de quinze jours après la réception de la lettre de Willoughby, Elinor eut la tâche pénible d'annoncer à sa sœur qu'il était marié. Elle avait pris soin de demander qu'on l'avertît dès que l'on saurait que la cérémonie du mariage serait terminée, car elle désirait que Marianne n'en reçût pas la première nouvelle par les feuilles publiques, qu'elle lui voyait examiner avidement tous les matins.

Elle accueillit la nouvelle avec un calme résolu, ne fit point de commentaires, et tout d'abord, ne versa point de larmes ; mais au bout de quelques instants elles ruisselèrent irrésistiblement et, pour le reste de la journée, elle fut dans un état à peine moins pitoyable que lorsque, pour la première fois, elle avait appris à s'attendre à cet événement.

Les Willoughby quittèrent Londres aussitôt qu'ils furent mariés ; et Elinor espérait à présent, comme il ne pouvait y avoir de danger qu'elle vît l'un ou l'autre d'entre eux, pouvoir persuader sa sœur, qui n'avait encore jamais quitté la maison depuis que le coup s'était abattu, de se remettre peu à peu à sortir, comme elle l'avait fait précédemment.

Ce fut vers cette époque que les deux demoiselles Steele, récemment arrivées chez leur cousine, qui habitait Bartlett's Buildings, Holborn[1], se présentèrent de nouveau chez leurs parents plus mondains de Conduit Street et de Berkeley Street, et furent accueillies par tous avec beaucoup de cordialité.

Seule Elinor regretta de les voir. Leur présence lui causait toujours du chagrin, et elle ne savait guère comment répondre fort gracieusement au ravissement exubérant que manifesta Lucy, à constater qu'elle était encore à Londres.

– J'aurais été fort déçue de ne pas vous y trouver *encore*, dit-elle à plusieurs reprises en insistant vigoureusement sur le dernier mot. Mais je m'étais toujours dit que je vous y trouverais. J'étais presque sûre que vous ne quitteriez pas Londres de sitôt ; bien que vous m'ayez dit, n'est-ce pas, à Barton, que vous ne resteriez pas plus d'un mois. Mais j'ai pensé, sur le moment, que vous changeriez fort probablement d'avis, le moment venu. Ç'aurait été tellement dommage de partir avant l'arrivée de votre frère et de votre sœur ! Et maintenant, bien sûr, vous ne serez pas pressées de partir. Je suis extraordinairement contente que vous n'ayez pas tenu parole.

Elinor la comprit parfaitement, et fut contrainte de faire appel à toute sa maîtrise de soi pour donner l'impression qu'il n'en était rien.

– Eh bien, ma chérie, dit Mrs. Jennings, et comment avez-vous fait ce voyage ?

– Pas en diligence, je vous l'affirme, répondit miss Steele, s'empressant de prendre un air de triomphe ; nous avons fait tout le trajet en chaise de poste, et nous avons eu un « beau » fort élégant pour nous accompagner. Le docteur Davies se rendait à Londres, alors nous nous sommes dit que nous nous joindrions à lui dans une chaise de poste ; il s'est conduit fort courtoisement, et a payé dix ou douze shillings de plus que nous.

---

[1] C'est l'un des « bourgs » du centre de Londres. *(N. du Tr.)*

– Oh, oh ! s'écria Mrs. Jennings, voilà qui est fort joli, certes ! Et le docteur est célibataire, je parie !

– Allons, voyons, dit miss Steele, minaudant avec affectation ; tout le monde se moque tellement de moi à propos du docteur, et je ne sais vraiment pas pourquoi ! Mes cousines disent qu'elles sont sûres que j'ai fait une conquête ; mais pour ma part, j'affirme que je ne pense jamais à lui, d'un bout de l'heure à l'autre. « Saperlotte ! Voici venir ton « beau, Nancy », m'a dit l'autre jour ma cousine, en le voyant traverser la rue pour se diriger vers la maison. – Mon « beau », en vérité ! dis-je, je ne vois vraiment pas ce que tu veux dire. Le docteur n'est nullement un de mes « beaux » !

– Oui-dà, voilà qui va très bien à dire, – mais ça ne prend pas, – c'est donc bien le docteur, je le vois.

– Non, vraiment ! répondit sa cousine, avec une gravité affectée ; et je vous supplie de contredire cette rumeur, si jamais vous en entendez parler.

Mrs. Jennings lui donna aussitôt l'agréable assurance qu'elle n'en ferait certainement rien, et miss Steele en éprouva un bonheur parfait.

– Je suppose que vous irez vous installer chez votre frère et votre sœur, miss Dashwood, quand ils viendront à Londres, dit Lucy, revenant à la charge après une cessation d'insinuations hostiles.

– Non, je ne le crois pas.

– Oh, mais si, je le suppose bien.

Elinor se refusa à la satisfaire en maintenant ses dénégations.

– Comme il est charmant que Mrs. Dashwood puisse se passer de vous, toutes les deux, pendant si longtemps !

– Longtemps, en vérité ! intervint Mrs. Jennings. Voyons, leur visite vient tout juste de commencer !

Lucy fut réduite au silence.

– Je regrette que nous ne puissions voir votre sœur, miss Dashwood, dit miss Steele. Quel dommage, qu'elle soit souffrante (car Marianne avait quitté le salon lors de leur arrivée).

– Vous êtes bien aimable. Ma sœur sera également désolée d'avoir manqué le plaisir de vous voir ; mais elle a sérieusement souffert, depuis quelque temps, de migraines nerveuses, qui la rendent impropre à la compagnie ou à la conversation.

– Oh, mon Dieu, comme c'est navrant ! Mais de vieilles amies comme Lucy et moi... Il me semble qu'elle pourrait nous voir, nous, et je suis bien sûre que nous ne dirions pas un mot.

Elinor, avec beaucoup de courtoisie, déclina cette proposition : « Sa sœur était peut-être étendue sur le lit, ou en peignoir, et ne pourrait donc pas venir les voir. »

– Oh, si c'est là tout, s'écria miss Steele, nous pouvons tout aussi bien monter la voir, elle.

Elinor commençait à trouver qu'une telle impertinence dépassait les bornes de sa patience ; mais la peine d'y mettre un frein lui fut épargnée par la verte réprimande de Lucy, qui, à présent, comme en bien d'autres circonstances, tout en ne conférant pas beaucoup de douceur aux façons de l'une des sœurs, se montra avantageuse en modérant celles de l'autre.

XXXIII

Après quelques oppositions, Marianne céda aux instances de sa sœur et consentit à sortir un matin, pour une demi-heure, avec elle et Mrs. Jennings. Elle y mit toutefois la condition expresse qu'il ne serait fait aucune visite, et ne voulut rien faire de plus que les accompagner chez Gray, dans Sackville Street, où Elinor était en pourparlers pour l'échange de quelques bijoux démodés de sa mère.

Lorsqu'elles s'arrêtèrent devant la porte, Mrs. Jennings se souvint qu'il y avait une dame, à l'autre extrémité de la rue, à qui elle devait faire une visite ; et comme elle n'avait rien à faire chez Gray, il fut entendu que, pendant que ses jeunes amies s'occuperaient de leur affaire, elle ferait sa visite, et reviendrait les prendre.

Ayant monté l'escalier, les demoiselles Dashwood trouvèrent tant de gens devant eux dans la pièce, qu'il n'y avait personne qui fût disponible pour s'occuper de leurs ordres, et elles furent obligées d'attendre. Il n'y avait pas autre chose à faire que de s'asseoir à l'extrémité du comptoir qui paraissait promettre la succession la plus rapide ; il n'y avait là qu'un seul gentleman, debout, et il est probable qu'Elinor n'était pas sans quelque espoir d'inciter sa politesse à faire toute diligence. Mais l'exactitude de son œil et la délicatesse de son goût se révélèrent supérieures à sa politesse. Il donnait des ordres pour un étui à cure-dents destiné à son propre usage, et, jusqu'à ce qu'en eussent été déterminées les dimensions, la forme, et l'ornementation, – toutes choses qui, après qu'il eut examiné et discuté pendant un quart d'heure chacun des étuis à cure-dents du magasin, furent enfin arrêtées par sa propre imagination inventive, – il n'eut le loisir d'accorder aucune autre attention aux deux dames, que celle qui se trouvait comprise dans trois ou quatre regards fixes dont il les avait gratifiées ; genre d'attention qui servit à imprimer sur Elinor le souvenir d'une personne et d'un visage d'une insignifiance vigoureuse, naturelle et authentique, bien qu'ornés suivant le dernier cri de la mode.

Marianne s'épargna le sentiment gênant de mépris et de colère suscité par cet examen impertinent de leurs traits et par ses manières de petit-maître à décider de toutes les horreurs diverses des différents étuis à cure-dents présentés à son inspection, en n'ayant aucunement conscience de tout le manège ; car elle était tout aussi capable de recueillir intérieurement ses pensées, et d'être dans l'ignorance de ce qui se passait autour d'elle dans le magasin de Mr. Gray, que dans sa propre chambre.

Enfin, l'affaire fut décidée. L'ivoire, l'or et les perles, – tout reçut son emploi, et le gentleman ayant fait connaître le jour extrême jusqu'auquel son existence pourrait être continuée sans la possession d'un étui à cure-dents, il remit ses gants avec un soin exempt de toute hâte, et, octroyant un nouveau coup d'œil aux demoiselles Dashwood, mais un coup d'œil qui semblait plutôt réclamer leur admiration expresse, s'éloigna avec un air heureux d'orgueil réel et d'indifférence affectée.

Elinor ne perdit pas de temps à faire avancer son affaire, et était sur le point de la conclure, lorsqu'un autre gentleman se présenta à son côté. Elle tourna les yeux vers son visage, et constata avec quelque surprise que c'était son frère.

Leur affection et leur surprise à se rencontrer furent justes suffisantes pour faire figure fort honorable dans le magasin de Mr. Gray. John Dashwood était véritablement loin de regretter de revoir ses sœurs ; cela leur fut plutôt agréable ; et les questions qu'il posa au sujet de leur mère furent pleines de respect et d'égards.

Elinor apprit qu'il était à Londres, avec Fanny, depuis deux jours.

– J'aurais vivement désiré vous faire une visite hier, dit-il, mais ç'a été impossible, car nous avons dû emmener Harry voir les bêtes sauvages à l'Exeter Exchange, et nous avons passé le reste de la journée auprès de Mrs. Ferrars. Harry a été extrêmement content. Ce matin j'avais pleinement l'intention de vous faire une visite, si j'avais la possibilité de trouver une demi-heure inoccupée, mais on a toujours tant à faire, lorsqu'on arrive à Londres ! Je suis venu ici pour commander un cachet pour Fanny. Mais demain, je crois que je pourrai certainement passer dans Berkeley Street, et me faire présenter à votre amie Mrs. Jennings. Je crois avoir compris que c'est une femme possédant une grande fortune. Et les

Middleton, aussi ; il faudra que vous me présentiez à eux. En leur qualité de parents de ma belle-mère, je serai heureux de leur témoigner tous mes respects. Ils sont pour vous d'excellents voisins de campagne, à ce que je crois comprendre.

– Excellents, en effet. Les attentions qu'ils ont pour notre confort, leur bienveillance en toute chose, dépassent ce que je puis exprimer.

– Je suis extrêmement content de l'apprendre, sur mon âme ; extrêmement content, certes. Mais c'est fort naturel : ce sont des gens possédant une grosse fortune, ils sont de vos parents, et l'on pouvait raisonnablement s'attendre à la civilité et à la mise à votre disposition de ce qui peut servir à rendre votre situation agréable... Ainsi donc, vous êtes fort confortablement installées dans votre petite maisonnette, et ne manquez de rien. Edward nous a rapporté une description bien charmante des lieux ; l'objet le plus complet de son espèce, disait-il, qui fût jamais, et vous paraissiez toutes vous y plaire au-delà de tout. Ce nous a été une grande satisfaction de l'apprendre, je vous assure.

Elinor éprouva véritablement un peu de honte pour son frère, et ne fut pas fâchée de se voir éviter la nécessité de lui répondre, par l'arrivée du domestique de Mrs. Jennings, qui vint leur dire que sa maîtresse les attendait à la porte.

Mr. Dashwood les accompagna jusqu'en bas, fut présenté à Mrs. Jennings à la porte de sa voiture, et, réitérant son espoir de pouvoir leur faire une visite le lendemain, prit congé.

Sa visite fut effectuée comme il convenait. Il vint avec un semblant d'excuse de la part de leur belle-sœur, de ce qu'elle ne l'eût pas accompagné ; « mais elle était tellement occupée, avec sa mère, qu'elle n'avait véritablement aucun loisir pour aller nulle part ». Mais Mrs. Jennings lui donna immédiatement l'assurance qu'elle ne devait pas faire de cérémonies, car ils étaient tous cousins, ou quelque chose d'approchant, et que, quant à elle, elle irait certainement voir très prochainement Mrs. John Dashwood, et lui amènerait ses sœurs. Les façons de John envers celles-ci, bien que calmes, étaient parfaitement aimables ; envers Mrs. Jennings, pleines de la civilité la plus attentive ; et lorsque le colonel Brandon entra, peu après lui, il le dévisagea avec une curiosité qui semblait dire qu'il lui suffirait de le savoir riche pour se montrer également courtois envers lui.

Après être resté une demi-heure auprès d'elles, il pria Elinor de l'accompagner à pied jusqu'à Conduit Street et de le présenter à Sir John et à lady Middleton. Il faisait remarquablement beau, et elle y consentit avec empressement. Dès qu'ils furent hors de la maison, il commença ses interrogations.

– Qui est le colonel Brandon ? Possède-t-il de la fortune ?

– Oui ; il a un très bon domaine dans le Dorsetshire.

– Voilà qui me fait plaisir. Il a tout à fait l'air d'un gentleman, et je crois, Elinor, que je puis te féliciter de la perspective d'un établissement fort convenable dans la vie.

– Moi, mon frère ? Que veux-tu dire ?

– Tu lui plais. Je l'ai observé de près, et j'en suis convaincu. À combien se monte sa fortune ?

– Je crois qu'il dispose d'environ deux mille livres par an.

– Deux mille livres par an ! Puis, se poussant à un accès de générosité enthousiaste, il ajouta : Elinor je voudrais, pour toi, du fond du cœur, que ce fût le double !

– Certes, je te crois, répondit Elinor, mais je suis bien sûre que le colonel Brandon n'a pas le moindre désir de m'épouser.

– Tu te trompes, Elinor ; tu te trompes fort. Il suffira de bien peu de peine de ta part pour t'assurer de lui. Peut-être, en ce moment, est-il dans l'indécision ; la petitesse de ta fortune le pousse peut-être à la retenue ; il se peut que tous ses amis le lui déconseillent. Mais quelques-unes de ces menues attentions et de ces encouragements que les dames donnent si facilement le décideront, malgré lui. Et il ne peut y avoir aucune raison pour que tu n'essayes pas de te l'attacher. On ne saurait supposer qu'un attachement antérieur, de ton côté, – bref, tu sais, en ce qui concerne un attachement de ce genre, qu'il est absolument hors de question, que les objections sont insurmontables, – tu es trop intelligente pour ne pas t'en rendre compte. Il faut que le colonel Brandon soit l'élu ; et aucune civilité

221

ne fera défaut, de ma part, pour qu'il soit satisfait de toi et de ta famille. C'est une union qui doit donner satisfaction à tout le monde. Bref, c'est une de ces choses qui – baissant la voix pour n'en plus faire qu'un chuchotement chargé d'importance – qui sera extrêmement bienvenue pour tous les intéressés. Se reprenant, toutefois, il ajouta : C'est-à-dire... je veux dire... que tous tes amis sont sincèrement soucieux de te voir bien établie, – Fanny en particulier, car ton intérêt lui tient fort à cœur, je t'assure. Et sa mère aussi, Mrs. Ferrars, femme extrêmement bienveillante... je suis sûr que cela lui ferait grand plaisir, – elle me l'a donné à entendre l'autre jour.

Elinor se refusa à toute réponse.

– Ce serait vraiment une chose remarquable, reprit-il, une chose amusante, si Fanny avait un frère, et moi, une sœur, établis en même temps. Et pourtant, ce n'est pas fort improbable.

– Mr. Edward Ferrars, dit résolument Elinor, va-t-il se marier ?

– Ce n'est pas positivement réglé, mais on s'agite autour de la chose. Il a une fort excellente mère. Mrs. Ferrars, avec la plus grande libéralité, se mettra au premier rang et lui assurera mille livres par an si le mariage se fait. La personne est l'« Honorable »[1] miss Morton, fille unique de feu lord Morton, qui possède trente mille livres ; union qui présente des liens de famille fort désirables, de part et d'autre, et dont je ne doute pas qu'elle ne s'effectue, avec le temps. Mille livres par an, c'est beaucoup pour une mère à donner, à s'aliéner pour toujours ; mais Mrs. Ferrars a l'esprit plein de noblesse. Pour te donner un autre exemple de sa libéralité, l'autre jour, dès que nous sommes arrivés à Londres, sachant que l'argent ne pouvait pas être très abondant chez nous à ce moment précis, elle a mis entre les mains de Fanny des billets de banque d'un montant de deux cents livres. Et c'est là une somme extrêmement acceptable, car nous sommes

---

[1] La qualification « Honourable » (Hon.) est octroyée aux fils cadets des comtes et aux filles des pairs de rang inférieur à celui de marquis, aux dames d'honneur, aux juges à la Haute Cour et à divers autres dignitaires. *(N. du Tr.)*

contraints de vivre d'une façon fort coûteuse pendant notre séjour ici.

Il s'arrêta pour recueillir son assentiment et sa compassion ; et elle se força à dire :

– Vos dépenses, aussi bien en ville qu'à la campagne doivent certainement être considérables, mais tu as un gros revenu.

– Pas si gros, je le suppose, que se l'imaginent bien des gens. Je n'ai pas l'intention de me plaindre, cependant ; c'est incontestablement un revenu confortable, et j'espère qu'il s'améliorera avec le temps. Le clôturage du pré de Norland, actuellement en cours, est une saignée fort sérieuse. Et puis, j'ai fait un petit achat au cours de ce dernier semestre : la ferme d'East Kingham, – tu dois te souvenir de l'endroit, – c'est là qu'habitait le vieux Gibson. Le terrain était tellement désirable pour moi, à tous points de vue, immédiatement contigu à mon propre domaine, que j'ai jugé qu'il était de mon devoir de l'acheter. Je n'aurais pas pu accepter la responsabilité, devant ma conscience, de le laisser tomber en d'autres mains. Il faut payer pour ce qui vous convient, et cela m'a effectivement coûté beaucoup d'argent.

– Plus que ce que tu estimes être la valeur réelle et intrinsèque ?

– Mon Dieu, j'espère que non. J'aurais pu revendre le lendemain, à un prix supérieur à celui que j'avais payé ; mais en ce qui concerne l'argent du paiement, j'aurais vraiment pu jouer de malheur : car la rente était à ce moment tellement bas, que si je ne m'étais pas trouvé avoir la somme nécessaire entre les mains de mon banquier, j'aurais été obligé de vendre des titres avec une forte perte.

Elinor ne put que sourire.

– Nous avons également eu d'autres grosses dépenses inévitables, lors de notre arrivée à Norland. Notre père respecté, comme tu le sais bien, a légué tous les biens meubles de Stanhill qui restaient à Norland (et ils avaient une grosse valeur) à ta mère. Loin de moi l'idée de me lamenter sur ce qu'il ait agi ainsi ; car il avait incontestablement le droit de disposer à son gré de son propre bien. Mais, par voie de conséquence, nous avons été obligés de faire de gros achats de linge, de porcelaine, etc., pour remplacer ce qui était enlevé. Je te laisse à deviner, après toutes ces dépenses, comme nous devons être bien loin d'être riches, et à quel point la bonté de Mrs. Ferrars est acceptable.

– Certainement, dit Elinor, et, aidés par sa libéralité, vous pourrez encore, je l'espère, vivre assez longtemps pour être fort à l'aise.

– Encore un ou deux ans ; cela pourra y contribuer fortement, répondit-il gravement ; pourtant, il reste encore bien des choses à faire. Pas une pierre n'a été posée, de la serre de Fanny, et le jardin aux fleurs n'en est qu'à l'état de plan.

– Où doit-elle être, la serre ?

– Sur le tertre derrière la maison. Les vieux noyers sont tous abattus pour lui faire de la place. Ce sera une très belle chose, vue de nombreux points du parc, et le jardin aux fleurs descendra en pente douce juste devant sa façade, ce qui sera extrêmement joli. Nous avons dégagé toutes les vieilles épines qui poussaient en touffes sur la crête.

Elinor garda pour elle son inquiétude et ses reproches, et se sentit bien contente de ce que Marianne ne fût pas présente pour prendre part à la provocation.

En ayant alors dit assez pour montrer nettement sa pauvreté, et pour se défaire de la nécessité d'acheter une paire de boucles d'oreilles pour chacune de ses sœurs lors de sa prochaine visite chez Gray, les pensées de Mr. Dashwood prirent un ton plus gai, et il se mit à féliciter Elinor d'avoir une amie telle que Mrs. Jennings.

– Il semble que ce soit une femme fort précieuse, en vérité. Sa maison, son train de vie, tout cela dénote un revenu extrêmement solide ; et c'est une relation qui, non seulement vous a été utile jusqu'ici, mais qui pourra, en fin de compte, se révéler naturellement à votre avantage. Le fait de vous inviter à Londres est certainement une chose considérable en votre faveur ; et, en vérité, il dénote, d'une façon générale, une telle affection pour vous, qu'en toute probabilité vous ne serez pas oubliées quand elle mourra. Elle doit avoir beaucoup de bien à laisser à ses héritiers.

– Rien du tout, je serais plutôt portée à le supposer ; car elle n'a que ses meubles, qui passeront à ses enfants.

– Mais il n'est pas vraisemblable qu'elle vive au niveau de son revenu. Cela, peu de gens d'une prudence ordinaire le feraient ; et tout ce qu'elle met de côté, elle pourra en disposer.

– Et ne crois-tu pas plus probable qu'elle le laissera à ses filles, plutôt qu'à nous ?

– Ses filles sont l'une et l'autre extrêmement bien mariées, et je ne puis donc voir la nécessité, pour elle, de leur en assurer davantage. Alors qu'à mon avis, en se montrant si attentionnée envers vous, et en vous traitant d'une telle manière, elle vous a donné une espèce de droit sur ses intentions futures, qu'une femme consciencieuse ne saurait négliger. Rien ne saurait être plus aimable que la façon dont elle se conduit ; et elle ne peut guère faire tout cela sans avoir conscience des espoirs qu'elle suscite.

– Mais elle n'en suscite aucun chez les premiers intéressés. En vérité, mon frère, ta sollicitude pour notre bien-être et notre prospérité t'emporte trop loin.

– Ma foi, en vérité, dit-il, en paraissant se ressaisir, on a peu de chose, fort peu de chose, en son pouvoir. Mais, ma chère Elinor, qu'a donc Marianne ? Elle a fort mauvaise mine, elle a perdu son teint, et elle a vraiment maigri. Est-elle malade ?

– Elle ne va pas bien ; elle se plaint d'une affection nerveuse, depuis plusieurs semaines.

– J'en suis désolé. À son âge, tout ce qui est maladie détruit à jamais l'éclat de la vie ! Le sien a été fort bref. Au mois de septembre, elle était une aussi belle fille qu'aucune que j'eusse jamais vue, et tout aussi propre à attirer les hommes. Il y avait quelque chose, dans son genre de beauté, qui devait leur plaire tout particulièrement. Je me souviens que Fanny disait qu'elle se marierait plus vite et mieux que toi ; non pas qu'elle ne t'aime énormément, – mais c'est ainsi que la chose s'est trouvée la frapper. Mais elle se sera trompée. Je me demande si Marianne épousera, maintenant, un homme ayant un revenu de plus de cinq ou six cents livres par an, tout au plus, et je me trompe fort si tu ne fais pas mieux, toi. Le Dorsetshire ! je connais fort peu le Dorsetshire, mais, ma chère Elinor, je serai extrêmement content de le connaître mieux, et je crois que je puis me porter garant de ce que tu auras Fanny et moi parmi les premiers et les plus satisfaits de tes visiteurs.

Elinor essaya fort sérieusement de le convaincre qu'il n'y avait aucune probabilité pour qu'elle épousât le colonel Brandon ; mais c'était là, pour lui, une espérance trop agréable pour qu'il y renonçât, et il était véritablement résolu à rechercher une intimité avec ce gentleman, et à favoriser le mariage par tous les soins possibles. Il avait tout juste assez de remords de n'avoir rien fait, lui-même, pour ses sœurs, pour être extrêmement désireux que tous les autres en fissent beaucoup ; et une proposition de la part du colonel Brandon, ou un legs de celle de Mrs. Jennings, constituaient le moyen le plus facile de racheter sa propre négligence.

Ils eurent la chance de trouver lady Middleton chez elle, et Sir John rentra avant que leur visite n'eût pris fin. On échangea de toutes parts une abondance de civilités. Sir John était prêt à trouver n'importe qui de son goût, et bien que Mr. Dashwood ne parût pas s'y connaître beaucoup en chevaux, il ne tarda pas à le considérer comme un garçon fort aimable ; cependant que lady Dashwood trouvait suffisamment de bon ton à ses dehors, pour penser qu'il valait la peine de l'avoir parmi ses relations ; et Mr. Dashwood se retira enchanté de l'un et de l'autre.

– J'aurai un compte rendu charmant à faire à Fanny, dit-il, au cours du trajet de retour, qu'il fit à pied avec sa sœur. Lady Middleton est vraiment une femme fort élégante ! Une femme telle, j'en suis sûre, que Fanny sera heureuse de la connaître. Et Mrs. Jennings aussi, – c'est une femme d'excellentes manières, bien qu'elle ne soit pas aussi élégante que sa fille. Ta sœur n'a pas à se faire le moindre scrupule d'aller la voir, – ce qu'elle avait craint tant soit peu, et bien naturellement ; car nous savions seulement que Mrs. Jennings était la veuve d'un homme qui avait gagné tout son argent d'une façon assez basse ; et Fanny et Mrs. Ferrars avaient l'une et l'autre une forte prévention, croyant que ni elle ni ses filles n'étaient des femmes d'un genre tel que Fanny aurait plaisir à les fréquenter. Mais je puis à présent lui faire un compte rendu fort satisfaisant de l'une et de l'autre.

XXXIV

Mrs. John Dashwood avait une telle confiance en le jugement de son mari, qu'elle fit, dès le lendemain, une visite, et à Mrs. Jennings et à sa fille ; et sa confiance fut récompensée, parce qu'elle trouva que même celle-là, la femme chez qui séjournaient ses sœurs, n'était nullement indigne de son attention ; et quant à lady Middleton, elle trouva que c'était l'une des femmes les plus charmantes qui fussent au monde !

Lady Middleton fut également satisfaite de Mrs. Dashwood. Il y avait de part et d'autre une sorte d'égoïsme sans cœur, qui les attirait mutuellement ; et elles sympathisèrent l'une avec l'autre dans une insipide bienséance d'attitude, et un manque général de compréhension.

Les mêmes façons, toutefois, qui recommandèrent Mrs. John Dashwood à la bonne opinion de lady Middleton, ne convinrent pas à Mrs. Jennings, à qui elle fit l'effet de n'être rien de plus qu'une petite femme à l'air orgueilleux, d'abord sans cordialité, qui retrouvait les sœurs de son mari sans aucune affection, et presque sans avoir rien à leur dire ; car, sur le quart d'heure octroyé à Berkeley Street, elle resta silencieuse pendant au moins sept minutes et demie.

Elinor désirait vivement savoir, bien qu'il ne lui plût pas de le demander, si Edward était à ce moment à Londres ; mais rien n'eût incité Fanny à prononcer volontairement son nom devant elle, jusqu'à ce qu'elle pût lui annoncer que son mariage avec miss Morton était chose décidée, ou jusqu'à ce que fussent réalisées les espérances que son mari avait sur le colonel Brandon ; car elle les croyait encore si fortement attachés l'un à l'autre, qu'on ne pouvait trop assidument les séparer, par la parole et par les actes, en toute circonstance. Toutefois, le renseignement qu'elle se refusait à donner ne tarda pas à couler d'une autre source. Lucy vint peu après, pour solliciter la compassion d'Elinor du fait qu'il ne lui était pas possible de voir Edward, bien qu'il fût arrivé à Londres avec Mr. et Mrs. Dashwood. Il n'osait pas se présenter à Bartlett's Buildings, de peur d'y être vu, et, bien que leur impatience réciproque de se rencontrer fût indicible, ils ne pouvaient, pour le moment, que s'écrire.

Edward ne tarda pas à leur donner lui-même l'assurance qu'il était à Londres, en se présentant à deux reprises à Berkeley Street. Elles trouvèrent deux fois sa carte sur la table, en rentrant de leurs occupations de la matinée. Elinor fut contente de ce qu'il fût venu, et encore plus contente de l'avoir manqué.

Les Dashwood furent si prodigieusement enchantés des Middleton, que, bien qu'ils n'eussent guère l'habitude de donner quoi que ce soit, ils résolurent de leur offrir à dîner ; et, peu de temps après qu'ils eurent fait connaissance, les invitèrent à dîner dans Harley Street, où ils avaient loué une très bonne maison pour trois mois. Leurs sœurs et Mrs. Jennings furent également invitées, et John Dashwood prit soin de s'assurer la présence du colonel Brandon, qui, toujours content de se trouver là où étaient les demoiselles Dashwood, reçut ses civilités empressées avec quelque surprise, mais avec beaucoup plus de plaisir. Elles devaient rencontrer là, Mrs. Ferrars ; mais Elinor ne put apprendre si ses fils devaient être de la réunion. L'attente où elle était de la voir, fut toutefois suffisante à susciter son intérêt à la réception ; car, bien qu'il lui fût possible, à présent, de rencontrer la mère d'Edward sans cette vive inquiétude qui devait jadis menacer d'accompagner une telle présentation, bien qu'elle pût à présent la voir avec une parfaite indifférence, quant à l'opinion de celle-ci sur son compte, son désir de se trouver en compagnie avec Mrs. Ferrars, sa curiosité de savoir quel genre de femme elle était, étaient aussi vifs que jamais.

L'intérêt qu'elle éprouvait ainsi par avance à cette réunion s'accrut encore, peu après, d'une façon plus vigoureuse qu'agréable, lorsqu'elle apprit que les demoiselles Steele devaient en être, elles aussi.

Elles s'étaient si bien recommandées à lady Middleton, elles s'étaient rendues si agréables par leurs assiduités envers elle, que, bien que Lucy ne fût guère élégante, et sa sœur, même pas de fort bonne éducation, elle fut aussi disposée que Sir John à les prier de passer une semaine ou deux chez elle, dans Conduit Street ; et il se trouva particulièrement commode pour les demoiselles Steele, dès que l'invitation des Dashwood fut connue, que leur visite commençât quelques jours avant que n'eût lieu le dîner.

Leurs droits aux égards de Mrs. John Dashwood, en leur qualité de nièces du gentleman qui avait eu pendant de longues années la garde de son frère, auraient pu, cependant, être peu efficaces à leur procurer une place à sa table ; mais, en leur qualité d'invitées de lady Middleton, il fallait qu'elles fussent accueillies ; et Lucy, qui désirait depuis longtemps être connue des membres de la famille, afin de voir de plus près leurs caractères et ses propres difficultés, et d'avoir l'occasion de s'efforcer de leur plaire, avait rarement été plus heureuse, de toute sa vie, qu'elle ne le fut en recevant le carton de Mrs. John Dashwood.

Son effet sur Elinor fut fort différent. Elle commença immédiatement à se dire, d'une façon décisive, qu'Edward, qui habitait chez sa mère, devait nécessairement être invité, comme l'était sa mère, à une réception donnée par sa sœur ; et le revoir pour la première fois, après tout ce qui s'était passé, en compagnie de Lucy... ! Elle savait à peine comment elle pourrait supporter cette entrevue !

Ces appréhensions n'étaient peut-être pas entièrement fondées sur la raison, et certainement pas du tout sur la vérité. Elles furent soulagées, toutefois, non pas parce qu'elle réussit à se ressaisir, mais grâce à la bonne volonté de Lucy, qui crut qu'elle lui infligeait une déception cruelle lorsqu'elle lui annonça qu'Edward ne serait pas à Harley Street ce mardi-là, et espéra même en accroître encore la douleur en lui persuadant qu'il était tenu éloigné par cette affection extrême pour elle-même, qu'il ne pouvait dissimuler lorsqu'ils étaient ensemble.

Cet important mardi arriva, qui devait présenter les deux jeunes filles à cette redoutable belle-mère.

– Plaignez-moi, chère miss Dashwood ! dit Lucy, tandis qu'elles montaient ensemble l'escalier, – car les Middleton arrivèrent si peu de temps après Mrs. Jennings, qu'ils suivirent tous en même temps le domestique. – Il n'y a que vous, ici, qui puissiez vous mettre à ma place ! Je le déclare, c'est à peine si je peux me tenir debout ! Grand Dieu ! Dans un instant je verrai la personne dont dépend tout mon bonheur, – celle qui doit devenir ma mère !

Elinor eût pu lui donner un soulagement immédiat en hasardant la possibilité que ce dût être la mère de miss Morton, plutôt que celle de Lucy, qu'elles étaient sur le point de voir, mais, au lieu de le faire, elle lui donna l'assurance, et avec beaucoup de sincérité, qu'elle la plaignait en effet, – à la stupéfaction complète de Lucy, qui, bien qu'elle se sentît véritablement mal à son aise, quant à elle, espérait du moins être pour Elinor un objet d'envie incoercible.

Mrs. Ferrars était une femme petite et mince, se tenant bien droite, au point de tomber dans le formalisme, quant à son port, et sérieuse, au point d'être acariâtre, quant à son aspect. Son teint était jaunâtre ; ses traits petits, sans beauté, et naturellement sans expression ; mais une heureuse contraction du front avait sauvé son visage de la disgrâce de l'insipidité, en lui conférant les caractères vigoureux de l'orgueil et de la malveillance. Elle n'était point une femme prolixe : car, différente en cela de la généralité des gens, elle proportionnait ses paroles au nombre de ses idées ; et, parmi les quelques syllabes qui tombèrent effectivement de ses lèvres, pas une seule n'échut à miss Dashwood, qu'elle dévisagea avec la détermination bien arrêtée de la prendre en grippe, quoi qu'il arrivât.

Elinor ne pouvait, *à présent*, être rendue malheureuse par cette attitude. Quelques mois plus tôt, elle l'eût énormément blessée ; mais il n'était pas au pouvoir de Mrs. Ferrars de la chagriner maintenant par ce moyen ; et la différence de ses façons à l'égard des demoiselles Steele, – différence qui semblait calculée à dessein pour l'humilier davantage, – ne fit que l'amuser. Elle ne put s'empêcher de sourire en voyant l'amabilité de la mère et de la fille envers la personne même, – car Lucy se vit tout particulièrement distinguer – que, parmi toutes les autres, si elles en avaient su aussi long qu'elle, elles eussent été le plus désireuses de mortifier ; alors qu'elle-même, qui avait relativement peu de pouvoir de les blesser, restait là, en butte aux vexations acerbes de l'une et de l'autre. Mais, tandis qu'elle souriait devant une amabilité aussi mal appliquée, elle ne put s'empêcher de songer à la sottise, pleine de mesquinerie, où elle prenait son origine, ni d'observer les attentions étudiées au moyen desquelles les demoiselles Steele en sollicitaient la continuation, – sans éprouver pour toutes les quatre un mépris total.

Lucy était toute triomphante de se voir si honorablement distinguer, et il ne manquait à miss Steele que d'être taquinée au sujet du Dr. Davies, pour être parfaitement heureuse.

Le dîner fut cérémonieux ; les domestiques étaient nombreux, et tout dénotait le penchant de la maîtresse de maison pour l'ostentation, et la possibilité matérielle du maître, de la soutenir. En dépit des embellissements et des adjonctions qui s'effectuaient dans le domaine de Norland, et bien que son propriétaire eût été, à quelques milliers de livres près, obligé de vendre à perte, rien ne donnait aucun symptôme de cette indigence qu'il avait essayé d'en déduire ; aucune pauvreté d'aucune sorte, si ce n'est en conversation, ne fut apparente, – mais là, l'insuffisance était considérable. John Dashwood n'avait, pour son compte, pas grand-chose à dire qui valût d'être entendu, et sa femme en avait encore moins. Mais il n'y avait là nulle honte particulière, car il en était très sensiblement de même de la plupart de leurs invités, qui étaient tous en proie à l'une de ces incapacités d'être agréable : manque d'intelligence, qu'elle fût naturelle ou éduquée, manque d'élégance, manque d'entrain, ou manque de sang-froid.

Quand les dames se retirèrent au salon, après le dîner, cette indigence fut particulièrement manifeste, car les messieurs avaient, en vérité, fourni à la conversation quelque diversité, – la diversité de la politique, celle de la clôture des terres, et celle du dressage d'un cheval, – mais dès lors tout cela était fini, et un seul sujet retint l'attention des dames jusqu'à ce qu'on servît le café : ce fut la taille comparée de Harry Dashwood et du second fils de lady Middleton, qui étaient à peu près du même âge.

Si les deux enfants avaient été là, l'affaire eût pu être déterminée trop facilement en les mesurant immédiatement ; mais comme Harry seul était présent, ce ne furent qu'affirmations conjecturales de part et d'autre, et toutes eurent le droit d'être également assurées dans leur opinion et de la répéter mainte et mainte fois, aussi souvent qu'il leur plut.

Les parties se présentaient ainsi :

Les deux mères, bien que chacune fût réellement convaincue que son propre fils était le plus grand, se décidaient poliment en faveur de l'autre.

Les deux grand-mères, avec non moins de partialité, mais plus de sincérité, prenaient également au sérieux le soutien de leur descendant.

Lucy, qui n'était guère moins empressée à plaire à l'une des mères qu'à l'autre, trouvait les deux garçons remarquablement grands pour leur âge, et ne pouvait concevoir qu'il pût y avoir entre eux la plus petite différence du monde ; et miss Steele, avec plus d'adresse encore, donnait son avis, aussi vite qu'elle le pouvait, en faveur de chacun d'eux.

Elinor, une fois qu'elle eut exprimé son opinion en faveur de William, ce par quoi elle offensa Mrs. Ferrars, et Fanny encore davantage, ne vit point la nécessité de la renforcer par quelque assertion supplémentaire ; et Marianne, lorsqu'on l'invita à donner la sienne, les offensa toutes en déclarant qu'elle n'avait pas d'opinion à donner, attendu qu'elle n'avait jamais réfléchi à la question.

Avant son départ de Norland, Elinor avait peint une très jolie paire d'écrans pour sa belle-sœur, lesquels, venant d'être montés et apportés chez elle, décoraient son salon actuel ; et ces écrans ayant attiré les regards de John Dashwood lorsqu'il suivit les autres messieurs dans la pièce, furent remis avec empressement par lui au colonel Brandon, pour qu'il les admirât.

– Voici l'œuvre de l'aînée de mes sœurs, dit-il ; et, en votre qualité d'homme de goût, vous en serez satisfait, j'en suis sûr. Je ne sais si vous avez jamais eu l'occasion de voir d'autres de ses productions, mais on estime en général qu'elle dessine extrêmement bien.

Le Colonel, bien qu'il se défendît de toutes prétentions à être connaisseur, admira chaleureusement les écrans, comme il l'eût fait pour toute chose peinte par miss Dashwood ; et la curiosité des autres étant naturellement excitée, ils furent passés à la ronde pour une inspection générale. Mrs. Ferrars, qui ne savait pas qu'ils fussent l'œuvre d'Elinor, insista particulièrement pour qu'on les examinât ; et après qu'ils eurent reçu le témoignage flatteur de l'appréciation de lady Middleton, Fanny les offrit à sa mère, en l'informant avec prévenance, en même temps, qu'ils étaient l'œuvre de miss Dashwood.

– Hum, dit Mrs. Ferrars ; très joli ; et, sans les regarder le moins du monde, les rendit à sa fille.

Peut-être Fanny pensa-t-elle un instant que sa mère avait été fort suffisamment impolie, – car, rougissant légèrement, elle dit aussitôt :

– Ils sont très jolis, madame, n'est-ce pas ?

Mais là encore, elle fut probablement saisie de la crainte d'avoir été trop polie, trop encourageante, de son côté, car elle ajouta bientôt :

– Croyez-vous qu'ils soient un peu dans le genre de la peinture de miss Morton, madame ? Elle peint vraiment d'une façon fort délicieuse ! Comme son dernier paysage est joliment exécuté !

– Très joliment, en effet ! Mais elle fait tout bien, elle.

C'en était plus que n'en pouvait supporter Marianne. Mrs. Ferrars lui déplaisait déjà fort ; et un tel éloge aussi importun d'une autre, aux dépens d'Elinor, bien qu'elle n'eût aucune idée de l'intention principale qu'il comportait, la poussa immédiatement à dire avec feu :

– Voilà de l'admiration d'un genre bien particulier ! Que nous importe miss Morton ? Qui la connaît, ou qui se soucie d'elle ? C'est à Elinor que nous pensons, et d'elle que nous parlons.

Et, en disant cela, elle prit les écrans des mains de sa belle-sœur, afin de les admirer elle-même comme ils méritaient de l'être.

Mrs. Ferrars prit un air extrêmement irrité, et, se redressant avec plus de raideur que jamais, riposta en prononçant cette philippique amère :

– Miss Morton est la fille de lord Morton.

Fanny prit, elle aussi, un air fort courroucé, et son mari fut tout effrayé de l'audace de sa sœur. Elinor fut beaucoup plus blessée par l'ardeur de Marianne qu'elle ne l'avait été par ce qui l'avait provoquée ; mais les yeux du colonel Brandon, tandis qu'ils étaient fixés sur Marianne, déclaraient qu'il ne remarquait que ce qu'elle avait d'aimable : le cœur affectueux qui ne pouvait supporter de voir une sœur ravalée sur le moindre point.

La susceptibilité de Marianne ne s'en tint pas là. La froide insolence de l'attitude générale de Mrs. Ferrars à l'égard de sa sœur lui parut être le prélude à des difficultés et à des douleurs pour Elinor, auxquelles son propre cœur blessé lui apprenait à penser avec horreur, et, poussée par un mouvement violent d'affectueuse sensibilité, elle s'approcha, au bout d'un moment, de la chaise de sa sœur, et, lui passant un bras autour du cou, et posant une joue tout proche de la sienne, elle dit, d'une voix basse, quoique ardente :

– Chère, chère Elinor, ne fais pas attention à elles ! Ne leur permets pas de te rendre malheureuse !

Elle ne put en dire davantage, son courage était complètement abattu, et, se cachant le visage sur les épaules d'Elinor, elle fondit en larmes. L'attention de tous fut attirée, et à peu près tout le monde s'inquiéta. Le colonel Brandon se leva et alla vers elles sans savoir ce qu'il faisait. Mrs. Jennings, avec un intelligent : « Ah ! pauvre chérie ! » lui fit immédiatement respirer des sels ; et Sir John se sentit si éperdument en colère contre l'auteur de cette démonstration nerveuse qu'il quitta à l'instant son siège pour en prendre un auprès de Lucy Steele, à qui il glissa à l'oreille un bref exposé de toute cette désolante affaire.

Cependant, au bout de quelques minutes, Marianne fut suffisamment remise pour mettre fin à toute cette agitation, et pour se rasseoir parmi les autres, bien que son entrain se ressentît toute la soirée de ce qui s'était passé.

– Pauvre Marianne ! dit son frère au colonel Brandon, à mi-voix, dès qu'il put s'assurer de son attention. Elle n'a pas une aussi bonne santé que sa sœur – elle est fort nerveuse – elle n'a pas la constitution d'Elinor ; et il faut avouer qu'il y a quelque chose de fort pénible pour une jeune femme qui a été une beauté, à perdre ses attraits personnels. Vous ne le croiriez peut-être pas, mais Marianne était effectivement belle il y a quelques mois – tout aussi belle qu'Elinor. Maintenant, vous la voyez, tout cela a disparu.

XXXV

La curiosité qu'avait eue Elinor de voir Mrs. Ferrars était satisfaite. Elle avait trouvé chez elle tout ce qui pouvait tendre à rendre indésirable tout lien plus proche entre les deux familles. Elle en avait vu suffisamment, de son orgueil, de sa mesquinerie, et du préjugé qu'elle nourrissait résolument à son égard, pour comprendre toutes les difficultés qui auraient à coup sûr contrarié les fiançailles, et retardé le mariage d'Edward avec elle, s'il avait été libre par ailleurs ; et elle en avait presque vu assez pour rendre grâces au ciel, pour elle-même, de ce qu'un obstacle encore plus grand la préservât de souffrir de toute autre difficulté créée par Mrs. Ferrars, de dépendre en quoi que ce fût du caprice de celle-ci, ou de toute sollicitude pour en être bien vue. Ou du moins, si elle n'en arriva pas tout à fait à se réjouir de ce qu'Edward fût enchaîné à Lucy, elle parvint à cette détermination que, si Lucy avait été plus aimable, elle *aurait dû* se réjouir.

Elle s'étonna que l'entrain de Lucy pût être tellement exalté par la civilité de Mrs. Ferrars ; que son intérêt et sa vanité l'aveuglassent au point de lui faire prendre pour un compliment à son adresse l'attention dont elle ne semblait être l'objet que parce qu'elle *n'était pas Elinor*, – ou de lui permettre de tirer un encouragement d'une préférence qui ne lui était marquée que parce que sa situation réelle était inconnue. Mais cet état de choses avait non seulement été déclaré par les yeux de Lucy sur le moment, mais le fut encore à nouveau, plus ouvertement, le lendemain matin ; car, sur sa demande instante, lady Middleton la déposa dans Berkeley Street dans l'espoir de voir Elinor seule, pour lui dire combien elle était heureuse.

Le hasard la favorisa, car un message de Mrs. Palmer, peu après qu'elle fut arrivée, appela Mrs. Jennings au dehors.

– Ma chère amie, s'écria Lucy, dès qu'elles furent seules, je viens vous parler de mon bonheur. Pouvait-il y avoir quoi que ce soit d'aussi flatteur que la façon dont Mrs. Ferrars m'a traitée hier ? Comme elle a été extrêmement affable ! Vous savez combien je redoutais l'idée de la voir ; mais dès l'instant où j'ai été présentée, il y a eu dans son attitude une affabilité qui semblait véritablement dire qu'elle m'avait prise en affection. N'est-ce pas vrai, dites ? Vous avez tout vu ; et cela ne vous a-t-il pas frappée ?

– Elle a certainement été fort courtoise envers vous.

– Courtoise ! N'avez-vous rien vu, que de la simple courtoisie ? Moi, j'ai vu bien autre chose, – une bonté qui n'a été octroyée à personne, sauf à moi ! Pas d'orgueil, pas de hauteur ; et votre sœur, absolument de même, – toute douceur et affabilité.

Elinor eût voulu parler d'autre chose, mais Lucy la pressa encore de reconnaître qu'elle était fondée dans le bonheur qu'elle éprouvait, et Elinor fut contrainte de poursuivre.

– Incontestablement, si elles avaient connu votre promesse de mariage, dit-elle, rien n'eût pu être plus flatteur que la façon dont elles vous ont traitée ; mais comme il n'en était rien...

– Il me semblait bien que vous me diriez cela, répondit vivement Lucy ; mais il n'y avait aucune raison au monde pour que Mrs. Ferrars parût avoir de l'affection pour moi, si je ne lui plaisais pas, – et tout est là : je lui plais. Vous aurez beau parler, vous ne m'enlèverez pas ma satisfaction. Je suis sûre que tout se terminera bien et qu'il n'y aura absolument aucune difficulté en comparaison de ce que je croyais. Mrs. Ferrars est une femme charmante, et votre sœur aussi. Ce sont vraiment toutes les deux des femmes délicieuses ! Je m'étonne de ne vous avoir jamais entendue dire combien Mrs. Dashwood est agréable ?

Elinor n'eut pas de réponse à faire à cela, et n'en essaya aucune.

– Êtes-vous souffrante, miss Dashwood ? Vous paraissez abattue, vous ne parlez pas ; sûrement, vous ne vous sentez pas bien.

– Je n'ai jamais été en meilleure santé.

– Je m'en réjouis de tout mon cœur, mais vraiment, vous n'en aviez pas l'air. Je serais désolée de vous voir malade, vous, – vous, qui avez été pour moi le plus grand réconfort du monde ! Dieu sait ce que j'aurais fait, sans votre amitié !

Elinor essaya de faire une réponse polie, bien qu'elle doutât de son propre succès. Mais elle parut satisfaire Lucy, car elle répondit aussitôt :

– En vérité, je suis parfaitement convaincue de votre affection pour moi, et, après l'amour d'Edward, c'est là le plus grand réconfort que je possède. Pauvre Edward ! Mais maintenant, il y a du moins une bonne chose : – nous pourrons nous voir, et nous voir assez souvent, car lady Middleton est ravie de Mrs. Dashwood, de sorte que nous irons assez fréquemment à Harley Street, je le suppose, et Edward passe la moitié de son temps auprès de sa sœur ; d'ailleurs, lady Middleton et Mrs. Ferrars iront se voir, à présent ; et Mrs. Ferrars et votre sœur ont toutes les deux eu l'amabilité de dire plus d'une fois qu'elles seraient toujours heureuses de me voir. Ce sont des femmes si charmantes ! Je suis sûre que si vous dites jamais à votre sœur ce que je pense d'elle, vous ne pourrez pas en dire trop de bien !

Mais Elinor ne voulut lui donner aucun encouragement à espérer qu'elle en parlerait à sa sœur. Lucy reprit :

– Je suis sûre que je m'en serais aperçue à l'instant, si Mrs. Ferrars m'avait prise en aversion. Si elle s'était contentée de me faire une inclinaison officielle, par exemple, sans dire un mot, et n'avait, après cela, fait aucune attention à moi, et ne m'avait jamais regardée d'un air agréable, – vous savez ce que je veux dire, – si j'avais été traitée de cette espèce de façon rébarbative, j'aurais renoncé à tout, prise de désespoir. Je n'aurais pas pu le supporter ! Car là où elle éprouve effectivement de l'aversion, je sais qu'elle est fort violente.

Elinor fut empêchée de faire aucune réponse à ce triomphe poli, par l'ouverture soudaine de la porte, l'annonce de la venue de Mr. Ferrars, de la bouche du domestique, et l'entrée immédiate d'Edward.

Ce fut un instant fort embarrassant ; et le visage de chacun d'eux le confirma bien. Ils eurent tous l'air extrêmement sot ; et Edward parut aussi tenté de repartir hors de la pièce que de s'y avancer plus loin. La circonstance même, dans sa forme la plus désagréable, que chacun d'eux eût mis le plus d'empressement à éviter, leur était advenue, – ils se trouvaient non seulement réunis tous les trois, mais étaient ensemble sans le soulagement d'aucune autre personne. Ce furent les dames qui recouvrèrent les premières leur présence d'esprit. Ce n'était pas l'affaire de Lucy de se mettre en avant, et il fallait encore garder les apparences du secret. Elle ne put donc que traduire sa tendresse dans ses regards, et, après avoir adressé légèrement la parole à Edward, elle ne dit plus rien.

Mais Elinor avait plus à faire ; et elle était si désireuse, pour lui et pour elle-même, de le bien faire, qu'elle se contraignit, après un instant de recueillement, à lui souhaiter la bienvenue, d'un air et d'une manière qui étaient presque aisés et presque ouverts ; et une nouvelle lutte, un autre effort, les améliora encore. Elle ne voulait pas permettre à la présence de Lucy, ni à la conscience de quelque injustice envers elle-même, de la retenir de dire qu'elle était heureuse de le voir, et qu'elle avait vivement regretté de n'avoir pas été à la maison lorsqu'il s'était présenté précédemment dans Berkeley Street. Elle ne voulait pas se laisser empêcher de lui témoigner ces attentions qui, à titre d'ami, et presque de parent, lui étaient dues, par la crainte des yeux observateurs de Lucy, bien qu'elle ne tardât pas à s'apercevoir qu'ils l'épiaient de fort près.

Ses façons rassurèrent quelque peu Edward, et il eut assez de courage pour s'asseoir ; mais son embarras dépassait encore celui des dames, dans une proportion que la situation rendait raisonnable, encore que le sexe d'Edward eût pu le rendre peu fréquent ; car son cœur n'avait pas l'indifférence de celui de Lucy, de même que sa conscience ne pouvait se sentir tout à fait aussi à l'aise que celle d'Elinor.

Lucy, se composant un air sérieux et décidé, semblait résolue à ne contribuer en rien à l'aisance des autres, et ne voulut pas prononcer une parole ; et presque tout ce qui fut dit provint d'Elinor, qui fut obligée de fournir de son propre cru tous les renseignements touchant la santé de sa mère, leur venue à Londres, etc., au sujet desquels Edward aurait dû s'enquérir, mais resta muet.

Les efforts d'Elinor ne s'en tinrent pas là ; car elle se sentit, peu après, si héroïquement disposée, qu'elle résolut, sous le prétexte d'aller chercher Marianne, de laisser les autres en tête à tête ; et elle le fit effectivement, et de la façon la plus généreuse, car elle laissa passer plusieurs minutes sur le palier, avec le courage le plus magnanime, avant d'aller retrouver sa sœur. Cela fait, toutefois, il était temps que les ravissements d'Edward cessassent ; car la joie de Marianne la précipita immédiatement au salon. Son plaisir à le voir était pareil à tous ses autres sentiments, violent en soi, et vigoureusement exprimé. Elle alla au-devant de lui en tendant une main qu'elle voulut voir saisie, et d'une voix qui exprimait l'affection d'une sœur.

– Cher Edward ! s'écria-t-elle, voici un instant de grand bonheur ! Voilà qui rachète presque tout !

Edward essaya de lui rendre son amabilité comme elle le méritait, mais devant de tels témoins, il n'osait dire la moitié de ce qu'il ressentait réellement. Ils se rassirent tous, et pendant un instant ou deux, tous restèrent silencieux ; tandis que Marianne jetait parfois sur Elinor un regard chargé de la tendresse la plus expressive, en regrettant seulement que leur ravissement mutuel fût mis en échec par la présence importune de Lucy. Edward fut le premier à parler, et ce fut pour remarquer la mine changée de Marianne et pour exprimer ses craintes de ce qu'elle ne trouvât pas Londres à sa convenance.

– Oh ! ne pensez pas à moi ! répondit-elle, avec un sérieux plein d'entrain, bien que ses yeux fussent remplis de larmes tandis qu'elle parlait, ne songez pas à ma santé, à moi. Elinor va bien, vous le voyez. Cela doit suffire pour nous deux.

Cette remarque n'était pas de nature à mettre Edward ni Elinor mieux à l'aise, ni à se concilier les bonnes grâces de Lucy, qui leva les yeux sur Marianne avec une expression sans grande bienveillance.

– Londres vous plaît-il ? dit Edward, désireux de dire n'importe quoi qui pût amener un autre sujet de conversation.

– Pas du tout. J'espérais y trouver beaucoup de plaisir, mais n'en ai trouvé aucun. Le fait de vous revoir, Edward, est le seul réconfort qu'il m'ait accordé ; et, le ciel en soit loué ! vous êtes tel que vous l'avez toujours été.

Elle se tut ; personne ne parla.

– Je crois, Elinor, ajouta-t-elle au bout d'un moment, qu'il faudra que nous utilisions Edward pour s'occuper de nous lors de notre retour à Barton. Dans une semaine ou deux, je le suppose, nous serons sur notre départ ; et j'espère bien qu'Edward n'aura pas trop d'aversion à accepter cette corvée.

Le pauvre Edward marmotta quelque chose ; mais quoi, – personne ne le sut, pas même lui. Mais Marianne, qui vit son agitation, et à qui il était facile de l'attribuer à une cause quelconque, à son choix, fut parfaitement satisfaite, et parla bientôt d'autre chose.

– Quelle journée nous avons passée hier, Edward, dans Harley Street ! Qu'elle a été morne, misérablement morne ! Mais j'ai beaucoup de choses à vous dire là-dessus, qui ne peuvent se dire maintenant.

Et c'est avec cette admirable discrétion qu'elle différa, jusqu'à ce qu'ils se trouvassent en plus petit comité, ses assurances d'avoir trouvé leurs familles mutuelles plus désagréables que jamais, et d'éprouver un dégoût tout particulier à l'égard de la mère d'Edward.

– Mais pourquoi n'y étiez-vous pas, Edward ? Pourquoi n'êtes-vous pas venu ?

– J'étais pris par ailleurs.

– Pris ! Mais qu'était-ce donc que cela, quand il y avait de telles amies à voir ?

– Peut-être, miss Marianne, s'écria Lucy, pleine d'ardeur à prendre sa revanche sur elle, croyez-vous que les jeunes gens ne tiennent aucun compte de leurs engagements, s'ils n'ont pas l'intention de les respecter, – qu'ils soient insignifiants ou importants.

Elinor fut fort courroucée, mais Marianne parut absolument insensible à ce coup d'épingle ; car elle répondit avec calme :

– Mais non, pas du tout ; car, à parler sérieusement, je suis bien sûre que c'est la conscience seule qui a tenu Edward éloigné de Harley Street. Et je crois vraiment qu'il a la conscience la plus délicate qui soit au monde, – la plus scrupuleuse à tenir tout engagement, quelque infime qu'il soit, et quelque opposé qu'il puisse être à son intérêt ou à son plaisir. Il est, de tous ceux que j'aie jamais vus, le plus craintif quand il s'agit de faire de la peine, de blesser une attente, et le plus incapable d'égoïsme. Edward, c'est la vérité, et je tiens à le dire. Comment ! Ne devez-vous donc jamais entendre un éloge de vous-même ? Alors, il faut que vous ne soyez pas de mes amis : car ceux qui veulent jouir de mon affection et de mon estime doivent se soumettre à mes franches louanges.

La nature de ses louanges, dans le cas présent, se trouvait toutefois particulièrement peu adaptée aux sentiments des deux tiers de l'auditoire de Marianne, et si peu réjouissante pour Edward, qu'il ne tarda pas à se lever pour prendre congé.

– Vous partez, – si vite ! dit Marianne ; mon cher Edward, cela ne se peut pas !

Et, l'attirant un peu à l'écart, elle lui murmura à l'oreille qu'elle était persuadée que Lucy ne pouvait plus rester bien longtemps. Mais cet encouragement lui-même échoua, car il insista pour partir ; et Lucy, qui serait restée plus longtemps que lui, sa visite eût-elle duré deux heures, partit peu après.

– Qu'est-ce qui peut l'amener si souvent ici ? dit Marianne, lorsqu'elle les quitta. Elle ne voyait donc pas que nous voulions qu'elle parte ? Comme c'était agaçant pour Edward !

– Pourquoi donc ? Nous étions toutes ses amies, et c'est Lucy qu'il connaît depuis le plus longtemps. Il n'est que naturel qu'il désire la voir aussi bien que nous.

Marianne la regarda d'un air assuré, et dit :

– Tu sais, Elinor, que je ne puis supporter que tu parles ainsi. Si tu espères simplement entendre contredire ton affirmation, comme je dois le supposer, tu devrais te souvenir que je suis la dernière personne au monde pour le faire. Je ne peux pas m'abaisser à ce qu'on tire de moi, par stratagème, des assurances dont on n'a que faire.

Elle quitta alors la pièce, et Elinor n'osa pas la suivre pour en dire davantage, car, liée comme elle l'était par sa promesse de secret qu'elle avait faite à Lucy, elle ne pouvait donner aucun renseignement qui pût convaincre Marianne, et, quelque pénibles que dussent être pour elle les conséquences de l'erreur dans laquelle elle persévérait, elle était obligée de s'y soumettre. Tout ce qu'elle pouvait espérer, c'était qu'Edward ne l'exposerait pas souvent, ni ne s'exposerait lui-même, à la douleur d'entendre la vivacité erronée de Marianne, ni à la répétition d'une autre portion quelconque du chagrin qu'avait entraîné leur récente réunion, – et cela, elle avait tout lieu de s'y attendre.

XXXVI

À quelques jours de cette rencontre, les journaux annoncèrent au monde que l'épouse de Thomas Palmer Esq.[1] était heureusement accouchée d'un héritier mâle ; entrefilet fort intéressant et satisfaisant, tout au moins pour toutes ses connaissances intimes qui le savaient par avance.

Cet événement éminemment important pour le bonheur de Mrs. Jennings produisit une modification temporaire dans sa façon de disposer de son temps, et influença dans une mesure analogue les engagements de ses jeunes amies ; car, comme elle désirait se trouver le plus possible auprès de Charlotte, elle s'y rendit tous les matins dès qu'elle était habillée, et ne rentra que tard dans la soirée ; et les demoiselles Dashwood, à la demande spéciale des Middleton, passèrent la totalité de chaque journée dans Conduit Street. Pour leur agrément personnel, elles eussent de beaucoup préféré rester, au moins toute la matinée, chez Mrs. Jennings ; mais ce n'était pas là une chose sur laquelle il leur était possible d'insister, à l'encontre des désirs de tout le monde. Leurs heures furent donc consacrées à lady Middleton et aux deux demoiselles Steele, lesquelles prisaient aussi peu leur compagnie, en fait, qu'elles faisaient profession de la rechercher.

Elles étaient trop intelligentes pour être des compagnes désirables pour la première de ces trois personnes ; et quant aux deux dernières, elles en étaient vues d'un œil jaloux, comme des gens qui marchaient dans leurs plates-bandes, et avaient part à l'amabilité dont celles-ci désiraient se réserver le monopole. Bien que rien ne pût être plus poli que l'attitude de

---

[1] C'est-à-dire « esquire » (écuyer) ; ce titre n'est plus, aujourd'hui qu'une formule de politesse, qu'on accole à un nom d'homme (précédé d'un prénom), par exemple dans l'adresse écrite sur une enveloppe, etc. *(N. du Tr.)*

lady Middleton envers Elinor et Marianne, elle ne les aimait en réalité nullement. Parce qu'elles ne la flattaient jamais, non plus que ses enfants, elle ne pouvait les trouver bienveillantes ; et parce qu'elles aimaient la lecture, elles les croyait satiriques : peut-être sans savoir au juste ce que c'est qu'être satirique ; mais cela n'avait aucune importance. C'était un reproche communément usité, et facilement lancé.

Leur présence constituait une contrainte, aussi bien pour elle que pour Lucy. Elle arrêtait l'oisiveté de l'une, et l'activité de l'autre. Lady Middleton était honteuse de ne rien faire en leur présence, et quant à la flatterie que Lucy était toute fière d'imaginer et d'administrer à d'autres moments, elle craignait qu'elles ne la méprisassent, elle, de l'offrir. Miss Steele fut la moins troublée des trois par leur présence ; et il était en leur pouvoir de l'y concilier entièrement. Si seulement l'une ou l'autre d'entre elles lui avait fait un compte rendu complet et minutieux de toute l'affaire entre Marianne et Mr. Willoughby, elle se serait considérée comme pleinement récompensée du sacrifice de la meilleure place auprès du feu après le dîner, sacrifice qu'occasionna leur arrivée. Mais cette conciliation ne lui fut pas accordée ; car, bien qu'elle lançât souvent à Elinor des expressions pleines de pitié à l'égard de sa sœur, et laissât tomber plus d'une fois devant Marianne un blâme à l'adresse des galants, le seul effet produit fut un air d'indifférence chez la première, ou de dégoût chez la seconde. Un effort encore plus léger aurait pu faire d'elle leur amie. Si seulement elles l'avaient raillée au sujet de son docteur ! Mais elles étaient si peu disposées, non plus que les autres, à lui donner satisfaction, que, si Sir John dînait en ville, il arrivait à miss Steele de passer toute une journée sans entendre d'autre raillerie sur cette question que celles qu'elle avait la bonté de s'adresser à elle-même.

Toutes ces jalousies et ces mécontentements, toutefois, étaient si peu soupçonnés de Mrs. Jennings, qu'elle croyait qu'il était vraiment charmant pour les jeunes filles de se trouver réunies, et elle félicitait généralement ses jeunes amies, chaque soir, de s'être évadées si longtemps de la compagnie d'une sotte vieille. Elle les retrouvait parfois chez Sir John, et parfois chez elle ; mais, où que ce fut, elle arrivait toujours de fort bonne humeur, pleine de ravissement et d'importance, attribuant le bon état de santé de Charlotte à ses propres soins, et prête à donner de sa situation un compte rendu tellement précis et minutieusement détaillé, que miss Steele seule avait assez de curiosité pour le désirer. Une seule chose la troublait vraiment, et elle en fit sa plainte quotidienne. Mr. Palmer maintenait l'opinion commune, mais peu paternelle, courante chez son sexe, suivant laquelle tous les jeunes enfants se ressemblent ; et bien qu'elle perçût nettement, à divers moments, la ressemblance la plus frappante entre ce bébé et chacun de ses parents, des deux côtés, il n'était point possible d'en convaincre son père ; on ne pouvait le persuader de croire qu'il n'était pas absolument semblable à tous les autres bébés du même âge ; et l'on ne parvenait pas même à l'amener à reconnaître cette simple proposition, que c'était le plus beau bébé qui fût au monde.

J'en arrive maintenant au récit d'un malheur qui, vers cette époque, s'abattit sur Mrs. John Dashwood. Il se trouva que, lorsque ses deux sœurs, avec Mrs. Jennings, lui avaient fait leur première visite dans Harley Street, une autre de ses connaissances s'était présentée, – circonstance qui, en soi, n'était pas de nature à lui être désagréable. Mais, s'il est vrai que l'imagination des autres les emporte à former des jugements erronés sur notre conduite et à se prononcer sur elle d'après des apparences légères, notre bonheur doit toujours, dans une certaine mesure, être à la merci du hasard. Dans le cas présent, cette dame, la dernière arrivée, permit à son imagination de dépasser à tel point la vérité et la probabilité, qu'après avoir simplement entendu le nom des demoiselles Dashwood, et avoir compris qu'elles étaient les sœurs de Mrs. Dashwood, elle en conclut immédiatement qu'elles étaient descendues chez elle, dans Harley Street ; et ce malentendu eut pour conséquence, à un jour ou deux de là, l'arrivée de cartes d'invitation pour elles, aussi bien que pour leur frère et leur sœur, les conviant à une petite soirée musicale chez elle. En conséquence de quoi Mrs. Dashwood fut non seulement obligée de subir le désagrément extrêmement grave d'envoyer sa voiture pour prendre les demoiselles Dashwood, mais, chose encore pire, elle fut assujettie à tout l'ennui de paraître les combler d'attentions, et qui pouvait savoir si elles ne s'attendaient pas à sortir une autre fois avec elle ? Certes, elle conserverait toujours le pouvoir de leur infliger une déception. Mais cela ne suffisait pas ; car lorsque les gens se sont déterminés pour un mode de conduite qu'ils savent être mauvais, ils se sentent blessés si l'on s'attend à quelque chose de mieux de leur part.

Marianne avait, à présent, été peu à peu entraînée à l'habitude de sortir tous les jours, au point qu'il lui était devenu indifférent de sortir ou non ; et elle se préparait d'une façon tranquille et mécanique à l'emploi de chacune de ses soirées, bien qu'elle n'espérât tirer le moindre plaisir d'aucune, et qu'elle ne sût, bien souvent, qu'au dernier moment où elle allait l'entraîner.

Elle devenait si parfaitement indifférente à ses vêtements et à son aspect, qu'elle ne leur accordait plus la moitié de la considération, pendant tout le temps de sa toilette, qu'elle en recevait de la part de miss Steele au cours des cinq premières minutes où elles étaient ensemble, après qu'elle était achevée. Rien n'échappait à son observation minutieuse et à sa curiosité générale ; elle voyait tout, et interrogeait sur tout ; elle n'était jamais à son aise, qu'elle ne connût le prix de chacune des parties de la robe de Marianne ; elle eût été en mesure de deviner, avec plus de jugement que Marianne elle-même, le nombre total des robes de celle-ci, et n'était pas sans espoir de découvrir, avant qu'elles ne se séparassent, le montant hebdomadaire de ses frais de blanchissage, et de combien elle disposait annuellement pour ses dépenses personnelles. L'impertinence de ce genre d'examens, en outre, se terminait en général sur un compliment qui, bien que destiné à en constituer la douceur finale, était considéré par Marianne comme la plus grosse impertinence de toutes ; car, après avoir subi un interrogatoire sur la valeur et la façon de sa robe, la couleur de ses souliers, et la disposition de sa coiffure, elle était à peu près sûre de s'entendre dire que « sur sa parole, elle était vraiment élégante, et qu'elle osait prédire qu'elle ferait beaucoup de conquêtes ».

C'est avec de pareils encouragements qu'on lui donna le conseil de prendre place dans la voiture de son frère, – où elles furent prêtes à pénétrer cinq minutes après qu'elle se fut arrêtée devant la porte, ponctualité peu agréable à leur belle-sœur, qui les avait précédées chez son amie, et qui espérait de leur part quelque retard qui pût la gêner elle-même ou gêner son cocher.

Les événements de la soirée ne furent pas fort remarquables. La réunion, comme les autres réunions musicales, comprenait beaucoup de gens qui avaient un goût réel pour cette audition, et beaucoup plus encore qui n'en avaient aucun, et les exécutants eux-mêmes étaient, comme d'usage, suivant leur propre estimation et celle de leurs amis immédiats, les premiers exécutants amateurs d'Angleterre.

Comme Elinor n'était pas musicienne, ni n'affectait de l'être, elle ne se fit pas scrupule de détourner les yeux du pianoforte de concert, chaque fois que cela lui convenait, et, sans être retenue même par la présence d'une harpe ou d'un violoncelle, elle les fixait à son plaisir sur tout autre objet du salon. Dans l'un de ces coups d'œil vagabonds, elle aperçut parmi le groupe des jeunes gens, celui-là même qui leur avait débité, chez Gray, une conférence sur les étuis à cure-dents. Elle le vit, peu après, qui la regardait, et causait familièrement avec son frère ; et elle venait de se décider à découvrir son nom en interrogeant ce dernier, lorsqu'ils s'avancèrent tous les deux vers elle, et Mr. Dashwood le lui présenta comme étant Mr. Robert Ferrars.

Il lui adressa la parole avec une aisance courtoise, et tortilla sa tête en une inclinaison qui donna à Elinor l'assurance aussi nette que l'eussent pu faire des paroles, qu'il était exactement le freluquet qu'elle avait entendu décrire par Lucy. Qu'il eût été heureux pour elle que son affection pour Edward eût moins dépendu du mérite propre de celui-ci que du mérite de ses parents les plus proches ! Car alors l'inclinaison de son frère n'eût pas manqué d'ajouter le trait final à ce qu'aurait commencé la méchante humeur de sa mère et de sa sœur. Mais, tout en s'étonnant de la différence entre les deux jeunes gens, elle ne constata pas que le vide et la vanité de l'un lui fissent perdre toute charité envers la modestie et la valeur de l'autre. Pourquoi ils étaient différents, en effet, voilà ce que Robert lui expliqua lui-même, au cours d'un quart d'heure de conversation ; car, parlant de son frère et déplorant cette gaucherie extrême qui, il le croyait sincèrement, l'empêchait de fréquenter le monde convenable, il l'attribua, naïvement et généreusement, beaucoup moins à quelque insuffisance naturelle, qu'au malheur d'une instruction privée ; tandis que lui-même, bien qu'il ne jouît probablement d'aucune supériorité spéciale et marquante de la part de la nature, était, grâce simplement à l'avantage d'avoir fréquenté une « public school »[1], aussi bien adapté que quiconque

---

[1] Rappelons que les « public schools » sont des écoles

à se mêler au monde.

– Sur mon âme, ajouta-t-il, je crois que ce n'est rien de plus ; et c'est ce que je dis souvent à ma mère, quand elle se lamente là-dessus. Chère madame, lui dis-je toujours, il faut vous rassurer. Le mal est maintenant irrémédiable, et il a été entièrement de votre fait. Pourquoi vous êtes-vous laissé persuader par mon oncle, Sir Robert, à l'encontre de votre propre jugement, de confier Edward à l'instruction d'un précepteur, au moment le plus critique de sa vie ? Si seulement vous l'aviez envoyé à Westminster, comme moi, au lieu de l'envoyer chez Mr. Pratt, tout cela eût été évité. – C'est ainsi que j'envisage toujours la question, et ma mère est parfaitement convaincue de son erreur.

Elinor ne pouvait pas contester l'opinion de Robert, car, quelle que pût être son estimation générale de l'avantage d'une « public school », elle ne pouvait songer avec satisfaction au séjour d'Edward dans la famille de Mr. Pratt.

– Vous habitez le Devonshire, je crois, telle fut l'observation suivante de Robert ; dans une maisonnette, près de Dawlish.

Elinor le rectifia quant à la situation, et il parut assez surpris de ce que l'on pût habiter le Devonshire sans demeurer près de Dawlish. Il accorda toutefois son approbation la plus vive à leur type d'habitation.

– Quant à moi, dit-il, j'aime énormément les chaumières ; elles ont toujours tant de confort, tant d'élégance ! Et je le déclare, si j'avais quelque argent de reste, j'achèterais un bout de terrain, et j'en bâtirais une moi-même, à peu de distance de Londres, où je pourrais me rendre moi-même en voiture à toute heure, et rassembler autour de moi quelques amis pour être heureux. Je conseille à tous ceux qui ont l'intention de construire, de bâtir une chaumière. Mon ami lord Courtland, est venu me voir l'autre jour, tout exprès pour me demander conseil, et m'a présenté

---

secondaires (d'ailleurs privées) où le régime est l'internat ou la cohabitation chez des professeurs, et qui sont réservées, en fait, aux enfants de la classe riche. *(N. du Tr.)*

trois plans différents de Bonomi. Je devais décider lequel était le meilleur. Mon cher Courtland, lui dis-je, les jetant immédiatement tous au feu, n'en adoptez aucun, mais construisez donc une chaumière ! Et c'est ainsi, je l'imagine, que cela finira.

» Il y a des gens qui s'imaginent qu'il ne peut y avoir de confort ni d'espace dans une chaumière ; mais tout cela est une erreur. Je me trouvais, le mois dernier, chez mon ami Elliott, près de Dartford. Lady Elliott désirait donner une sauterie. « Mais comment organiser cela ! disait-elle ; mon cher Ferrars, dites-moi donc comment cela peut s'organiser. Il n'y a pas une pièce dans cette chaumière qui puisse tenir dix couples, et où pourra-t-on souper ? » Moi, j'ai vu immédiatement qu'il n'y aurait aucune difficulté, de sorte que je lui ai dit : « Ma chère lady Elliott, ne vous tourmentez pas. La salle à manger tiendra facilement dix-huit couples ; on pourra installer des tables de jeu dans le salon ; la bibliothèque pourra être ouverte pour y servir le thé et d'autres rafraîchissements ; et que le souper soit servi dans le petit salon. » Lady Elliott fut ravie de cette idée. Nous avons mesuré la salle à manger, et constaté qu'elle tiendrait exactement dix-huit couples, et l'affaire fut disposée d'après mon plan précis. De sorte qu'en réalité, voyez-vous, si seulement on savait s'arranger, on peut jouir de tous les agréments aussi bien dans une chaumière que dans la demeure la plus spacieuse. »

Elinor se déclara d'accord sur tout, car elle estimait qu'il ne méritait pas le compliment d'une opposition raisonnée.

Comme John Dashwood ne prenait pas plus de plaisir à la musique que l'aînée de ses sœurs, il avait, lui aussi, l'esprit libre pour se fixer sur toute autre chose ; et il fut frappé, au cours de la soirée, d'une idée dont il fit part à sa femme, afin d'avoir son approbation, lorsqu'ils furent rentrés chez eux. Réfléchissant à l'erreur qu'avait commise Mrs. Dennison, en supposant que ses sœurs étaient leurs invitées, il s'était dit qu'il serait convenable qu'elles fussent effectivement priées de le devenir pendant que les occupations de Mrs. Jennings la tenaient éloignée de chez elle. La dépense serait insignifiante, la gêne ne serait pas plus considérable ; et c'était, d'une façon générale, une attention que la délicatesse de sa conscience lui indiquait comme requise pour qu'elle fût complètement affranchie quant à la promesse faite à son père. Fanny fut fort surprise de cette proposition.

– Je ne vois pas comment cela pourra se faire, dit-elle, sans froisser lady Middleton, car elles passent toutes leurs journées chez elle ; sinon, je serais extrêmement contente de m'y prêter. Tu sais que je suis toujours disposée à avoir pour elles toutes les attentions qui sont en mon pouvoir, comme le montre bien le fait que je les aie emmenées ce soir. Mais elles vont en visite chez lady Middleton. Comment puis-je les inviter à s'éloigner d'elle ?

Son mari, bien qu'avec humilité, ne saisit pas la force de son argument. « Elles avaient déjà passé une semaine, dans ces conditions, dans Conduit Street, et lady Middleton ne pourrait pas trouver mauvais qu'elles consacrassent un nombre égal de jours à des parents aussi proches. »

Fanny se tut un instant, puis elle dit, avec une vigueur nouvelle :

– Mon ami, je les inviterais de tout cœur, si c'était en mon pouvoir. Mais je venais de décider intérieurement que je prierais les demoiselles Steele de passer quelques jours chez nous. Ce sont des jeunes filles excellentes, et très bien élevées ; et je crois que cette attention leur est due, puisque leur oncle s'est si bien comporté auprès d'Edward. Nous pourrons inviter tes sœurs une autre année, n'est-ce pas ; mais il se peut que les demoiselles Steele ne soient plus à Londres. Je suis sûre qu'elles te plairont ; en vérité, elles te plaisent déjà beaucoup, n'est-ce pas, de même qu'à ma mère ; et elles s'entendent si bien avec Harry !

Mr. Dashwood fut convaincu. Il perçut la nécessité d'inviter immédiatement les demoiselles Steele, et sa conscience fut apaisée par la résolution d'inviter ses sœurs une autre année ; tout en soupçonnant malicieusement qu'une année de plus rendrait l'invitation inutile, puisqu'elle devait ramener Elinor à Londres en qualité de femme du colonel Brandon, et Marianne comme leur invitée.

Fanny, ravie de son évasion, et fière de la promptitude d'esprit qui la lui avait assurée, écrivit le lendemain matin à Lucy, pour la prier de lui faire le plaisir de s'installer, ainsi que sa sœur, pour quelques jours, dans Harley Street, dès que lady Middleton pourrait se passer d'elles. C'en fut assez pour rendre Lucy véritablement et raisonnablement heureuse. Il semblait que Mrs. Dashwood elle-même travaillât effectivement pour elle, qu'elle chérit toutes ses espérances, et favorisât toutes ses perspectives d'avenir ! Une pareille occasion de se trouver avec Edward et les siens était, par-dessus toutes choses, la plus propre à ménager ses intérêts, et une semblable invitation, la plus flatteuse pour sa susceptibilité ! C'était un avantage qui ne pouvait être reconnu avec trop de gratitude, ni trop rapidement utilisé ; et la visite chez lady Middleton, qui, auparavant, n'avait pas eu de limites précises, se révéla tout à coup comme ayant toujours dû se terminer deux jours plus tard.

Quand le billet fut montré à Elinor, comme il le fut moins de dix minutes après sa réception, il lui communiqua, pour la première fois, quelque participation aux espérances de Lucy ; car une telle marque d'amabilité peu commune, accordée après un temps de connaissance si bref, semblait proclamer que la bienveillance qu'on lui témoignait provenait de quelque chose de plus que de la simple méchanceté à l'adresse d'Elinor, et pourrait être amenée, avec du temps et de l'adresse, à l'accomplissement de tout ce que désirait Lucy. La flatterie de celle-ci avait déjà soumis la vanité de lady Middleton, et effectué une entrée dans le cœur étroit de Mrs. John Dashwood, et c'étaient là des efforts qui ouvraient la probabilité d'autres plus grands encore.

Les demoiselles Steele s'installèrent dans Harley Street, et tout ce qui parvint à Elinor de l'influence qu'elles y exercèrent la fortifia dans l'attente de l'événement. Sir John, qui alla les voir plusieurs fois, rapporta chez lui de tels récits de la faveur dont elles jouissaient, que cette faveur devait être universellement frappante. Mrs. Dashwood n'avait jamais été aussi satisfaite de jeunes femmes, quelles qu'elles fussent, qu'elle l'était d'elles ; elle leur avait fait présent, à chacune, d'un carnet d'aiguilles, ouvrage de quelque émigrant ; elle appelait Lucy par son prénom, et ne savait pas si elle pourrait jamais se séparer d'elles.

XXXVII

Mrs. Palmer allait si bien, au bout d'une quinzaine, que sa mère estima qu'il n'était plus nécessaire qu'elle lui consacrât la totalité de son temps ; et, se contentant d'aller la voir une ou deux fois par jour, retourna dès lors chez elle, et à ses propres habitudes, parmi lesquelles elle trouva les demoiselles Dashwood toutes disposées à réassurer leur part d'antan.

Dans la matinée du troisième ou quatrième jour où elles avaient ainsi repris leurs habitudes dans Berkeley Street, Mrs. Jennings, rentrant de sa visite ordinaire à Mrs. Palmer, pénétra dans le salon, où Elinor était assise toute seule, avec un tel air d'importance pressée, que celle-ci se prépara à entendre quelque chose de merveilleux ; et, ne lui laissant que le temps nécessaire à concevoir cette idée, elle commença aussitôt à la justifier en disant :

– Juste ciel, ma chère miss Dashwood ! Avez-vous appris la nouvelle ?

– Non, madame ; de quoi s'agit-il ?

– D'une chose bien étrange ! Mais vous allez tout savoir. Quand je suis arrivée chez Mr. Palmer, j'ai trouvé Charlotte toute bouleversée au sujet de l'enfant. Elle était sûre qu'il était très malade, – il pleurait, il s'agitait, il était tout couvert de boutons. Alors je l'ai tout de suite examiné, et j'ai dit : « Mon Dieu, ma chérie, ce n'est rien du tout, que le feu des dents », et la nourrice a dit exactement de même. Mais Charlotte refusait de se satisfaire de cette explication, si bien qu'on a fait appeler Mr. Donavan ; et, heureusement, il se trouvait qu'il venait de rentrer de Harley Street : alors il est venu tout de suite, et dès qu'il eut vu l'enfant, il a dit exactement la même chose que nous, que ce n'était absolument rien du tout, que le feu des dents, et alors Charlotte a été tranquillisée. Et puis, juste au moment où il s'en allait, il m'est venu à l'idée – je suis bien sûre que je ne sais pas comment je me suis trouvée y penser – mais il m'est venu à l'idée de lui demander s'il y avait des nouvelles. Là-dessus, il s'est

252

mis à faire des simagrées et des minauderies, à prendre un air grave, et il a paru savoir une chose ou une autre, et en fin de compte il m'a dit tout bas : « De peur qu'aucun bruit désagréable ne parvienne aux jeunes filles dont vous avez la garde, au sujet de l'indisposition de leur sœur, je crois utile de dire que je crois qu'il n'y a pas de raison sérieuse de s'alarmer ; j'espère que Mrs. Dashwood va très bien. »

– Comment ! Fanny est malade ?

– Voilà exactement ce que j'ai dit, ma chérie. « Seigneur ! ai-je dit, Mrs. Dashwood est-elle malade ? » Et alors, tout a été dévoilé ; et le fond de toute l'affaire, d'après ce que j'ai pu apprendre, le voici : Mr. Edward Ferrars, le jeune homme même au sujet duquel je vous plaisantais jadis (mais, étant donnée la tournure des événements, je suis joliment contente qu'il n'y ait rien eu là-dessous !), Mr. Ferrars, paraît-il, est fiancé depuis plus d'un an à ma cousine Lucy ! Voilà pour vous, ma chérie ! Et personne ne connaissait le moindre mot de l'affaire, à part Nancy ! Auriez-vous pu croire une telle chose possible ? Il n'y a rien de bien étonnant à ce qu'ils s'aiment ; mais que les choses en soient arrivées à ce point-là entre eux, sans que personne ne le soupçonne ! voilà qui est étrange ! Je n'ai jamais eu l'occasion de les voir ensemble, sinon j'aurais découvert ça tout de suite... Et voilà ; tout cela a été tenu parfaitement secret, par crainte de Mrs. Ferrars ; et ni elle, ni votre frère, ni votre sœur, n'ont soupçonné un mot de l'affaire, – jusqu'à ce matin même, quand cette pauvre Nancy, qui, n'est-ce pas, est une personne pleine de bonnes intentions, mais pas très fine, a découvert tout le pot aux roses, « Mon Dieu ! s'est-elle dit, ils aiment tous tellement Lucy, que, bien sûr, ils ne feront pas de difficultés là-dessus » ; et la voilà qui va trouver votre sœur, qui était occupée toute seule à sa tapisserie, se doutant fort peu de ce qui allait venir, – car elle venait justement de dire à votre frère, il n'y avait pas cinq minutes, qu'elle songeait à un mariage entre Edward et la fille de quelque lord – j'oublie qui. Alors, vous pouvez vous imaginer quel coup ç'a été pour sa vanité et son orgueil. Elle a eu aussitôt une crise d'hystérie violente, en poussant des cris qui sont parvenus aux oreilles de votre frère, tandis qu'il était dans son cabinet de toilette du rez-de-chaussée, réfléchissant à une lettre à écrire à son régisseur, à la campagne. Alors il est monté en toute hâte, et il y a eu une scène terrible, car Lucy s'était déjà rendue auprès d'eux, se doutant fort peu de ce qui se passait. Pauvre âme ! Je la plains. Et je dois le dire : à mon avis, elle a été bien durement traitée ; car votre sœur l'a tancée comme une furie, et n'a pas tardé à la faire défaillir. Nancy, elle, est tombée à genoux, et a pleuré à fendre l'âme ; et votre frère, il s'est promené à travers la pièce, en disant qu'il ne savait que faire. Mrs. Dashwood a déclaré qu'elles ne resteraient pas une minute de plus chez elle, et votre frère a été obligé de se mettre à genoux, lui aussi, pour la persuader de leur permettre de rester jusqu'à ce qu'elles aient fait leurs malles. Alors elle a eu une nouvelle attaque d'hystérie, et il a eu tellement peur qu'il a fait appeler Mr. Donavan, et Mr. Donavan a trouvé la maison dans tout cet émoi ! La voiture était à la porte, prête à emmener mes deux cousines, et elles y montaient au moment même où il est parti ; la pauvre Lucy dans un tel état, dit-il, qu'elle pouvait à peine marcher ; et Nancy, que c'était presque aussi épouvantable. Je le déclare, je n'ai aucune patience avec votre sœur ; et j'espère, de tout mon cœur, que ce mariage se fera, en dépit d'elle. Seigneur ! Dans quel état sera ce pauvre Mr. Edward, quand il apprendra ça ! Savoir que la femme qu'il aime a été traitée avec un tel mépris ! Car il paraît qu'il l'aime effroyablement, et à juste titre. Je ne serais pas étonnée s'il entrait dans une colère folle ; et Mr. Donavan est exactement du même avis. Lui et moi, nous en avons causé longuement ; et le mieux de tout, c'est qu'il est retourné à Harley Street, pour qu'on l'aie sous la main quand la chose sera dite à Mrs. Ferrars, car on l'a fait appeler aussitôt que mes cousines eurent quitté la maison ; car votre sœur était sûre qu'elle en aurait, elle aussi, une crise d'hystérie ; et ce n'est certes pas moi qui l'en empêcherai. Je ne les plains ni les uns ni les autres. Je ne comprends pas qu'on fasse de telles histoires à propos d'argent et de grandeur. Il n'y a aucune raison au monde pour que Mr. Edward et Lucy ne s'épousent pas ; car je suis sûre que Mrs. Ferrars a les moyens d'établir fort convenablement son fils ; et bien que Lucy ne possède à peu près rien, de son côté, elle sait mieux que quiconque tirer parti de tout ; et je suis bien sûre que si Mrs. Ferrars lui accordait seulement cinq cents livres par an, elle trouverait moyen de faire aussi bonne figure avec ce revenu-là que n'importe quelle autre avec huit cents. Seigneur ! Comme ils pourraient vivre bien gentiment à l'aise dans une autre maisonnette comme la vôtre, – ou un peu plus grande, – avec deux servantes et deux domestiques ; et je crois que je pourrais les aider à trouver une femme de chambre, car ma

Betty a une sœur sans place, qui ferait exactement leur affaire.

Mrs. Jennings se tut, quand elle en fut là, et comme Elinor avait eu le temps de rassembler ses idées, elle fut en mesure de donner une réponse, et de faire des réflexions conformes à ce que le sujet pouvait naturellement être supposé devoir en susciter. Heureuse de constater qu'on n'y soupçonnait chez elle aucun intérêt spécial, – que Mrs. Jennings (comme elle l'avait souvent espéré, ces temps derniers) avait cessé de s'imaginer qu'elle eût le moindre attachement pour Edward, – et heureuse, par-dessus toutes choses, de l'absence de Marianne, elle se sentit fort capable de parler de l'affaire sans embarras, et de faire connaître son jugement, comme elle le pensait, sur la conduite de tous ceux qui y étaient impliqués.

Elle pouvait à peine préciser ce que, pour sa part, elle s'attendait en réalité à voir sortir de l'événement ; encore qu'elle s'efforçât sérieusement de chasser l'idée qu'il pût se terminer, en fin de compte, autrement que par le mariage d'Edward et de Lucy. Ce que dirait et ferait Mrs. Ferrars, bien qu'il ne pût y avoir de doute quant à sa nature, elle était impatiente de l'apprendre ; et encore plus impatiente de savoir comment Edward se comporterait. Elle éprouvait pour lui beaucoup de compassion ; pour Lucy, fort peu, et il lui en coûta quelque peine de susciter ce peu-là ; pour les autres intéressés, absolument aucune.

Comme Mrs. Jennings était incapable de parler d'aucun autre sujet, Elinor perçut bientôt la nécessité de préparer Marianne à sa discussion. Il ne fallait pas perdre de temps pour la détromper, pour lui faire connaître la vérité réelle, et pour s'efforcer de l'amener à entendre parler de l'affaire par les autres, sans qu'elle trahît rien de l'inquiétude qu'elle pourrait ressentir pour sa sœur, ni aucun ressentiment à l'encontre d'Edward.

La tâche d'Elinor était pénible. Elle allait dissiper ce qu'elle croyait véritablement être la principale consolation de sa sœur, – lui donner sur Edward des renseignements tels qu'ils le ruineraient à jamais (elle le craignait) dans sa bonne opinion de lui, – et obliger Marianne, par une analogie de leurs situations, qui, dans son imagination, paraîtrait forte, à éprouver de nouveau toute la déception dont elle avait souffert. Mais quelque importe que dût être une semblable tâche, il était nécessaire de l'entreprendre, et Elinor se hâta de l'accomplir.

Elle était bien éloignée de désirer s'appesantir sur ses propres sentiments, ou de se représenter comme souffrant beaucoup, et s'en tint à ce que la maîtrise de soi qu'elle avait pratiquée depuis qu'elle avait eu vent des fiançailles d'Edward, pourrait lui suggérer comme indication de ce qui serait praticable pour Marianne. Son récit fut clair et simple ; et bien qu'il ne pût être fait sans émotion, il ne fut accompagné ni d'agitation violente, ni de chagrin impétueux. Ces traits incombèrent plutôt à l'auditrice, car Marianne écouta avec horreur, et pleura énormément. Elinor devait être la consolatrice des autres, dans ses propres détresses non moins que dans les leurs ; et tout le réconfort qui pouvait être donné par l'assurance de son propre calme, et par une défense très sérieuse d'Edward contre toutes accusations, hormis celle d'imprudence, fut promptement offert.

Mais Marianne refusa pendant quelque temps toute créance à l'une et à l'autre. Edward lui apparut comme un second Willoughby ; et puisque Elinor reconnaissait en effet l'avoir aimé fort sincèrement, pouvait-elle éprouver des sentiments moins profonds que sa sœur ? Quant à Lucy Steele, elle la considérait comme manquant si totalement d'amabilité, comme si complètement incapable de s'attacher un homme doué de sensibilité, qu'elle fut d'abord incapable de se laisser persuader qu'il pût y avoir eu une affection antérieure pour elle, et ensuite de la pardonner. Elle ne voulut même pas reconnaître que ce fût là une chose naturelle ; et Elinor lui laissa le soin de se convaincre qu'il en était ainsi, par la seule chose qui pût la convaincre, – une meilleure connaissance de l'humanité.

Sa première communication n'était pas allée plus loin que dénonciation du fait des fiançailles et du temps qu'elles avaient duré. Marianne avait alors été incapable de se contenir, ce qui avait mis fin à toute régularité dans les détails ; et, pendant quelque temps, tout ce qui avait pu être fait, ce fut de calmer son chagrin, d'amoindrir ses craintes, et de combattre son ressentiment. La première question, de sa part, qui mena à de nouveaux détails, ce fut :

– Depuis combien de temps as-tu été au courant de cela, Elinor ? T'a-t-il écrit ?

– Voilà quatre mois que je le sais. La première fois que Lucy est venue à Barton Park, en novembre dernier, elle m'a parlé confidentiellement de ses fiançailles.

À ces mots, les yeux de Marianne exprimèrent l'étonnement que ses lèvres étaient incapables de prononcer. Au bout d'un silence de stupéfaction, elle s'écria :

– Quatre mois ! Il y a quatre mois que tu sais cela ?

Elinor le confirma.

– Comment ! Tandis que tu me réconfortais dans toute ma détresse, tu avais cela sur le cœur ? Et moi qui t'ai reproché d'être heureuse !

– Il n'était pas convenable, à ce moment, que tu eusses su à quel point je ne l'étais pas.

– Quatre mois ! s'écria de nouveau Marianne. Si calme ! Si gaie !... Comment as-tu été soutenue ?

– Par le sentiment que je faisais mon devoir. Ma promesse à Lucy m'obligeait à garder le secret. J'étais donc tenue envers elle d'éviter de donner aucune indication de la vérité ; et j'étais tenue envers ma famille et mes amis de ne créer chez eux aucune sollicitude à mon sujet, que je n'aurais pas eu le pouvoir de satisfaire.

Marianne parut vivement frappée.

– J'ai bien souvent eu le désir de vous détromper, toi et ma mère, ajouta Elinor ; et je l'ai tenté une fois ou deux ; mais, sans trahir la confidence qui m'avait été faite, je n'aurais jamais pu te convaincre.

– Quatre mois ! Et pourtant, tu l'aimais !

– Oui. Mais je n'aimais pas Edward seul ; et, tant que la tranquillité des autres m'était chère, j'ai été contente de les préserver de savoir tout ce que je ressentais. Maintenant, je peux y penser et en parler avec peu d'émotion. Je ne voudrais pas te voir souffrir à cause de moi ; car je t'assure que je ne souffre plus sérieusement, quant à moi. J'ai beaucoup de choses pour me soutenir. J'ai conscience de n'avoir pas provoqué cette déception par quelque imprudence de ma part, et je l'ai supportée autant que possible sans la répandre plus loin. J'acquitte Edward de toute inconduite essentielle. Je lui souhaite d'être très heureux ; et je suis tellement sûre qu'il fera toujours son devoir, que, bien qu'il doive à présent éprouver quelque regret, il faudra qu'il finisse par l'être. Lucy ne manque pas d'intelligence, et c'est là le fondement sur lequel peut s'édifier tout ce qui est bon. Et après tout, Marianne, après tout ce qu'il y a d'enchanteur dans l'idée d'une affection unique et constante, et tout ce qui peut être dit sur ce que notre bonheur dépend entièrement d'une personne déterminée, il n'est pas conforme au destin, – il n'est pas convenable, – il n'est pas possible, qu'il en soit ainsi. Edward épousera Lucy : il épousera une femme supérieure, par sa personne et son intelligence, à la moitié de celles de son sexe ; et le temps et l'habitude lui apprendront à oublier qu'il a jamais cru qu'une autre était supérieure à elle.

– Si c'est là ta façon de penser, dit Marianne, si la perte de ce que tu prises le plus doit être si facilement remplacée par autre chose, ta résolution, ta maîtrise de toi, sont peut-être, un peu moins étonnantes. Elles sont mieux ramenées dans les bornes de ma compréhension.

– Je te comprends. Tu supposes que je n'ai jamais rien ressenti profondément. Depuis quatre mois, Marianne, j'ai eu tout cela qui m'a pesé sur l'esprit, sans être libre d'en parler à âme qui vive ; sachant que toi et ma mère en seriez fort malheureuses quand cela vous serait expliqué, et pourtant dans l'impossibilité de vous y préparer en quoi que ce soit. La chose m'avait été dite – presque de force, en quelque sorte, – par la personne même dont les fiançailles antérieures ruinaient tous mes projets d'avenir ; et dite, m'avait-il semblé, en triomphe. J'ai donc dû contrecarrer les soupçons de cette personne en paraissant indifférente à ce qui m'intéressait le plus profondément ; et ce n'a pas été une seule fois ! Il m'a fallu entendre mainte et mainte fois ses espoirs et ses joies triomphales. Je me savais séparée à jamais d'Edward, sans entendre une seule circonstance qui pût me faire moins désirer cette union. Rien ne l'a démontré indigne ; et rien ne l'a déclaré indifférent envers moi. J'ai dû lutter contre le manque de bienveillance de sa sœur, et l'insolence de sa mère ; et j'ai subi le châtiment d'une liaison, sans jouir de ses avantages. Et tout cela s'est déroulé en un moment où, tu ne le sais que trop bien, ce n'était pas là mon seul malheur. Si tu peux me croire capable d'avoir jamais éprouvé quelque chose, assurément tu peux supposer que j'ai souffert maintenant ! La tranquillité d'esprit avec laquelle je me suis contrainte à présent à considérer l'affaire, la consolation que j'ai consenti à admettre, ont été l'effet d'efforts constants et douloureux ; elles ne sont pas nées d'elles-mêmes ; elles ne se sont pas présentées dès l'abord pour ranimer mon courage, – non, Marianne. Sur le moment, si je n'avais pas été tenue au silence, rien, peut-être, n'aurait pu m'empêcher complètement – pas même ce que je devais à mes amis les plus chers – de laisser voir ouvertement que j'étais très malheureuse.

Marianne fut complètement vaincue.

– Oh, Elinor ! s'écria-t-elle, tu m'as fait prendre en haine à moi-même, à tout jamais. Comme j'ai été barbare envers toi ! – toi, qui as été ma seule consolation, qui m'as soutenue dans toute ma détresse, qui semblais ne souffrir qu'à cause de moi ! – c'est là ma gratitude ? Est-ce là ma seule façon de te payer de retour ? Parce que ton mérite me fait honte, j'ai essayé de le proclamer inexistant !

Cet aveu fut suivi des caresses les plus tendres. Dans l'état d'esprit où Marianne se trouvait à présent, Elinor n'eut pas de difficulté à obtenir d'elle toute promesse qu'elle désirait ; et, à sa requête, Marianne s'engagea à ne jamais parler à personne de cette affaire avec la moindre apparence d'amertume ; à revoir Lucy sans trahir le moindre accroissement d'aversion à son égard ; et même à revoir Edward lui-même, si le hasard les réunissait, sans aucune diminution de sa cordialité habituelle. C'étaient là des concessions importantes, mais là où Marianne sentait qu'elle avait causé quelque blessure, aucune réparation ne pouvait être trop grande pour qu'elle l'effectuât.

Elle tint admirablement sa promesse d'être discrète. Elle écouta, d'une contenance immuable, tout ce que Mrs. Jennings eut à dire sur la question, ne différa d'opinion en rien avec elle, et on l'entendit dire à trois reprises : « Oui, madame ». Elle écouta son éloge de Lucy en se contentant de se déplacer d'une chaise à une autre, et quand Mrs. Jennings parla de l'affection d'Edward, il ne lui en coûta qu'un spasme à la gorge. De tels progrès dans la direction de l'héroïsme chez sa sœur donnèrent à Elinor le courage de tout supporter.

Le lendemain matin lui en fournit une épreuve nouvelle, sous la forme d'une visite de leur frère, qui arriva, l'air fort grave, pour récapituler l'affreuse affaire, et leur apporter des nouvelles de sa femme.

– Vous avez appris, dit-il d'un ton solennel, dès qu'il se fut assis, la découverte révoltante qui a eu lieu hier sous notre toit ?

Leur air, à toutes, était un acquiescement ; l'instant paraissait trop épouvantable pour la parole.

– Votre sœur, reprit-il, a souffert atrocement. Mrs. Ferrars aussi, – bref, ce fut une scène de contrariété bien compliquée, – mais j'espère que l'orage pourra passer sans qu'aucun de nous en soit abattu. Pauvre Fanny ! Elle a été toute la journée en proie à l'hystérie. Mais je ne voudrais pas vous effrayer exagérément. Donavan dit qu'il n'y a rien de sérieux à redouter ; sa constitution est bonne, et sa résolution est à la hauteur de toute chose. Elle a supporté tout cela avec le courage d'un ange ! Elle dit qu'elle n'aura plus jamais bonne opinion de personne ; et l'on ne saurait s'en étonner, après qu'elle a été trompée de cette façon ! – après avoir été payée de tant d'ingratitude, là où elle avait manifesté tant de bonté, et placé tant de confiance ! C'est par pure bienveillance de son cœur qu'elle avait invité ces jeunes femmes chez elle ; simplement parce qu'elle croyait qu'elles méritaient quelques égards, qu'elles étaient des jeunes filles inoffensives et bien élevées, et qu'elles seraient des compagnes agréables ; car, sans cela, nous étions l'un et l'autre fort désireux de vous inviter, toi et Marianne, auprès de nous, pendant que votre aimable amie que voilà s'occupait de sa fille. Et maintenant, être récompensée de cette façon ! « Je voudrais, de tout mon cœur, dit Fanny, avec ses façons affectueuses, que nous eussions invité tes sœurs, au lieu de les inviter, elles. »

Il se tut alors, pour qu'on le remerciât ; et, cela fait, il poursuivit.

– Ce qu'a souffert la pauvre Mrs. Ferrars au moment où Fanny lui a fait la première révélation, voilà qui est indescriptible ! Tandis qu'avec la plus grande affection elle projetait pour lui une union fort désirable, pouvait-elle supposer qu'il pût, pendant tout ce temps, être secrètement fiancé à une autre ! Un tel soupçon n'aurait jamais pu lui venir à l'esprit ! Si elle avait soupçonné quelque prévention par ailleurs, ce ne pouvait être de ce côté-là. « Là, assurément, dit-elle, j'aurais pu me croire complètement en sécurité. » Elle était véritablement au martyre. Nous avons tenu conseil ensemble, cependant, pour savoir ce qu'il convenait de faire, et finalement elle s'est résolue à faire appeler Edward. Il est venu. Mais je suis désolé de rapporter ce qui s'en est suivi. Tout ce qu'a pu dire Mrs. Ferrars pour l'obliger à mettre fin à ces fiançailles, assisté en outre, comme vous pouvez bien le supposer, par mes raisonnements et par les supplications de Fanny, ne servit de rien. Le devoir, l'affection, – il passa outre à tout. Je n'avais encore jamais trouvé Edward aussi obstiné, aussi insensible. Sa mère lui exposa ses projets pleins de libéralité, au cas où il épouserait miss Morton ; elle lui dit qu'elle lui ferait donation du domaine de Norfolk, qui, net d'impôt foncier, rapporte largement mille livres par an ; elle offrit même, lorsqu'elle fut à bout d'arguments, de porter le revenu à douze cents livres ; et lui représenta, par contre, s'il persistait encore dans cette liaison, la pauvreté certaine qui accompagnerait nécessairement ce mariage. Elle affirma que les deux mille livres qu'il possédait en propre seraient tout ce qu'il aurait ; qu'elle ne le reverrait jamais ; et, que, bien loin de lui accorder la moindre assistance, s'il entrait dans n'importe quelle profession dans le dessein d'améliorer sa situation, elle ferait tout ce qui serait en son pouvoir pour l'empêcher d'y trouver de l'avancement.

À ce point du récit, Marianne, au comble de l'indignation, claqua des mains, et s'écria :

– Grand Dieu ! Est-ce possible ?

– C'est à bon droit que tu t'étonnes, Marianne, répondit son frère, de l'obstination qui a pu résister à de pareilles arguments. Ton exclamation est fort naturelle.

Marianne était sur le point de répliquer, mais elle se souvint de ses promesses, et s'en abstint.

– C'est en vain, cependant, reprit-il, qu'on fit valoir tout cela. Edward parla fort peu ; mais ce qu'il dit fut exprimé de la façon la plus résolue. Rien ne put prévaloir sur lui pour l'amener à renoncer à ses fiançailles. Il était décidé à s'y tenir, quoique cela lui coûtât.

– Alors, s'écria Mrs. Jennings, avec une sincérité bourrue, incapable de garder plus longtemps le silence, il s'est conduit en honnête homme ; je vous demande pardon, Mr. Dashwood, mais s'il avait agi autrement, je l'aurais considéré comme un scélérat. Je suis quelque peu, légèrement, intéressée à cette affaire, puisque Lucy Steele est ma cousine, et je crois qu'il n'y a au monde de meilleure fille, ni qui mérite plus qu'elle un bon mari.

John Dashwood fut fort étonné ; mais il était d'un naturel calme, peu enclin à la provocation, et il ne désirait jamais froisser personne, surtout quelqu'un qui possédait de la fortune. Il répondit donc, sans aucun ressentiment :

– Je ne voudrais certes manquer de respect envers aucun de vos parents, madame. Miss Lucy Steele, je n'en doute pas, est une jeune personne fort méritante, mais dans le cas qui nous occupe, voyez-vous, cette union doit être impossible. Et le fait de s'être fiancée secrètement avec un jeune homme confié à la garde de son oncle, le fils d'une femme possédant une aussi grosse fortune que Mrs. Ferrars, est peut-être, d'une façon générale, un peu extraordinaire. Bref, je n'ai pas l'intention de critiquer la conduite d'une personne quelconque pour laquelle vous avez de l'affection, Mrs. Jennings. Nous souhaitons tous qu'elle soit extrêmement heureuse, et l'attitude de Mrs. Ferrars, d'un bout à l'autre de l'affaire, a été celle qu'adopterait toute bonne mère consciencieuse en pareille circonstance. Elle a été digne et généreuse. Edward, je le crains, a tiré lui-même au sort, et il a pris un mauvais numéro.

Marianne exprima, par un soupir, son appréhension identique ; et Elinor avait le cœur meurtri de sympathie pour Edward, bravant les menaces de sa mère pour une femme qui était incapable de l'en récompenser.

– Et alors, monsieur, dit Mrs. Jennings, comment cela s'est-il terminé ?

– Je suis navré de le dire, madame, par une rupture fort malencontreuse : Edward est privé à jamais de toutes relations avec sa mère. Il a quitté sa maison hier, mais où est-il ? – est-il encore à Londres ? – je n'en sais rien ; car, bien entendu, il ne nous est pas possible de nous renseigner.

– Pauvre jeune homme ! Et qu'adviendra-t-il de lui ?

– Quoi donc, en effet, madame ? C'est un sujet de réflexion mélancolique. Né avec la perspective d'une telle richesse, je ne puis concevoir de situation plus déplorable. Les intérêts de deux mille livres, – comment peut-on vivre avec cela ? – Et quand on se rappelle, en outre, qu'il aurait pu, n'eût été sa propre folie, toucher, d'ici trois mois, deux mille cinq cents livres par an (car miss Morton, possède trente mille livres), je ne puis m'imaginer une condition plus misérable ! Nous devons tous compatir à son malheur ; et d'autant plus qu'il est si totalement hors de notre pouvoir de l'aider.

– Pauvre jeune homme ! s'écria Mrs. Jennings. Je suis bien sûre qu'il serait le bienvenu, pour le logement et le couvert, chez moi ; et je le lui dirais, si je pouvais le voir. Il n'est pas convenable qu'il vive à présent à ses frais, à droite et à gauche, dans des meublés et des tavernes.

Le cœur d'Elinor lui sut gré d'une telle bonté pour Edward, bien qu'elle ne pût s'empêcher de sourire en songeant à la forme qu'elle revêtait.

– Si seulement il s'était conduit aussi favorablement envers lui-même, dit John Dashwood, que tous ses amis étaient disposés à le faire pour lui, il aurait pu être maintenant dans la situation qui lui revient, et n'aurait manqué de rien. Mais, les choses étant ce qu'elles sont, il est nécessairement hors du pouvoir de quiconque de lui venir en aide. Et il y a encore une chose qui se prépare contre lui, qui doit être la pire de toutes : sa mère a pris la résolution, avec une fierté fort naturelle, d'assurer immédiatement à Robert la fortune qui aurait pu être à Edward, moyennant des conditions convenables. Je l'ai laissée ce matin avec son avoué, pour discuter de cette affaire.

– Ma foi, dit Mrs. Jennings, c'est là sa vengeance. Chacun a sa méthode à soi. Mais je ne crois pas que la mienne, ce serait d'assurer son indépendance à l'un de mes fils parce que l'autre m'aurait narguée.

Marianne se leva, et déambula par la pièce.

– Se peut-il qu'il y ait quelque chose de plus humiliant pour la fierté d'un homme, reprit John, que de voir son frère cadet en possession d'un bien qui aurait pu être à lui ? Pauvre Edward ! Je compatis sincèrement à son malheur.

Quelques minutes de plus, consacrées à des effusions du même genre, amenèrent sa visite à sa fin ; et en renouvelant à ses sœurs l'assurance que l'indisposition de Fanny ne présentait pas de danger sérieux, et qu'il était inutile, en conséquence, qu'elles s'en inquiétassent beaucoup, il partit, laissant les trois dames unanimes dans leurs sentiments touchant le cas présent, – dans la mesure, tout au moins, où il s'agissait de la conduite de Mrs. Ferrars, de celle des Dashwood, et de celle d'Edward.

L'indignation de Marianne éclata aussitôt qu'il eut quitté la pièce ; et comme sa véhémence rendait la réserve impossible chez Elinor, et superflue chez Mrs. Jennings, elles s'unirent toutes trois dans une critique fort vigoureuse de la bande.

XXXVIII

Mrs. Jennings fut fort chaleureuse dans ses louanges de l'attitude d'Edward, mais Elinor et Marianne seules en comprirent le mérite véritable. Elles seules savaient combien il avait eu peu de chose pour le tenter à la désobéissance, et combien maigre était la consolation, en dehors de la conscience de faire son devoir, qui pouvait lui rester dans la perte de ses amis et de sa fortune. Elinor se fit gloire de sa probité ; et Marianne pardonna toutes ses offenses, dans la compassion qu'elle éprouvait pour sa punition. Mais bien que les confidences entre elles fussent, par cette découverte rendue publique, rétablies dans leur état convenable, ce n'était pas là un sujet sur lequel l'une ou l'autre aimait à s'appesantir quand elle était seule. Elinor l'évitait par principe, comme tendant à ancrer encore davantage dans ses pensées, en raison des assurances trop ardentes, trop positives, de Marianne, cette croyance à l'affection persistante d'Edward pour elle, dont elle désirait plutôt se défaire ; et le courage de Marianne ne tardait pas à lui faire défaut lorsqu'elle essayait de converser sur un sujet qui la laissait chaque fois plus mécontente d'elle-même que jamais, en raison de la comparaison qu'il produisait nécessairement entre la conduite d'Elinor et la sienne.

Elle sentait toute la force de cette comparaison ; mais non pas, comme sa sœur l'avait espéré, pour la pousser maintenant à l'effort ; elle la sentait avec toute la douleur des reproches qu'elle s'adressait continuellement, – elle regrettait amèrement de n'avoir jamais tenté précédemment cet effort, mais cela n'amenait que la torture de la pénitence, sans l'espoir de l'amendement. Son esprit était tellement affaibli qu'elle s'imaginait encore que tout effort actuel était impossible, et c'est pourquoi elle n'en était que plus découragée.

Elles n'apprirent plus rien de nouveau, pendant un jour ou deux, des affaires de Harley Street et de Bartlett's Buildings. Bien qu'elles en connussent déjà suffisamment pour que Mrs. Jennings eût de quoi s'occuper à propager ce qu'elle savait, sans en rechercher davantage, celle-ci s'était résolue dès l'abord à faire une visite de consolation et de curiosité à ses cousines dès qu'elle le pourrait ; et seul l'empêchement d'un surcroît inhabituel de visiteurs l'avait retenue d'aller les voir avant ce délai.

Le troisième jour qui suivit celui où elles avaient appris les détails de l'affaire fut un dimanche si beau, si clément, qu'il attira une foule nombreuse aux Jardins de Kensington, bien qu'on ne fût que dans la seconde semaine de mars. Mrs. Jennings et Elinor furent de ce nombre ; mais Marianne, qui savait que les Willoughby étaient revenus à Londres, et qui redoutait constamment de les rencontrer, aima mieux rester à la maison que de s'aventurer dans un endroit aussi public.

Une connaissance intime de Mrs. Jennings se joignit à elles peu après qu'elles eurent pénétré dans les Jardins, et Elinor ne regretta pas qu'en continuant sa promenade avec elles, et en accaparant toute la conversation de Mrs. Jennings, elle lui permit de s'abandonner à ses calmes réflexions personnelles. Elle ne vit rien chez les Willoughby, ni chez Edward, ni, pendant quelque temps, chez personne, qui pût, par aucun hasard, sérieux ou gai, être de quelque intérêt pour elle. Mais elle se trouva enfin, non sans surprise, accostée par miss Steele, qui, bien qu'elle parût un peu intimidée, exprima une vive satisfaction à les rencontrer, et qui, y ayant été encouragée par l'amabilité spéciale de Mrs. Jennings, quitta pendant quelque temps son propre groupe pour se joindre au leur. Mrs. Jennings glissa immédiatement à l'oreille d'Elinor :

– Tirez-lui tous les détails, ma chérie. Elle vous dira tout, si vous l'interrogez. Vous comprenez, je ne peux pas lâcher Mrs. Clarke.

Heureusement, toutefois, pour la curiosité de Mrs. Jennings, ainsi que pour celle d'Elinor, elle était disposée à tout dire sans qu'on l'interrogeât ; car sinon, rien n'eût été appris.

– Comme je suis heureuse de vous rencontrer ! dit miss Steele, lui prenant familièrement le bras, car c'est vous, par-dessus tout au monde, que je désirais voir ; puis, baissant la voix : Mrs. Jennings a dû avoir connaissance de toute l'affaire ? Est-elle en colère ?

– Nullement, à ce que je crois, contre vous.

– Voilà une bonne chose. Et lady Middleton, est-elle irritée ?

– Je ne puis supposer possible qu'elle le soit.

– J'en suis joliment contente ! Grand Dieu ! Quels moments j'ai passés ! Je n'ai, de ma vie, vu Lucy dans une telle fureur. Elle a juré tout d'abord qu'elle ne me garnirait plus jamais un chapeau neuf, ni qu'elle ne ferait plus jamais rien pour moi, aussi longtemps qu'elle serait de ce monde ; mais maintenant, elle est complètement radoucie, et nous sommes aussi bonnes amies que jamais. Voyez, elle m'a fait ce nœud pour mon chapeau, et y a mis cette plume hier soir. Allons, bon ! Voilà que vous allez vous moquer de moi, vous aussi ! Mais pourquoi ne porterais-je pas des rubans roses ? Peu m'importe que ce soit la couleur préférée du docteur. Je suis bien sûre, que je n'aurais jamais su qu'il la préférait à toute autre teinte, s'il ne l'avait dit par hasard. Mes cousins m'en ont tellement fait voir ! – Parfois, je le déclare, je ne sais de quel côté me tourner, en leur présence.

Elle s'était égarée vers un sujet sur lequel Elinor n'avait rien à dire ; aussi jugea-t-elle bientôt expédient de revenir à celui du début.

– Enfin, miss Dashwood, – d'un ton triomphant, – on dira ce qu'on voudra de ce que Mr. Ferrars ait déclaré qu'il ne voulait pas de Lucy, car il n'y a rien de tel, je vous assure ; et il est absolument honteux que des ragots aussi malveillants soient colportés. Quoi que Lucy puisse en penser, vous savez que ce n'était pas l'affaire des autres de décréter cela comme une chose certaine.

– Je n'ai encore jamais entendu insinuer rien de semblable, je vous assure, dit Elinor.

– Oh, vraiment ? Mais cela a été dit, je le sais fort bien, et par plus d'une personne, car miss Godby a dit à miss Sparks que personne en possession de ses facultés ne pouvait s'attendre à ce que Mr. Ferrars renonce à une femme comme miss Morton, possédant une fortune de trente mille livres, pour Lucy Steele, qui n'a absolument rien ; et cela, je le tiens de miss Sparks elle-même. Et en outre, mon cousin Richard a dit lui-même que, quand viendrait le moment de la décision, il craignait bien que

Mr. Ferrars ne reprenne sa liberté ; et quand Edward est resté trois jours sans s'approcher de nous, je n'ai vraiment pas su moi-même que penser ; et je crois, au fond de mon cœur, que Lucy a cru que tout était perdu ; car nous sommes parties de chez votre frère mercredi, et nous ne l'avons vu de toute la journée de jeudi, de vendredi et de samedi, et nous ne savions pas ce qu'il était devenu. Un instant, Lucy a eu l'idée de lui écrire, mais alors sa fierté a regimbé. Quoi qu'il en soit, il est venu ce matin, juste au moment où nous rentrions de l'église ; et alors, nous avons tout su, – qu'on l'avait convoqué mercredi à Harley Street, qu'il avait été sermonné par sa mère et par eux tous, et qu'il avait déclaré devant eux tous qu'il n'aimait que Lucy, et qu'il n'épouserait que Lucy ; qu'il avait été tellement contrarié de ce qui s'était passé, qu'aussitôt sorti de chez sa mère il était monté sur son cheval et était parti quelque part à la campagne ; et qu'il avait passé toute la journée du jeudi et du vendredi dans une auberge, tout exprès pour se ressaisir. Puis, après avoir passé et repassé toute la chose en revue dans son esprit, il a dit qu'il lui semblait, maintenant qu'il était sans fortune, et n'avait plus rien, qu'il serait peu généreux de sa part de l'obliger, elle, à tenir sa parole, car ce serait une perte pour elle, puisqu'il n'avait que deux mille livres, et aucun espoir d'autre chose ; et que s'il entrait dans les ordres, comme il en avait vaguement l'idée, il ne pourrait obtenir qu'un poste de vicaire, et comment vivraient-ils de ce bénéfice ? Il ne pouvait supporter l'idée d'un si maigre avenir pour elle, et alors il l'a suppliée, si elle en avait le moindre désir, de mettre immédiatement fin à l'affaire, et de le laisser se débrouiller de son côté. Je l'ai entendu qui disait tout ça, aussi nettement qu'il est possible de l'entendre. Et c'est uniquement par amour pour *elle*, et par souci pour *elle*, qu'il a dit un mot au sujet de la reprise de sa liberté, – ce n'est pas du tout pour lui. Je suis prête à faire le serment qu'il n'a pas laissé tomber une syllabe disant qu'il en avait assez d'elle, ou qu'il désirait épouser miss Morton, ou rien de ce genre. Mais, bien sûr, Lucy n'a rien voulu entendre de ce ton ; alors, elle lui a dit tout de suite (avec force mots gentils, des « mon chéri » et des « mon amour » n'est-ce pas, et tout ce qui s'ensuit – Oh, mon Dieu, on ne peut pas répéter ces choses-là, n'est-ce pas) – elle lui a dit tout de suite qu'elle n'avait pas le moins du monde l'intention de reprendre sa liberté, car elle pouvait vivre avec lui avec un rien, et que, quelque peu de chose qu'il possède, elle serait très contente d'avoir le tout, n'est-ce pas, – ou quelque chose de ce genre. Et alors il a été joliment heureux, et ils ont continué à parler quelque temps de ce qu'ils allaient faire, et ils ont été d'accord pour qu'il entre tout de suite dans les ordres, et qu'il faudrait attendre, pour se marier, qu'il ait un bénéfice. Et juste à ce moment je n'ai pas pu en entendre davantage, car mon cousin m'a appelée d'en bas pour me dire que Mrs. Richardson était venue dans sa voiture, et emmènerait l'une de nous aux Jardins de Kensington ; alors j'ai été forcée d'entrer dans la pièce et de les interrompre, pour demander à Lucy si elle avait envie d'y aller, mais elle n'a pas voulu quitter Edward ; alors je me suis dépêchée de monter et de mettre une paire de bas de soie, et je suis sortie avec les Richardson.

– Je ne comprends pas ce que vous entendez par les interrompre, dit Elinor ; vous étiez tous ensemble dans la même pièce, n'est-ce pas ?

– Non pas ! Nous n'y étions pas, nous ! Voyons, miss Dashwood, pensez-vous donc qu'on se fait des déclarations d'amour quand il y a d'autres gens présents ? Oh, fi donc ! Assurément, vous devez savoir ce qu'il en est. (Riant avec affectation) – Non, non ; ils étaient enfermés ensemble au salon, et tout ce que j'ai entendu, ce n'a été qu'en écoutant à la porte.

– Comment ! s'écria Elinor ; vous m'avez répété ce que vous n'avez entendu qu'en écoutant à la porte ? Je regrette de ne pas l'avoir su plus tôt ; car je ne vous aurais certainement pas laissée me donner des détails d'une conversation que vous n'auriez pas dû connaître vous-même. Comment avez-vous pu vous conduire d'une façon aussi injuste envers votre sœur ?

– Oh, mais il n'y a pas de mal à ça ! Je me suis simplement tenue à la porte, et j'ai entendu ce que j'ai pu. Et je suis sûre que Lucy en aurait fait tout autant pour moi ; car, il y a un an ou deux, quand Martha Sharpe et moi avions ensemble tant de secrets, elle ne s'est jamais défendue de s'être cachée dans un cabinet, ou derrière une cheminée, tout exprès pour entendre ce que nous disions.

Elinor essaya de parler d'autre chose ; mais il fut impossible d'éloigner miss Steele, au-delà de deux minutes, de ce qui tenait la première place dans son esprit.

– Edward parle d'aller prochainement à Oxford, dit-elle, mais il loge présentement au n° –, Pall Mall. Quelle femme désagréable que sa mère, dites ? Et votre frère et votre sœur n'ont pas été bien aimables ! Enfin, ce n'est pas à vous que j'en dirai du mal ; et, assurément, ils nous ont bien renvoyées chez nous dans leur propre voiture, ce qui est plus que je n'en avais espéré. Et moi, j'avais une peur bleue que votre sœur ne nous redemande les trousses de couture qu'elle nous avait données un jour ou deux auparavant ; mais il n'en a pas été question, et j'ai pris soin de ne pas laisser voir la mienne. Edward a affaire à Oxford, dit-il, de sorte qu'il faut qu'il y aille pour quelque temps ; et après ça, aussitôt qu'il pourra mettre la main sur un évêque, il sera ordonné prêtre. Je me demande quel poste de vicaire il obtiendra ! Grand Dieu ! (avec un gloussement de rire), je donnerais ma tête à couper que je sais ce que diront mes cousins quand ils l'apprendront. Ils me diront qu'il faut que j'écrive au docteur, pour qu'Edward soit nommé vicaire dans sa nouvelle résidence. Je sais qu'ils diront ça ; mais assurément, je ne ferais pas une chose semblable, – non, pour rien au monde. Voyons ! leur dirai-je immédiatement, je me demande comment vous avez pu avoir une pareille idée. Moi, écrire au docteur, en vérité !

– Enfin, dit Elinor, il est réconfortant d'être préparé au pire. Vous avez votre réponse toute prête.

Miss Steele se disposait à répondre sur le même sujet, mais l'approche de son groupe en rendit un autre plus nécessaire.

– Oh, là là ! Voici les Richardson qui viennent. J'avais encore un tas de choses à vous dire, mais il ne faut pas que je reste plus longtemps à l'écart. Je vous assure que ce sont des gens fort distingués. Il gagne, lui, des sommes folles, et ils ont leur voiture à eux. Je n'ai pas le temps d'en parler moi-même à Mrs. Jennings, mais je vous prie de lui dire que je suis très heureuse d'apprendre qu'elle ne nous en veut pas, et qu'il en est de même de lady Middleton ; et s'il arrivait quelque chose qui vous éloigne, vous et votre sœur, nous serions bien contentes, assurément, de venir nous installer chez elle aussi longtemps qu'il lui plairait. Je suppose que lady Middleton ne nous invitera plus cette fois-ci. Au revoir ; je regrette que miss Marianne n'ait pas été là. Rappelez-moi à son bon souvenir. Oh ! Mais je vois que vous avez mis votre plus belle robe de mousseline à pois !... Je m'étonne que vous n'ayez pas eu peur qu'on ne vous la déchire.

Telle fut sa préoccupation finale ; car après cela elle n'eut plus que le temps de présenter ses compliments d'adieu à Mrs. Jennings, avant que Mrs. Richardson ne réclamât sa présence ; et Elinor resta en possession de renseignements qui pouvaient alimenter quelque temps ses facultés de réflexion, bien qu'elle n'eût appris que fort peu de chose de plus qu'elle n'eût déjà prévu et projeté par avance dans son propre esprit. Le mariage d'Edward et de Lucy était aussi fermement résolu, et l'époque de sa consommation demeurait aussi totalement incertain, qu'elle avait conclu qu'il le serait ; tout dépendait, exactement comme elle s'y était attendue, de sa nomination à un bénéfice, dont il semblait qu'il n'y eût présentement la moindre chance.

Aussitôt qu'elles revinrent à la voiture, Mrs. Jennings fut impatiente de nouvelles ; mais comme Elinor désirait répandre aussi peu que possible des renseignements qui avaient été, à l'origine, obtenus d'une façon si peu honnête, elle se borna à la brève répétition de détails simples dont elle se sentait assurée que Lucy, pour l'amour de sa propre importance, verrait d'un bon œil la propagation. Elle se contenta de lui annoncer que leurs fiançailles se poursuivaient, et quels moyens devaient être mis en œuvre pour les mener à bonne fin ; et ces nouvelles arrachèrent à Mrs. Jennings cette remarque fort naturelle :

– Attendre qu'il ait un bénéfice ! Oui, nous savons tous comment cela finira. Ils attendront un an, et, voyant qu'il n'en résulte rien de bon, ils s'établiront dans un poste de vicaire à cinquante livres par an, avec les intérêts de ses deux mille livres, et le peu que Mr. Steele et Mr. Pratt pourront lui donner, à elle. Et puis, ils auront un enfant tous les ans ! Et le Seigneur leur vienne en aide ! Comme ils seront pauvres !... Il faudra que je voie ce que je pourrai leur donner pour les aider à meubler leur maison. Deux bonnes et deux domestiques, en vérité, – comme j'en parlais l'autre jour ! Non, non, il leur faudra une forte fille à tout faire. La sœur de Betty ne fera jamais leur affaire, à présent !

Le lendemain matin apporta à Elinor une lettre, par la poste à deux pence, de Lucy elle-même. Elle était ainsi conçue :

« Bartlett's Buildings, *Mars*.

« J'espère que ma chère miss Dashwood excusera la liberté que je prends, de lui écrire ; mais je sais que votre amitié pour moi, vous rendra agréable d'apprendre d'aussi bonnes nouvelles de moi et de mon cher Edward, après toutes les contrariétés que nous avons récemment subies ; aussi, je ne m'excuserai pas plus longuement, mais je poursuis en vous disant que – Dieu en soit loué ! – bien que nous ayons tous les deux affreusement souffert, nous allons très bien à présent, et que nous sommes aussi heureux qu'il faudra que nous le soyons toujours dans notre amour mutuel. Nous avons eu de lourdes épreuves et de cruelles persécutions, mais en même temps, nous nous reconnaissons avec gratitude beaucoup d'amis, parmi lesquels vous n'êtes pas la moindre, dont je me rappellerai toujours avec reconnaissance la grande bonté, comme le fera aussi Edward, à qui j'en ai fait part, comme, je suis sûre, vous serez heureuse de l'apprendre, – et de même la chère Mrs. Jennings. J'ai passé deux heures heureuses avec lui hier après-midi ; il n'a pas voulu entendre parler de nous séparer, bien, que je l'y aie poussé fort sérieusement, comme j'ai cru de mon devoir de le faire par prudence, et j'étais prête à me séparer de lui à tout jamais sur-le-champ, s'il y consentait ; mais il a dit que cela ne se ferait jamais, qu'il comptait pour rien la colère de sa mère, tant qu'il pouvait conserver mon affection ; – nos perspectives d'avenir ne sont pas fort brillantes, assurément, mais il faut que nous attendions, en espérant pour le mieux ; il va être ordonné prêtre sous peu, et s'il était jamais en votre pouvoir de le recommander à quelqu'un qui aurait un bénéfice à pourvoir, je suis sûre que vous ne nous oublierez pas, et la chère Mrs. Jennings aussi, je compte qu'elle glissera une bonne parole pour nous auprès de Sir John, ou de Mr. Palmer, ou de n'importe quel ami qui pourra nous aider. Cette pauvre Anne mérite bien des reproches pour ce qu'elle a fait, mais elle a agi pour le mieux, de sorte que je ne dis rien ; j'espère que Mrs. Jennings ne trouvera pas que ce serait trop de dérangement de venir nous voir, si elle passait par ici un de ces matins ; ce serait une grande amabilité, et mes cousins seraient fiers de faire sa connaissance. Mon papier me rappelle qu'il faut que je termine, et, en vous priant de me rappeler avec beaucoup de reconnaissance et de respect à son souvenir, ainsi qu'à celui de Sir John et de lady Middleton, et de leurs chers enfants, quand vous aurez l'occasion de les voir, et avec mon souvenir affectueux pour miss Marianne, je vous prie, etc., etc. »

Dès qu'Elinor en eut achevé la lecture, elle effectua ce qu'elle supposait être le véritable dessein de l'épistolière, en mettant la lettre entre les mains de Mrs. Jennings, qui la lut à haute voix avec force commentaires de satisfaction et de louanges.

– Très bien, en vérité ! Comme elle écrit joliment ! Oui, ç'a été fort convenable, de lui rendre sa liberté s'il l'avait voulu. Ça, c'est bien du Lucy ! Pauvre âme ! Je voudrais bien, de tout cœur, lui procurer un bénéfice. Elle m'appelle chère Mrs. Jennings, vous voyez. C'est bien la meilleure fille qui ait jamais existé ! – Très bien, sur ma parole ! Cette phrase est fort joliment tournée ! Oui, oui, j'irai la voir, certainement. Comme elle est pleine d'attentions, de penser à tout le monde ! Merci, ma chérie, de me l'avoir montrée. C'est bien la lettre la plus gentille que j'aie jamais vue, et elle est tout à l'honneur de la tête et du cœur de Lucy.

XXXIX

Il y avait maintenant un peu plus de deux mois que les demoiselles Dashwood étaient à Londres, et l'impatience de Marianne, à en partir, s'accroissait de jour en jour. Elle soupirait après l'air, la liberté, le calme de la campagne, et s'imaginait que si un endroit quelconque pouvait lui apporter de l'apaisement, ce devrait être Barton. Elinor était à peine moins impatiente qu'elle au sujet de leur départ, et si elle était moins portée à ce qu'il s'effectuât immédiatement, cela tenait uniquement à ce qu'elle se rendait compte des difficultés d'un si long voyage, qu'on ne pouvait amener Marianne à reconnaître. Elle commença néanmoins à se préoccuper sérieusement de sa réalisation, et avait déjà fait part de leurs désirs à leur aimable hôtesse, qui y résistait avec toute l'éloquence de sa bonne volonté, lorsqu'un projet se présenta, qui, bien qu'il les retînt hors de chez elles pendant quelques semaines encore, parut à Elinor être, d'une façon générale, beaucoup plus convenable que tout autre. Les Palmer devaient se rendre à Cleveland vers la fin de mars, pour les vacances de Pâques ; et Mrs. Jennings, ainsi que ses deux amies, reçut une invitation fort chaleureuse à les accompagner. Cela n'eût pas été suffisant en soi pour vaincre les scrupules de miss Dashwood ; mais l'invitation fut poussée avec tant de politesse sincère par Mr. Palmer, – dont les façons à leur égard s'étaient fort amendées depuis qu'on savait que Marianne était malheureuse, – qu'elle fut amenée à l'accepter avec plaisir.

Quand elle fit part à Marianne de ce qu'elle avait fait, sa première réponse ne fut pas fort encourageante.

– Cleveland ! s'écria-t-elle, en proie à une vive agitation. Non, je ne veux pas aller à Cleveland.

– Tu oublies, dit doucement Elinor, que sa situation n'est pas... que Cleveland n'est pas au voisinage de...

– Mais c'est dans le Somersetshire. Je ne peux pas aller dans le Somersetshire ! Là, où j'avais pensé aller... Non, Elinor, tu ne peux pas me demander d'y aller.

Elinor se refusa à entamer une discussion pour savoir s'il convenait de surmonter ces sentiments ; elle s'efforça simplement de réagir contre eux en s'adressant à des sentiments différents, et présenta, en conséquence, la chose, comme une mesure qui préciserait l'époque de son retour à cette mère chérie qu'elle désirait tant revoir, d'une façon plus convenable et plus confortable que ne le pourrait faire aucun autre projet, et peut-être sans plus de délai. De Cleveland, qui était à quelques milles de Bristol, la distance à Barton ne dépassait pas une journée de voyage, encore que ce fût une longue journée ; et le domestique de sa mère pourrait facilement s'y rendre pour les accompagner jusque chez elles ; et comme il ne pouvait y avoir aucune raison pour qu'elles restassent plus de huit jours à Cleveland, elles pourraient à présent être de retour à la maison dans un peu plus de trois semaines. Comme l'affection de Marianne pour sa mère était sincère, elle ne manqua pas de triompher, sans grande difficulté, du mal imaginaire que la jeune fille avait mis en branle.

Mrs. Jennings était si loin d'être lasse de ses invitées, qu'elle insista très vivement auprès d'elles pour qu'elles revinssent avec elle de Cleveland à Londres. Elinor lui sut gré de cette attention, qui ne put, toutefois, modifier leur projet ; et l'assentiment de leur mère ayant été obtenu sans difficulté, tout ce qui avait trait à leur retour fut préparé dans la mesure où il pouvait l'être ; et Marianne trouva quelque soulagement en dressant une liste des heures qui devaient encore la séparer de Barton.

– Ah, mon Colonel, je ne sais pas ce que nous ferons, vous et moi, sans les demoiselles Dashwood, – ce fut ainsi que Mrs. Jennings l'accueillit la première fois qu'il vint la voir après que leur départ eut été réglé, – car elles sont absolument décidées à rentrer chez elles en quittant les Palmer ; et comme nous serons désolés quand je reviendrai ! Seigneur ! Nous resterons là à nous contempler, la bouche ouverte, mornes comme deux chats !

Peut-être Mrs. Jennings avait-elle l'espoir, grâce à cette esquisse vigoureuse de l'ennui qui les attendait, de le pousser à faire cette offre qui lui permettrait, à lui, d'y échapper, et, dans ce cas, elle eut bientôt une bonne raison de croire qu'elle avait atteint son but ; car, Elinor s'étant approchée de la fenêtre pour prendre plus commodément les dimensions d'une estampe qu'elle se proposait de copier pour une amie, il l'y suivit avec un regard particulièrement significatif, et y conversa avec elle pendant plusieurs minutes. L'effet de ses paroles sur la personne ne put pas, non plus, échapper à son attention ; car bien qu'elle fût trop honorable pour écouter, et qu'elle eût même échangé son siège exprès pour ne pouvoir entendre, contre un autre à proximité du pianoforte sur lequel Marianne était en train de jouer, elle ne put s'empêcher de voir qu'Elinor changeait de couleur, qu'elle était en proie à une agitation, et prêtait trop d'attention à ce qu'il disait pour pouvoir poursuivre son occupation. Confirmant encore davantage ses espérances, pendant l'intervalle de silence au cours duquel Marianne passa d'une leçon à une autre, quelques paroles du colonel parvinrent inévitablement à son oreille, paroles au moyen desquelles il semblait s'excuser de l'insuffisance de sa maison. Voilà qui mettait l'affaire hors de doute. Elle s'étonna, en vérité, de ce qu'il crût nécessaire de parler ainsi, mais supposa que ce devait être là l'étiquette convenable. Ce qu'Elinor avait répondu, elle n'avait pas pu le distinguer, mais elle jugea, d'après les mouvements de ses lèvres, qu'elle ne considérait pas cela comme une objection sérieuse ; et Mrs. Jennings la félicita, en son cœur, d'être aussi honnête. Puis ils continuèrent à causer ensemble quelques minutes sans qu'elle pût percevoir une syllabe de leur entretien, lorsqu'un nouveau silence heureux dans le jeu de Marianne lui apporta ces paroles, prononcées de la voix calme du colonel :

– Je crains qu'il ne puisse avoir lieu de sitôt.

Étonnée et scandalisée d'un discours aussi peu digne d'un amoureux, elle se disposait presque à s'écrier : « Seigneur ! Qu'est-ce donc qui l'empêcherait ? », – mais, refrénant son désir, elle se borna à cette exclamation silencieuse :

– Voilà qui est fort étrange ! Il n'a tout de même pas besoin d'attendre d'être plus vieux !

Toutefois, ce délai de la part du colonel ne parut pas mortifier ni froisser le moins du monde sa belle compagne, car lorsque leur conférence se termina, peu de temps après, et qu'ils allèrent chacun de son côté, Mrs. Jennings entendit très nettement Elinor qui disait, – et d'une voix qui prouvait qu'elle le ressentait effectivement :

– Je me considérerai toujours comme votre grandement obligée.

Mrs. Jennings fut ravie de sa gratitude, et s'étonna seulement de ce qu'après avoir entendu une phrase pareille, le colonel pût prendre congé d'elles, comme il le fit aussitôt, avec le plus grand sang-froid, et partir sans lui avoir adressé aucune réponse ! Elle n'aurait pas cru que son vieil ami pût être un soupirant aussi indifférent.

Ce qui s'était réellement passé entre eux, le voici :

– J'ai appris, dit-il, avec beaucoup de compassion, l'injustice que votre ami Mr. Ferrars a subie de la part de sa famille ; car, si je comprends bien la chose, il a été complètement rejeté, par eux, pour avoir persévéré dans la promesse de mariage qu'il avait faite à une jeune femme fort méritante. Ai-je été correctement renseigné ? Est-ce bien cela ?

Elinor lui confirma qu'il en était ainsi.

– La cruauté, la cruauté bien peu politique, répondit-il avec beaucoup d'émotion, qu'il y a, à séparer, ou à tenter de séparer, deux jeunes gens qui s'aiment mutuellement, est terrible ; Mrs. Ferrars ne sait pas ce qu'elle est peut-être en train de faire, – à quoi elle pourra pousser son fils. J'ai vu deux ou trois fois Mr. Edward Ferrars, dans Harley Street, et il m'a beaucoup plu. Ce n'est pas un jeune homme qu'on puisse connaître intimement en peu de temps, mais ce que j'ai vu de lui me suffit pour lui vouloir du bien, pour lui-même, et, comme il est de vos amis, je le désire encore davantage. Je crois comprendre qu'il a l'intention d'entrer dans les ordres. Voulez-vous avoir l'amabilité de lui dire que le bénéfice de Delaford, qui se trouve précisément vacant, comme je viens d'en être informé par la poste d'aujourd'hui, est à sa disposition, s'il le juge digne de son acceptation ; – mais cela, étant données les circonstances malheureuses dans lesquelles il se trouve présentement, il est peut-être stupide de paraître en douter ; je regrette seulement que le poste ne soit pas plus rémunérateur. C'est une cure[1], mais elle est petite ; le dernier titulaire,

---

[1] Le terme anglais est « rectory » : c'est une cure à laquelle est rattachée, outre le bénéfice proprement dit, la perception

277

me semble-t-il, ne se faisait pas plus de deux cents livres par an, et bien qu'elle soit certainement susceptible d'amélioration, je crains que ce ne soit pas dans une mesure telle qu'elle lui fournisse un revenu bien confortable. Telle qu'elle est, toutefois, j'aurai très grand plaisir à l'en désigner comme titulaire. Veuillez, je vous prie, lui en donner l'assurance.

L'étonnement d'Elinor en se voyant chargée de cette commission n'eût guère pu être plus grand si le Colonel lui avait effectivement fait l'offre de sa main. La nomination que, deux jours seulement auparavant, elle avait considérée comme une chose sans espoir pour Edward, était déjà trouvée, pour lui permettre de se marier ; et c'était elle, parmi toutes les personnes au monde, qui avait mission de la lui conférer ! Son émotion fut telle que Mrs. Jennings l'attribua à une cause toute différente ; mais, quels que pussent être les sentiments mineurs moins purs, moins agréables, qui avaient une part dans cette émotion, son estime pour la bienveillance générale, et sa gratitude envers l'amitié particulière, qui s'unissaient pour pousser le colonel Brandon à cet acte, furent vigoureusement ressentis, et chaleureusement exprimées. Elle l'en remercia de tout son cœur, parla des principes et du caractère d'Edward avec les termes élogieux qu'elle les savait mériter, et promit de s'acquitter de la commission avec plaisir, s'il avait réellement le désir de s'en remettre à autrui pour un office aussi agréable. Mais, en même temps, elle ne put s'empêcher de penser que personne ne le ferait aussi bien que lui. C'était une mission, en un mot, dont, peu désireuse de causer à Edward la peine de recevoir d'elle un bienfait, elle eût été très contente de n'être pas chargée ; mais comme le colonel Brandon, pour des motifs d'une égale délicatesse, s'en défendait de son côté, et semblait néanmoins désireux qu'il fût conféré par l'entremise d'Elinor, elle ne voulut en aucune façon prolonger son opposition. Edward, croyait-elle, était encore à Londres, et, heureusement, elle avait appris son adresse, que lui avait indiquée miss Steele. Elle pouvait donc entreprendre de l'aviser dans le courant de la journée. Après que cela eut été convenu, le colonel Brandon se mit à parler de l'avantage qu'il trouverait, de son côté, à s'assurer un voisin aussi respectable et aussi

---

d'une dîme. *(N. du Tr.)*

agréable ; et c'est alors qu'il mentionna avec regret, que la maison était petite et quelconque ; défaut dont Elinor, comme l'avait supposé Mrs. Jennings, ne fit que fort peu de cas.

– Je ne puis m'imaginer, dit-elle, que l'exiguïté de la maison les gêne en quoi que ce soit, car elle sera proportionnée à leur famille et à leur revenu.

Par quoi le Colonel fut surpris de constater qu'elle considérait leur mariage comme la conséquence certaine de la nomination d'Edward ; car il ne supposait pas possible que le bénéfice de Delaford pût fournir à quiconque, habitué à leur genre de vie, un revenu suffisant pour qu'il s'aventurât à s'établir en ménage, – et il le dit.

– Cette petite cure ne pourra rien de plus que permettre à Mr. Ferrars de vivre confortablement en célibataire ; elle ne lui donnera pas la possibilité de se marier. Je regrette de dire que mon patronage s'arrête là ; et mes intérêts n'y sont guère plus étendus. Si, toutefois, par quelque hasard imprévu, il était en mon pouvoir de l'aider davantage, il faudra vraiment que j'aie considérablement changé d'opinion sur lui, si je ne suis pas aussi disposé à lui être utile à ce moment-là que je voudrais sincèrement pouvoir le faire maintenant. Ce que je fais à présent, en vérité, ne semble rien du tout, puisque cela ne peut que l'avancer si peu vers ce qui doit être, l'objet principal, – le seul – de son bonheur. Son mariage devra encore demeurer un bien lointain ; – du moins, je crains qu'il ne puisse avoir lieu de sitôt.

Telle était la phrase qui, mal comprise, avait à si juste titre offensé les sentiments délicats de Mrs. Jennings ; mais après cette narration de l'entretien réel entre le colonel Brandon et Elinor, tel qu'il avait eu lieu lorsqu'ils s'étaient tenus auprès de la fenêtre, la gratitude exprimée par celle-ci lorsqu'ils se séparèrent pourra peut-être sembler, d'une façon générale, suscitée non moins raisonnablement, et non moins exprimée, que si elle avait été provoquée par une offre de mariage.

XL

– Eh bien, miss Dashwood, dit Mrs. Jennings, souriant d'un air sagace, aussitôt que le gentleman se fut retiré, je ne vous demande pas ce que le Colonel vous a dit ; car bien que, sur mon honneur, je me sois efforcée de rester hors de portée de voix, je n'ai pu m'empêcher d'en surprendre suffisamment pour comprendre ce qu'il voulait. Et je vous assure que je n'ai, de ma vie, été plus contente, et que je vous en souhaite bien du bonheur, du fond du cœur.

– Merci, madame, dit Elinor. C'est une affaire qui me cause beaucoup de joie ; et je suis très sensible à la bonté du colonel Brandon. Il n'y a pas beaucoup d'hommes qui agiraient comme il l'a fait. Peu de gens ont le cœur aussi compatissant ! Je n'ai, de ma vie, été aussi étonnée.

– Seigneur ! Ma chérie, vous êtes fort modeste ! Moi, je n'en suis pas étonnée le moins du monde, car je me suis souvent dit, dernièrement, qu'il n'y avait rien de plus probable.

– Vous en parlez d'après votre connaissance de la bienveillance générale du Colonel ; mais vous ne pouviez tout de même pas prévoir que l'occasion se présenterait si vite.

– L'occasion ! répéta Mrs. Jennings. Oh ! quant à ça, une fois qu'un homme s'est décidé à une chose pareille, il trouve bien vite une occasion, d'une manière ou d'une autre. Enfin, ma chérie, je vous en souhaite bien du bonheur, je le dis et le redis ! Et si jamais il y a eu au monde un couple heureux, je crois que je saurai bientôt où le dénicher.

– Vous avez l'intention d'aller les relancer à Delaford, sans doute, dit Elinor, souriant légèrement.

– Oui-da, ma chérie, comment donc ! Et pour ce qui est de la maison qui ne vaut rien, je ne sais pas où le Colonel voulait en venir, car elle vaut largement toutes celles que j'ai vues.

– Il disait qu'elle n'est pas en bon état d'entretien.

– Eh bien, à qui la faute ? Pourquoi ne la répare-t-il pas ? Qui donc le ferait, si ce n'est lui ?

Elles furent interrompues par l'entrée du domestique qui annonça que la voiture était avancée ; et Mrs. Jennings, se préparant aussitôt à sortir, dit :

– Eh bien, ma chérie, il faut que je m'en aille avant d'avoir épuisé la moitié de mon entretien. Mais nous pourrons y revenir bien à fond ce soir, car nous serons toutes seules. Je ne vous demande pas de m'accompagner, car je suppose que vous avez l'esprit trop préoccupé de l'affaire pour tenir à la compagnie ; et, en outre, vous devez brûler d'envie de raconter tout ça à votre sœur.

Marianne était sortie de la pièce avant que la conversation n'eût commencé.

– Certainement, madame, j'en parlerai à Marianne ; mais je n'en dirai mot, pour le moment, à nul autre.

– Oh, très bien, dit Mrs. Jennings, assez déçue. Alors, vous ne voulez pas que je le dise à Lucy, car je crois bien que je pousserai aujourd'hui jusqu'à Holborn.

– Non, madame, pas même à Lucy, si vous le voulez bien. Un jour de délai, cela n'aura pas grande importance ; et, tant que je n'aurai pas écrit à Mr. Ferrars, je crois qu'il convient de n'en parler à nulle autre personne. Je vais m'en occuper tout de suite. Il est important de ne pas perdre de temps, car il aura naturellement bien des choses à faire au sujet de son ordination.

Ces paroles intriguèrent d'abord extrêmement Mrs. Jennings. Elle fut incapable de comprendre, sur le moment, pourquoi il était urgent d'écrire à ce sujet à Mr. Ferrars. Quelques instants de réflexion, toutefois, suscitèrent une idée très heureuse, et elle s'écria :

– Oho ! Je vous comprends. C'est sur Mr. Ferrars qu'on a jeté son dévolu. Allons, tant mieux pour lui. Oui, assurément, il faut qu'il soit ordonné promptement ; et je suis très contente de constater que les choses en sont à ce point entre vous. Mais, ma chérie, est-ce que cette démarche n'est pas un peu insolite ? Le Colonel ne devrait-il pas écrire lui-même ! C'est assurément à lui que cela incombe.

Elinor ne comprit pas très bien le début de ce qu'avait dit Mrs. Jennings, mais elle estima inutile de demander des éclaircissements ; aussi ne répondit-elle qu'à sa conclusion.

– Le colonel Brandon est un homme si délicat, qu'il a préféré que ce fût un autre que lui-même qui annonçât ses intentions à Mr. Ferrars.

– De sorte que c'est vous qui êtes forcée de le faire. Enfin, voilà une drôle de délicatesse ! Quoi qu'il en soit, je ne veux pas vous déranger (voyant qu'elle se disposait à écrire). Vous êtes le meilleur juge de ce que vous avez à faire. Au revoir, donc, ma chérie. Je n'ai rien appris qui m'ait fait tant de plaisir depuis que Charlotte a accouché.

Et elle s'en alla là-dessus ; mais, revenant au bout d'un instant :

– Je viens de penser à la sœur de Betty, ma chérie. Je serais très contente de lui trouver une aussi bonne maîtresse. Mais ferait-elle l'affaire, comme femme de chambre ? – assurément, je n'en sais rien. C'est une servante excellente, et elle est très adroite de son aiguille. Enfin, vous réfléchirez à tout cela à loisir.

– Certainement, madame, répondit Elinor, sans entendre grand-chose à ce qu'elle disait, et plus désireuse de rester seule que d'en posséder le sujet.

Comment elle devait commencer, – comment elle devait s'exprimer dans son billet à Edward, telle était à présent sa seule préoccupation. Les circonstances spéciales de leurs relations transformaient en difficulté ce qui, pour toute autre personne, eût été la chose la plus facile du monde ; mais elle craignait également d'en dire trop ou de ne pas dire assez, et resta à méditer devant son papier, la plume à la main, jusqu'à ce qu'elle fût interrompue par l'entrée d'Edward lui-même.

Il avait rencontré Mrs. Jennings à la porte, tandis qu'elle se dirigeait vers sa voiture, alors qu'il était venu déposer sa carte pour prendre congé ; et, après s'être excusée de ne pas revenir chez elle, elle l'avait contraint d'entrer, en lui disant que miss Dashwood était là-haut, et désirait lui parler d'une affaire toute spéciale.

Elinor venait précisément de se féliciter, au milieu de sa perplexité, de ce que, quelque difficile qu'il fût de s'exprimer convenablement par lettre, cela valait mieux, du moins, que de le renseigner verbalement, lorsque son visiteur entra, pour l'obliger à cet effort, le plus considérable de tous. L'étonnement et la confusion de la jeune fille furent très vifs en le voyant apparaître aussi soudainement. Elle ne l'avait pas vu depuis que ses fiançailles étaient devenues publiques, et, partant, depuis qu'il savait qu'elle en eût connaissance, ce qui, joint à la conscience du tour qu'avaient pris ses réflexions, et de ce qu'elle avait à lui dire, lui causa, pendant quelques minutes, beaucoup d'inquiétude. Il se sentit fort affligé, lui aussi, et ils s'assirent tous les deux dans un état d'embarras fort prometteur. Il fut incapable de se rappeler s'il s'était excusé auprès d'elle de son intrusion, à l'instant où il était entré dans la pièce ; mais, résolu à être à couvert, il fit ses excuses en due forme aussitôt qu'il put dire un mot, après avoir pris une chaise.

– Mrs. Jennings m'a dit, fit-il, que vous désiriez me parler, – c'est du moins ce que j'ai cru comprendre, – sinon, je n'aurais certes pas fait une telle irruption, chez vous ! Quoique, par ailleurs, j'eusse vivement regretté de quitter Londres sans vous voir, vous et votre sœur ; d'autant plus qu'il s'écoulera fort probablement quelque temps... il est peu vraisemblable que j'aie prochainement le plaisir de vous revoir. Je pars demain pour Oxford.

– Vous ne seriez pas parti, toutefois, dit Elinor, se ressaisissant, et résolue à en finir le plus tôt possible avec ce qu'elle redoutait tant, sans recevoir nos bons souhaits, même si nous n'avions pas pu vous les exprimer en personne. Mrs. Jennings avait parfaitement raison dans ce qu'elle a dit. J'ai une chose importante dont il faut que je vous donne connaissance, et que j'étais sur le point de vous communiquer sur le papier. Je suis chargée d'une mission fort agréable (en disant cela, sa respiration s'accéléra quelque peu). Le colonel Brandon, qui était ici il y a seulement dix minutes, m'a priée de vous dire que, comme il a cru comprendre que vous aviez l'intention d'entrer dans les ordres, il a grand plaisir à vous offrir la cure de Delaford, qui se trouve tout justement vacante, et regrette seulement qu'elle ne soit pas plus rémunératrice. Permettez-moi de vous féliciter d'avoir un ami aussi respectable et aussi bon juge d'autrui, et de m'associer à ses regrets de ce que ce bénéfice – il est d'environ deux cent cinquante livres par an – ne soit pas plus important, et de nature à mieux vous permettre... de nature à constituer autre chose qu'une convenance temporaire pour vous... de nature, en un mot, à assurer la réalisation de toutes vos perspectives de bonheur.

Ce qu'éprouva Edward, comme il était incapable de le dire lui-même, on ne saurait s'attendre à ce qu'un autre le dise pour lui. Son air exprimait tout l'étonnement que ne pouvait pas manquer de susciter une nouvelle aussi inattendue, une nouvelle aussi inouïe ; mais il ne put que prononcer ces trois mots :

– Le colonel Brandon !

– Oui, poursuivit Elinor, reprenant plus de résolution, sa tâche la plus difficile étant, pour une partie, accomplie ; le colonel Brandon entend donner ainsi une preuve de l'intérêt qu'il prend à ce qui s'est passé récemment, – à la situation cruelle dans laquelle vous a placée la conduite injustifiable de votre famille, – intérêt que nous partageons, j'en suis sûre, Marianne, moi-même, et tous vos amis ; et une preuve, également, de sa haute estime pour votre caractère en général, et de sa particulière approbation de votre attitude dans les circonstances présentes.

– Que le colonel Brandon me donne un bénéfice, – à moi ! Se peut-il que cela soit possible ?

– La méchanceté de votre propre famille fait que vous vous étonnez de trouver quelque part de l'amitié.

– Non, répondit-il, prenant soudain conscience de la réalité, non pas de la trouver chez vous ; car je ne puis ignorer que c'est à vous, à votre bonté, que je dois tout cela. Je le sens, – je l'exprimerais si je le pouvais, – mais, comme vous le savez bien, je ne suis pas orateur.

– Vous vous trompez fort. Je vous assure que vous le devez entièrement, ou du moins presque entièrement, à votre propre mérite, et au fait que le colonel Brandon l'ait discerné. Je n'y suis pour rien. Je ne savais même pas, avant d'avoir compris son dessein, que le bénéfice fût vacant ; et l'idée ne m'était jamais venue, qu'il pût avoir la disposition d'un bénéfice semblable. Comme il s'agit d'un de mes amis, d'un ami de ma famille, il se peut qu'il ait, – en vérité, j'en suis sûre – encore plus de plaisir à vous l'offrir ; mais, je vous en donne ma parole, vous ne devez rien à mes sollicitations.

La vérité obligeait Elinor à reconnaître quelque légère participation à cet acte ; mais, en même temps, elle désirait si peu apparaître comme bienfaitrice d'Edward, que c'est avec hésitation qu'elle le reconnaissait ; ce qui contribua probablement à fortifier dans l'esprit de celui-ci le soupçon qui y était récemment entré. Il resta quelques instants plongé dans une méditation profonde, après qu'Elinor eut cessé de parler ; enfin, comme si cela lui eût coûté quelque effort, il dit :

– Le colonel Brandon paraît être un homme de grande valeur et éminemment respectable. J'ai toujours entendu parler de lui comme tel, et votre frère, je le sais, l'a en haute estime. Il est incontestablement un homme de bon sens, et ses façons sont celles d'un gentleman parfait.

– Certes, répondit Elinor, je crois que vous constaterez, quand vous le connaîtrez mieux, qu'il est en tout point conforme à ce qu'on vous en a dit ; et comme vous allez être si proches voisins (car je crois comprendre que le presbytère est presque tout à côté du manoir), il est particulièrement important qu'il le soit effectivement.

Edward ne répondit rien ; mais lorsqu'elle eut détourné la tête, il lui lança un regard si grave, si sérieux, si vide de joie, qu'il semblait dire qu'il pourrait dorénavant désirer que la distance entre le presbytère et le manoir fût beaucoup plus grande.

– Le colonel Brandon, je crois, a son logement dans St. James's Street, dit-il, peu de temps après, en se levant de sa chaise.

Elinor lui indiqua le numéro de la maison.

– Il faut donc que je me hâte d'aller lui porter les remerciements que vous ne voulez pas me permettre de vous faire, et lui donner l'assurance qu'il a fait de moi un homme très... un homme extrêmement heureux.

Elinor n'offrit pas de le retenir davantage ; et ils se séparèrent, avec, chez elle, les assurances fort sincères de ses vœux incessants de bonheur dans tous les changements de situation qui pourraient lui échoir, et, chez lui, une tentative d'assurance réciproque, plutôt que le pouvoir de l'exprimer.

– Quand je le reverrai, se dit Elinor, au moment où la porte se refermait sur lui, ce sera comme mari de Lucy.

Et c'est avec cette agréable perspective qu'elle s'assit pour repasser en revue le passé, se rappeler les paroles, et essayer de comprendre tous les sentiments d'Edward ; et, bien entendu pour songer avec mécontentement aux siens propres.

Lorsque Mrs. Jennings rentra, bien qu'elle fût allée voir des gens qu'elle n'avait encore jamais vus, et au sujet desquels, en conséquence, elle devait avoir beaucoup de choses à dire, son esprit était tellement plus préoccupé de l'important secret en sa possession, que de toute autre chose, qu'elle y revint aussitôt qu'Elinor eut reparu.

– Eh bien, ma chérie, s'écria-t-elle, je vous ai envoyé le jeune homme ! N'ai-je pas bien fait ? Et je suppose que vous n'avez pas eu beaucoup de difficulté... que vous n'avez pas trouvé chez lui trop de répugnance à accepter votre proposition ?

– Non, madame ; cela n'était guère probable.

– Bon, et quand sera-t-il prêt ? Car il semble que tout en dépende.

– En vérité, dit Elinor, je m'y connais si peu, en formalités de ce genre, que je ne puis guère rien hasarder, quant au délai et à la préparation nécessaire ; mais je suppose que dans deux ou trois mois, son ordination pourra être achevée.

– Deux ou trois mois ! s'écria Mrs. Jennings. Grand Dieu ! ma chérie, comme vous en parlez avec calme ! Et le Colonel pourra-t-il attendre deux ou trois mois ? Saperlotte ! quant à moi, je sais bien que ça me ferait perdre toute patience ! Et, bien qu'on soit très content de faire une amabilité à ce pauvre Mr. Ferrars, je crois véritablement qu'il ne vaut pas la peine de l'attendre deux ou trois mois. Pour sûr, on pourrait trouver quelqu'un d'autre qui ferait aussi bien l'affaire, – quelqu'un qui soit déjà dans les ordres.

– Chère madame, dit Elinor, à quoi se peut-il que vous pensiez ? Voyons, le seul but du Colonel, c'est de rendre service à Mr. Ferrars.

– Dieu vous bénisse, ma chérie ! Vous ne voulez tout de même pas me persuader que le Colonel ne vous épouse que pour pouvoir donner dix guinées à Mr. Ferrars !

Le malentendu ne pouvait plus se prolonger ; et une explication eut lieu immédiatement, qui leur causa à toutes deux beaucoup d'amusement sur le moment, sans perte sensible de bonheur pour l'une ni l'autre, car Mrs. Jennings ne fit que troquer une forme de ravissement contre une autre, sans renoncer pour cela à son espoir de la première.

– Oui-da, le presbytère est tout petit, dit-elle, après que fut passé le premier bouillonnement de surprise et de satisfaction, et il se peut bien qu'il soit en mauvais état d'entretien ; mais songer qu'un homme s'excuse, comme je le croyais, d'une maison qui a, à ma connaissance, cinq pièces d'habitation au rez-de-chaussée, et qui, je crois bien que la femme de charge me l'a dit, peut recevoir quinze lits ! Et auprès de vous, encore, qui avez été habituée à habiter la maisonnette de Barton ! Ça m'a paru absolument ridicule ! Mais, ma chérie, il faudra que nous disions un mot au Colonel pour qu'il fasse quelque chose pour le presbytère, et qu'il le rende confortable pour eux, avant que Lucy ne s'y installe.

– Mais le colonel Brandon semble bien croire que ce bénéfice sera absolument insuffisant pour leur permettre de se marier.

– Le Colonel est un nigaud, ma chérie ; parce qu'il dispose lui-même de deux mille livres par an, il s'imagine que personne ne peut se marier avec un revenu moindre. Croyez-moi sur parole : si je suis encore de ce monde, je ferai une visite au presbytère de Delaford avant la Saint-Michel ; et, certes, je ne m'y rendrai pas si Lucy n'y est pas.

Elinor était loin de partager son opinion, quant à la probabilité qu'ils n'attendissent pas d'avoir un surcroît de ressources !

XLI

Edward, ayant présenté ses remerciements au colonel Brandon, alla retrouver Lucy, chargé de son bonheur ; et il en débordait à tel point, lorsqu'il arriva à Bartlett's Buildings, qu'elle fut en mesure d'assurer à Mrs. Jennings, qui retourna la voir le lendemain pour la féliciter, qu'elle ne l'avait jamais encore, de sa vie, vu si plein d'entrain.

Son propre bonheur et son propre entrain étaient, du moins, fort certains ; et elle s'associa de tout cœur à l'espoir, exprimé par Mrs. Jennings, de se retrouver tous bien confortablement installés au presbytère de Delaford avant la Saint-Michel. Elle se montra, en même temps, si éloignée de tout désir de dénier à Elinor tout le mérite qu'Edward tenait à lui reconnaître, qu'elle parla de son amitié pour l'un et l'autre avec l'ardeur la plus chargée de gratitude, qu'elle fut prête à avouer toutes les obligations qu'ils avaient tous les deux envers elle, et déclara sans ambages qu'elle ne serait jamais surprise d'aucun effort de la part de miss Dashwood, présent ou futur, en vue de leur bien, car elle la croyait capable de faire tout au monde pour ceux qu'elle prisait véritablement. Quant au colonel Brandon, elle était non seulement prête à le révérer à l'égal d'un saint, mais sincèrement désireuse qu'il fût traité comme tel dans toutes les questions d'ordre séculier ; désireuse que ses dîmes fussent relevées au maximum ; et secrètement résolue à disposer pour elle-même, à Delaford, dans toute la mesure où cela lui serait possible, de ses domestiques, de sa voiture, de ses vaches, et de sa volaille.

Il y avait, à présent, plus d'une semaine que John Dashwood était venu en visite à Berkeley Street, et comme, depuis cette époque, aucune d'entre elles ne s'était inquiétée de l'indisposition de sa femme, en dehors d'une seule demande de nouvelles verbale, Elinor commença à estimer nécessaire d'aller la voir. C'était là une obligation, toutefois, qui allait non seulement à l'encontre de sa propre inclination, mais qui n'était soutenue par aucun encouragement de la part de ses compagnes. Marianne, non contente de refuser catégoriquement de s'y rendre elle-même, s'employa vigoureusement à empêcher sa sœur d'y aller ; et Mrs. Jennings, bien que sa voiture fût toujours à la disposition d'Elinor, éprouvait une telle aversion pour Mrs. John Dashwood, que pas même sa curiosité de voir comment elle se comportait après la récente découverte, ni son vif désir de l'offenser en prenant la défense d'Edward, ne pouvaient surmonter sa répugnance à se retrouver en sa compagnie. En conséquence, Elinor se mit en route toute seule pour lui faire une visite, pour laquelle, en vérité, personne n'eût pu avoir moins de goût, et pour courir le risque d'un tête-à-tête avec une femme qu'aucune des autres n'avait autant de raison de détester.

Mrs. Dashwood n'était pas visible ; mais avant que la voiture eût pu s'éloigner de la maison, son mari sortit par hasard. Il exprima un vif plaisir à voir Elinor, lui dit qu'il avait précisément eu l'intention de se rendre à Berkeley Street, et, lui donnant l'assurance que Fanny serait très contente de la voir, l'invita à entrer.

Ils montèrent au salon ; il n'y avait personne.

– Fanny doit être dans sa chambre, dit-il ; j'irai la trouver tout à l'heure, car je suis sûr qu'elle n'aura pas la moindre objection à te voir, – bien au contraire, en vérité. Maintenant, tout particulièrement, il ne peut pas y avoir... mais, cependant, toi et Marianne, vous avez toujours été grandement choyées. Pourquoi Marianne n'a-t-elle pas voulu venir ?

Elinor l'excusa du mieux qu'elle put.

– Je ne suis pas fâché de te voir seule, répondit-il, car j'ai beaucoup de choses à te dire. Ce bénéfice du colonel Brandon, – se peut-il que ce soit vrai ? L'a-t-il réellement donné à Edward ? Je l'ai appris hier, par hasard, et je me disposais à aller te voir, exprès pour avoir de plus amples renseignements là-dessus.

– C'est parfaitement vrai. Le colonel Brandon a donné le bénéfice de Delaford à Edward.

– Vraiment ! Ma foi, voilà qui est fort étonnant ! Pas de parenté ! Aucun lien de famille entre eux ! Et à présent, – alors que les bénéfices se vendent à de tels prix !... Quelle était la valeur de celui-ci ?

– Environ deux cents livres par an.

– Fort bien ; et pour la collation suivante d'un bénéfice de cette valeur, – en supposant que le dernier titulaire ait été vieux et maladif, et prêt à l'abandonner sous peu, il aurait pu toucher... je suppose, quatorze cents livres. Et comment se fait-il qu'il n'ait pas réglé cette affaire avant le décès de cette personne ? Maintenant, en effet, il serait trop tard, pour le vendre ; mais un homme de l'intelligence du colonel Brandon ! Je m'étonne qu'il soit aussi imprévoyant sur un point d'un intérêt aussi commun, aussi naturel ! Enfin, je suis convaincu qu'il y a beaucoup d'incohérence dans presque tout caractère humain. Je suppose, toutefois – en rassemblant mes idées – que la chose doit probablement se présenter comme ceci : Edward ne doit conserver ce bénéfice que jusqu'au moment où la personne à qui le Colonel a réellement vendu la collation soit d'âge à le prendre. Oui, oui, c'est bien cela, tu peux en être sûre.

Mais Elinor le contesta de la façon la plus positive ; et en lui contant qu'elle avait elle-même été chargée de transmettre à Edward l'offre du colonel Brandon, et devait en conséquence, comprendre les conditions dans lesquelles le bénéfice était offert, elle l'obligea à se soumettre à son avis autorisé.

– C'est véritablement étonnant ! s'écria-t-il, après avoir entendu ce qu'elle avait dit. Quel a bien pu être le motif du Colonel ?

– Un motif fort simple, – rendre service à Mr. Ferrars.

– Enfin... Quoi que puisse être le colonel Brandon, Edward a bien de la chance ! Tu voudras bien, toutefois, ne pas parler de cette affaire à Fanny ; car bien que je lui en aie touché un mot, et qu'elle le supporte vaillamment, il ne lui sera pas agréable d'en entendre parler longuement.

Elinor eut quelque difficulté, à ce point de l'entretien, à se retenir de faire remarquer qu'elle estimait que Fanny eût pu supporter avec calme une acquisition de fortune pour son frère, alors que ni elle-même, ni son enfant, ne pouvaient aucunement s'en voir appauvris.

– Mrs. Ferrars, ajouta-t-il, baissant la voix pour lui donner le ton qui convenait à un sujet aussi important, n'en sait rien pour le moment, et je crois qu'il sera préférable de le lui cacher aussi longtemps que possible.

Quand le mariage aura lieu, je crains bien qu'il ne lui faille apprendre toute l'affaire.

– Mais pourquoi est-il nécessaire d'observer une telle prudence ? Bien qu'il ne faille pas supposer que Mrs. Ferrars puisse éprouver la moindre satisfaction à savoir que son fils possède de quoi vivre, – car cela doit être absolument hors de question, – pourquoi, néanmoins, serait-elle censée ressentir quoi que ce soit ? Elle en a fini avec son fils, elle l'a rejeté à jamais, et l'a également fait rejeter par tous ceux sur qui elle exerce quelque influence. À coup sûr, après avoir agi ainsi, on ne peut l'imaginer susceptible d'aucune impression de chagrin ou de joie à propos de lui, – elle ne peut s'intéresser à rien de ce qui lui arrive. Elle n'aurait pas la faiblesse de rejeter la consolation d'un enfant, tout en conservant l'inquiétude d'une mère !

– Ah, Elinor ! dit John, ton raisonnement est fort juste, mais il est fondé sur l'ignorance de la nature humaine. Quand le malencontreux mariage d'Edward aura lieu, tu peux y compter, sa mère y sera aussi sensible que si elle ne l'avait jamais répudié, et c'est pourquoi il faut lui cacher dans toute la mesure du possible toute circonstance susceptible d'accélérer cet événement affreux. Mrs. Ferrars ne pourra jamais oublier qu'Edward est son fils.

– Tu m'étonnes ; il me semble que, depuis le temps, cela a dû échapper presque totalement à sa mémoire.

– Tu es extrêmement injuste envers elle. Mrs. Ferrars est l'une des mères les plus affectueuses qui soient au monde.

Elinor se tut.

– Nous songeons maintenant, dit Mr. Dashwood, après un bref silence, à faire épouser miss Morton à *Robert*.

Elinor, souriant devant l'importance grave et décisive du ton de son frère, répondit avec calme :

– La dame, je le présume, n'a aucun choix à exercer, en cette affaire ?

– Choisir ! Que veux-tu dire ?

– Je veux dire simplement que je suppose, d'après ta façon de parler, qu'il doit être indifférent à miss Morton d'épouser Edward ou Robert.

– Certainement, il ne peut y avoir de différence ; car Robert sera maintenant considéré virtuellement comme le fils aîné ; et quant au reste, ils sont l'un et l'autre des jeunes gens fort agréables, – je ne sache pas que l'un soit supérieur à l'autre.

Elinor n'en dit pas davantage, et John garda également le silence pendant quelques instants. Ses réflexions se terminèrent ainsi :

– Il y a une chose, ma chère sœur, – lui prenant la main avec bonté, et parlant dans un chuchotement chargé d'effroi respectueux – dont je puis te donner l'assurance : et je le ferai, parce que je sais que cela devra t'être agréable. J'ai de bonnes raisons de croire – en vérité, je le tiens de la meilleure source, sinon je ne le répéterais pas, car sans cela, ce serait fort mal d'en dire quoi que ce soit – mais je le tiens de la meilleure source – non pas que je l'aie jamais entendu dire d'une façon précise à Mrs. Ferrars elle-même, mais sa fille l'a entendu, et c'est d'elle que je le tiens – bref, que, quelles que puissent être les objections à l'encontre d'une certaine... d'une certaine union – tu me comprends – elle lui eût été de beaucoup préférable, elle ne lui eût pas causé la contrariété que lui donne celle-ci. J'ai été extrêmement content d'apprendre que Mrs. Ferrars envisageait la chose sous ce jour-là, – circonstance flatteuse, n'est-ce pas, pour nous tous. C'eût été, sans comparaison, a-t-elle dit, des deux maux le moindre, et elle serait heureuse de n'avoir à transiger, à présent, pour rien de pire. Néanmoins, tout cela est absolument hors de question ; il n'y faut pas songer ni en parler ; quant à toute attache, n'est-ce pas – cela n'aurait jamais pu... – tout cela est fini. Mais j'ai pensé que je t'en dirais un mot, parce que je savais à quel point cela te ferait plaisir. Non pas que tu aies aucune cause de regret, ma chère Elinor. Il n'y a aucun doute que tu ne t'en tires extrêmement bien, – tout aussi bien, ou mieux, peut-être, tout compte fait. As-tu vu récemment le colonel Brandon ?

Elinor en avait entendu assez, sinon pour flatter sa vanité et accroître son importance à ses propres yeux, mais pour agiter ses nerfs et occuper son esprit ; et elle fut donc contente de se voir épargner la nécessité de répondre longuement elle-même, et le danger d'en apprendre davantage de la bouche de son frère, grâce à l'entrée de Mr. Robert Ferrars. Après quelques instants de bavardage, John Dashwood, se rappelant que Fanny n'avait pas encore été prévenue de la présence de sa sœur, quitta la pièce pour aller à sa recherche ; et Elinor eut l'occasion de faire plus ample connaissance avec Robert, qui, par la gaieté insouciante, l'heureuse suffisance, de ses façons, alors qu'il profitait d'un partage aussi injuste de l'amour et de la libéralité de sa mère, au préjudice de son frère banni, – partage qu'il n'avait gagné que par son propre genre de vie dissipée, jointe à la probité de ce frère, – confirmait pour elle l'opinion fort peu favorable qu'elle avait de sa tête et de son cœur.

À peine avaient-ils été deux minutes en tête à tête, qu'il se mit à parler d'Edward ; car il avait, lui aussi, eu vent du bénéfice, et était plein de curiosité indiscrète à ce sujet. Elinor lui en répéta les détails, comme elle les avait donnés à John, et leur effet sur Robert, bien que fort différent, ne fut pas moins marquant qu'il ne l'avait été sur lui. Il se mit à rire fort immodérément. L'idée qu'Edward fût prêtre, et habitât un petit presbytère, le divertit outre mesure ; et lorsque s'ajouta à cela le tableau fantaisiste d'Edward lisant les prières, vêtu d'un surplis blanc, et publiant les bans d'un mariage entre John Smith et Mary Brown[1], il fut incapable de rien concevoir de plus ridicule.

Elinor, tandis qu'elle attendait, silencieuse et pleine d'une gravité immuable, la fin d'une semblable hilarité stupide, ne put empêcher ses yeux de rester fixés sur lui, animés d'un regard qui exprimait tout le mépris qu'elle suscitait. Ce fut toutefois un regard fort judicieusement placé, car il la soulagea de ses propres sentiments, sans qu'il s'en rendît aucunement compte. Il fut rappelé de l'esprit à la sagesse, non pas par un reproche d'Elinor, mais par sa propre sensibilité.

– Nous avons beau traiter cela comme une plaisanterie, finit-il par dire, mais, sur mon âme, c'est une affaire très sérieuse. Pauvre Edward ! Il est ruiné à jamais. Je le regrette vivement, – car je sais qu'il a fort bon cœur ; il est aussi plein de bonnes intentions, peut-être bien, que

---

[1] Ce sont des noms tout à fait courants, équivalents, par exemple, à Paul Durand et Marie Dupont. (N. du Tr.)

quiconque au monde. Il ne faut pas que vous le jugiez, miss Dashwood, d'après le peu que vous en connaissez. Pauvre Edward ! Ses façons ne sont certes pas les plus heureuses qui soient. Mais nous ne naissons pas tous, n'est-ce pas, avec les mêmes facultés, – le même savoir-faire. Pauvre garçon ! Le voir parmi une bande d'étrangers, – voilà qui était, à coup sûr, assez pitoyable ! Mais, sur mon âme, je crois qu'il a autant de cœur que quiconque dans le royaume ; et je vous déclare et vous assure que je n'ai, de ma vie, été aussi scandalisé, que quand tout cela a éclaté au jour. Je ne pouvais pas y croire. Ma mère a été la première personne à m'en parler, et, saisi du sentiment qu'il m'incombait d'agir avec résolution, je lui ai dit immédiatement : « Chère madame, j'ignore ce que vous avez l'intention de faire à ce sujet, mais je dois dire que si Edward épouse effectivement cette jeune femme, je ne le reverrai plus jamais ! » Voilà ce que j'ai dit immédiatement, – j'étais, en vérité, exceptionnellement scandalisé ! Pauvre Edward ! Il s'est complètement perdu ! – il s'est exclu à jamais de toute société convenable !... Mais, comme je l'ai dit aussitôt à ma mère, je n'en suis nullement surpris ; d'après le genre d'éducation qu'il a reçue, c'est une chose à laquelle il fallait toujours s'attendre. Ma pauvre mère en a été à moitié folle.

– Avez-vous jamais vu la personne ?

– Oui, une fois ; pendant qu'elle était reçue dans cette maison. Je suis entré par hasard, pour dix minutes ; et je l'ai vue bien suffisamment. La simple campagnarde la plus gauche, sans style ni élégance, et presque sans beauté. Je me souviens parfaitement d'elle. Exactement le genre de jeune fille que je croirais susceptible d'attirer ce pauvre Edward. J'ai immédiatement offert, dès que ma mère m'eut conté l'affaire, de lui parler moi-même, et de la dissuader de ce mariage ; mais il était déjà trop tard, à ce que j'ai constaté, pour faire quoi que ce soit, car, malheureusement, je ne me suis pas trouvé là au début, et je n'en ai rien su jusqu'à ce que la rupture fût un fait accompli, alors que ce n'était plus mon rôle d'intervenir, n'est-ce pas. Si seulement j'en avais été informé quelques heures plus tôt, je crois qu'il est fort probable qu'on aurait pu combiner quelque chose. J'aurais certainement présenté la chose à Edward sous un jour fort vigoureux. « Mon cher, lui aurais-je dit, réfléchis donc à ce que tu fais. Tu contractes là une union fort honteuse, et telle que ta famille est unanime à la réprouver. » Bref, je ne puis m'empêcher de penser qu'on aurait pu trouver un moyen. Mais maintenant, tout cela vient trop tard. Il doit mourir de faim, n'est-ce pas : c'est certain ; absolument mourir de faim !

Il venait de régler ce point avec beaucoup de calme, lorsque l'arrivée de Mrs. John Dashwood mit fin à ce sujet. Mais bien qu'elle n'en parlât jamais en dehors de sa famille, Elinor en remarqua l'influence sur son esprit, dans ce quelque chose de semblable à la confusion de sa mère, avec quoi elle fit son entrée, et une tentative de cordialité dans son attitude envers elle. Elle alla même jusqu'à exprimer des regrets, en apprenant qu'Elinor et sa sœur devaient quitter Londres si prochainement, car elle avait espéré les voir davantage ; effort dans lequel son mari, qui l'accompagna dans la pièce, et demeura suspendu tout énamouré à ses paroles, sembla distinguer tout ce qu'il y avait de plus affectueux et d'aimable.

XLII

Une autre visite à Harley Street, visite brève pour prendre congé, au cours de laquelle Elinor reçut les félicitations de son frère, en raison de ce qu'elles se rendissent si près de Barton sans aucune dépense, et en raison de ce que le colonel Barton dût les suivre à Cleveland au bout d'un jour ou deux, compléta le commerce du frère et des sœurs à Londres ; et une vague invitation de la part de Fanny, à venir à Norland lorsque par hasard elles passeraient par là, – ce qui était bien la plus improbable de toutes choses – jointe à une assurance plus chaleureuse, quoique moins publique, de John à Elinor, de la promptitude avec laquelle il viendrait la voir à Delaford, fut tout ce qui laissait prévoir une rencontre à la campagne.

Cela l'amusa de noter que tous ses amis semblaient résolus à l'envoyer à Delaford, – localité où, entre toutes, elle aimerait le moins à se rendre, ou désirerait le moins résider, car non seulement ce lieu était considéré par son frère et par Mrs. Jennings comme son foyer futur, mais Lucy elle-même, lorsqu'elles se séparèrent, l'invita d'une façon pressante à l'y venir voir.

Dans les tout premiers jours d'avril, et de bon matin, les deux groupes de Hanover Square et de Berkeley Street entamèrent le voyage à partir de leurs demeures respectives, pour se rejoindre sur la route en un endroit convenu. Pour la commodité de Charlotte et de son enfant, ils devaient mettre plus de deux jours à effectuer le trajet, et Mr. Palmer, voyageant d'une façon plus rapide avec le colonel Brandon, devait les retrouver à Cleveland peu après leur arrivée.

Marianne, quelque rares qu'eussent été ses heures de bien-être à Londres, et quelque désireuse qu'elle eût été depuis longtemps de le quitter, fut incapable, le moment venu, de dire adieu, sans chagrin profond, à la maison dans laquelle elle avait pour la dernière fois goûté ces espoirs et cette confiance en Willoughby, qui étaient à présent éteints à jamais. Elle ne put non plus quitter sans verser d'abondantes larmes le lieu où restait Willoughby, occupé à de nouvelles obligations mondaines et à des projets nouveaux, auxquels elle ne pouvait participer.

La satisfaction d'Elinor au moment du départ fut plus positive. Elle n'avait point d'objet semblable sur lequel pussent se fixer ses pensées attardées, elle ne laissait derrière elle aucune créature dont elle pût éprouver un seul instant de regret à être séparée à jamais, elle était contente de se libérer de la persécution de l'amitié de Lucy, elle était reconnaissante d'emmener sa sœur sans que Willoughby l'eût revue depuis son mariage, et elle envisageait, pleine d'espoir, ce que quelques mois de vie paisible à Barton pourraient effectuer pour restaurer la tranquillité d'esprit de Marianne, et confirmer la sienne.

Leur voyage s'effectua sans encombre. Le second jour les amena dans le comté chéri, ou interdit, de Somerset, car c'est ainsi qu'y insistait tour à tour l'imagination de Marianne ; et dans la matinée du troisième jour elles arrivèrent à Cleveland.

Cleveland était une maison spacieuse, de construction moderne, située sur une pelouse en pente. Elle n'avait pas de parc, mais les jardins d'agrément étaient assez étendus ; et, comme toute autre résidence de même degré d'importance, elle possédait ses bosquets découverts, et sa promenade sous bois, plus touffue ; une route de gravier uni, contournant les boqueteaux, conduisait à la façade principale ; la pelouse était parsemée d'arbres ; la maison elle-même était sous la protection des sapins, des sorbiers, et des acacias, et un écran épais de toutes ces espèces réunies, mêlées de hauts peupliers de Lombardie, masquait les communs.

Marianne pénétra dans la maison, le cœur gonflé d'une émotion que lui donnait la conscience de n'être qu'à quatre-vingts milles de Barton, et à moins de trente de Combe Magna ; et avant qu'elle eût été cinq minutes dans ses murs, pendant que les autres étaient activement occupées à aider Charlotte à montrer son enfant à la femme de charge, elle en ressortit, se faufilant à travers les bosquets serpentants, qui commençaient tout juste à apparaître en beauté, pour gagner une éminence lointaine ; d'où, délaissant son temple grec, le regard de la jeune fille, parcourant une vaste étendue de campagne vers le sud-est, pouvait se poser avec amour sur la crête montagneuse la plus lointaine à l'horizon, et s'imaginer que, du haut de leurs sommets, on pouvait apercevoir Combe Magna.

C'est en de pareils moments de détresse précieuse, inestimable, qu'elle goûta, parmi les larmes de douleur cuisante, la joie d'être à Cleveland ; et, tandis qu'elle revenait à la maison par un circuit différent, sensible à tout le privilège heureux de la liberté rurale, de la possibilité d'errer d'un endroit à un autre dans une solitude libre et luxueuse, elle résolut de consacrer presque chacune des heures de chacune des journées qu'elle passerait chez les Palmer à se livrer à de pareilles randonnées solitaires.

Elle revint juste à temps pour se joindre aux autres au moment où elles quittaient la maison pour faire le tour des parties plus rapprochées ; et le reste de la matinée se passa facilement à errer par le potager, à examiner les efflorescences de ses murs, à écouter les lamentations du jardinier à propos des pucerons, à s'attarder dans la serre, où la perte de ses plantes préférées, imprudemment exposées, et piquées par la gelée tardive, suscita les rires de Charlotte, – et à visiter sa basse-cour, où, dans les espoirs déçus de sa fille de laiterie, à propos de poules abandonnant leur nid, ou volées par un renard, ou de la mort rapide d'une jeune couvée, elle trouva de nouvelles sources de gaieté.

La matinée était belle et sèche, et Marianne, dans ses projets de sorties qui l'occuperaient, n'avait pas compté sur un changement de temps au cours de leur séjour à Cleveland. Aussi fut-ce avec une profonde surprise qu'elle se trouva empêchée, par une pluie persistante, de faire une nouvelle sortie après le dîner. Elle avait compté faire une promenade au crépuscule, jusqu'au temple grec, et peut-être par tout le jardin, et une soirée simplement froide ou humide ne l'en eût pas retenue ; mais elle fut contrainte de reconnaître elle-même qu'une pluie vigoureuse et persistante n'était pas un temps sec ni agréable pour la marche.

Leur groupe était restreint, et les heures s'écoulèrent tranquillement. Mrs. Palmer avait son enfant, et Mrs. Jennings sa tapisserie ; elles parlèrent des amis qu'elles avaient laissés derrière elles, disposèrent les obligations mondaines de lady Middleton, et se demandèrent si Mr. Palmer et le colonel Brandon dépasseraient Reading ce soir-là. Elinor, quelque peu qu'elle s'y intéressât, se joignit à leur entretien, et Marianne, qui avait la spécialité, dans chaque maison, de trouver le chemin de la bibliothèque, quel que pût être le soin qu'apportait la famille, en général, à l'éviter, ne tarda pas à se procurer un livre.

Rien de ce que pouvait faire la bonne humeur constante et amicale, de la part de Mrs. Palmer, ne manqua pour qu'elles se sentissent les bienvenues. La franchise et la cordialité de ses façons rachetaient, et au-delà, ce manque de recueillement et d'élégance qui faisait qu'elle laissait souvent à désirer quant aux formes de la politesse ; son amabilité, que recommandait un visage aussi joli, était engageante ; sa sottise, quoique manifeste, était dénuée de vanité ; et Elinor eût pu lui pardonner toute chose, hormis son rire.

Les deux gentlemen arrivèrent le lendemain, pour participer à un dîner fort tardif, ce qui permit un élargissement agréable du groupe, et apporta une variété fort bienvenue à la conversation, qu'une longue matinée de la même pluie continue avait réduite à un niveau bien bas.

Elinor connaissait si peu Mr. Palmer, et avait vu, dans ce peu, tant de diversité dans la façon dont il les avait abordées, elle et sa sœur, qu'elle ne savait pas à quoi s'attendre de sa part au sein de sa propre famille. Elle trouva chez lui, toutefois, le parfait gentleman dans son attitude envers ses invitées, et ne le vit que de temps à autre discourtois envers sa femme et sa belle-mère ; elle constata qu'il était fort capable d'être un compagnon agréable, et qu'il n'était empêché de l'être toujours, que par une aptitude excessive à s'imaginer aussi supérieur aux gens en général qu'il devait sentir qu'il l'était par rapport à Mrs. Jennings et à Charlotte. Quant au reste de ses habitudes et de son caractère, ils n'étaient marqués, pour autant qu'Elinor put s'en rendre compte, d'aucun trait qui eût quoi que ce soit d'exceptionnel chez son sexe et son âge. Il était difficile pour la nourriture, incertain dans ses heures ; il aimait son enfant, bien qu'il affectât de le ravaler ; et gaspillait au billard les matinées qui auraient dû être consacrées aux affaires. Dans l'ensemble, toutefois, il lui plut mieux qu'elle ne s'y était attendue, et, au fond de son cœur, elle ne regretta pas qu'il lui fût impossible de l'apprécier davantage : elle ne regretta pas d'être poussée, par l'observation de son épicurisme, de son égoïsme, et de sa vanité, à revenir avec satisfaction au souvenir du caractère généreux, des goûts simples, et des sentiments modestes, d'Edward.

Quant à Edward, ou du moins à certaines choses qui le concernaient, elle en fut informée à présent par le colonel Brandon, qui était allé récemment dans le Dorsetshire, et qui, la traitant à la fois comme l'amie désintéressée de Mr. Ferrars, et comme une aimable confidente pour lui-même, lui parla longuement du presbytère de Delaford, en décrivit les imperfections, et lui dit ce qu'il avait l'intention de faire personnellement afin d'y remédier. L'attitude du Colonel en tout ceci, comme en toute autre chose, son plaisir visible à la retrouver après une absence de dix jours seulement, son empressement à causer avec elle, et la déférence qu'il marquait envers l'opinion de la jeune fille, pouvaient fort bien justifier Mrs. Jennings dans la conviction qu'elle avait de son attachement, et auraient suffi, peut-être, si Elinor n'avait pas continué à croire, comme elle l'avait fait dès l'abord, que Marianne était sa véritable préférée, à le lui faire soupçonner elle-même. Mais, en l'espèce, une idée de ce genre ne lui était pour ainsi dire jamais venue à l'esprit, sauf quand Mrs. Jennings la lui avait suggérée ; et elle ne pouvait s'empêcher de se croire la plus fine observatrice des deux : elle regardait les yeux du Colonel, tandis que Mrs. Jennings ne songeait qu'à son attitude ; et, alors que l'air de sollicitude inquiète du Colonel, lorsque Marianne ressentit à la tête et dans la gorge le début d'un gros rhume, échappa totalement à l'observation de cette dame, parce qu'il demeura inexprimé en paroles, elle sut y découvrir, elle, les sentiments rapides et les craintes superflues d'un amoureux.

Deux promenades délicieuses au crépuscule, le troisième et le quatrième soirs de son séjour, non pas simplement sur le gravier sec des bosquets, mais par tout le jardin, et surtout dans les parties les plus éloignées, où il y avait quelque chose de plus sauvage que dans les autres, où les arbres étaient les plus vieux, et l'herbe, la plus haute et la plus mouillée, avaient – jointes à l'imprudence encore plus grave d'avoir gardé ensuite ses chaussures et ses bas mouillés – donné à Marianne un rhume si violent que, quoiqu'il eût été dédaigné ou nié pendant un jour ou deux, il s'imposa, par des maux croissants, à l'inquiétude de tout le monde, et à sa propre attention. Les ordonnances plurent, de toutes provenances, et, comme d'habitude, elles furent toutes refusées. Bien qu'elle se sentît alourdie et fiévreuse, avec des douleurs dans tous les membres, une toux et un mal de gorge, une bonne nuit de repos devait la guérir complètement ;

et ce fut avec difficulté qu'Elinor la persuada, lorsqu'elle se mit au lit, d'essayer d'un ou deux des remèdes les plus simples.

XLIII

Marianne se leva le lendemain matin à son heure habituelle ; elle répondit à toutes les demandes qu'elle allait mieux, et essaya de prouver qu'il en était bien ainsi, en se livrant à ses occupations accoutumées. Mais une journée passée à grelotter devant le feu, un livre à la main, lasse et languissante, sur un canapé, ne témoigna pas éloquemment en faveur de l'amélioration de sa santé ; et lorsque, en fin de compte, elle alla se coucher de bonne heure, de plus en plus indisposée, le colonel Brandon s'étonna seulement du calme de sa sœur, qui, bien qu'elle l'eût soignée et dorlotée toute la journée, contrairement au désir de Marianne, et l'eût contrainte à prendre, pour la nuit, des médicaments appropriés, s'en remit, comme Marianne, à la certitude et à l'efficacité du sommeil, et ne ressentit aucune crainte sérieuse.

Une nuit fort agitée et fiévreuse déçut toutefois leur attente, à toutes deux ; et lorsque Marianne, après avoir persisté à se lever, s'avoua incapable de se redresser pour s'asseoir, et retourna volontairement au lit, Elinor fut toute disposée à adopter le conseil de Mrs. Jennings et à faire appeler l'apothicaire des Palmer.

Il vint, examina sa malade, et, tout en encourageant miss Dashwood à s'attendre à ce que quelques jours rétablissent la santé de sa sœur, causa une inquiétude immédiate à Mrs. Palmer pour son bébé, en déclarant que son mal avait une tendance infectieuse, et en laissant échapper de ses lèvres le mot « contagion ». Mrs. Jennings, qui avait été portée, dès le début, à trouver la maladie de Marianne plus sérieuse que ne l'avait cru Elinor, prit à présent un air fort grave après avoir entendu le rapport de Mr. Harris, et, confirmant les craintes et la prudence de Charlotte, insista vivement sur la nécessité du départ immédiat de celle-ci, avec l'enfant ; et Mr. Palmer, bien qu'il fît bon marché de leurs appréhensions, trouva l'inquiétude et l'importunité de sa femme trop fortes pour y résister. Son départ fut donc résolu ; et, moins d'une heure après l'arrivée de Mr.

Harris, elle partit, avec son petit garçon et la nourrice, pour la maison d'une proche parente de Mr. Palmer, qui habitait à quelques milles de l'autre côté de Bath, où son mari promit, sur sa prière instante, de la rejoindre au bout d'un jour ou deux ; et elle se montra presque aussi pressante envers sa mère pour qu'elle l'y accompagnât. Mais Mrs. Jennings, avec une bonté de cœur qui lui attira l'amour sincère d'Elinor, proclama sa résolution de ne pas bouger de Cleveland tant que Marianne serait encore malade, et de s'efforcer, par ses soins attentifs et personnels, de remplacer auprès d'elle la mère à qui elle l'avait enlevée. Et Elinor trouva en elle, en toute occasion, une aide pleine de bonne volonté et fort active, désireuse de prendre part à toutes ses fatigues, et souvent, grâce à sa plus grande expérience de la besogne d'infirmière, d'une réelle utilité.

La pauvre Marianne, languissante et abattue en raison de la nature de son mal, et se sentant gravement malade, ne pouvait plus espérer que le lendemain la verrait guérie ; et l'idée de ce que lendemain eût produit, n'eût été cette malencontreuse maladie, aggrava encore toutes ses souffrances ; car c'est ce jour-là qu'elles devaient commencer leur voyage de retour, et, accompagnées sur tout le trajet par un domestique de Mrs. Jennings, elles devaient prendre leur mère par surprise le lendemain dans la matinée. Le peu qu'elle dit fut consacré à des lamentations en raison de ce délai inévitable ; bien qu'Elinor essayât de ranimer son courage et de lui faire croire, comme elle le croyait réellement elle-même à ce moment, qu'il serait très court.

Le lendemain n'apporta que peu ou point de changement dans l'état de la malade ; elle n'allait certainement pas mieux, et, si ce n'est qu'il n'y eût pas d'amélioration, son mal ne paraissait pas avoir empiré. Leur groupe se trouva alors encore réduit ; car Mr. Palmer, bien qu'il lui répugnât fort de partir, autant par humanité et bienveillance réelles que parce qu'il lui déplaisait d'avoir l'air d'être chassé par la peur de sa femme, fut enfin autorisé par le colonel Brandon à mettre à exécution la promesse qu'il avait faite, de la suivre ; et pendant qu'il se préparait à partir, le colonel Brandon, au prix de beaucoup plus d'efforts, commença à parler de s'en aller, lui aussi. Là, toutefois, l'amabilité de Mrs. Jennings s'interposa de la façon la plus acceptable ; car renvoyer le Colonel alors que son amour était en proie à une telle inquiétude à cause de sa sœur, ce serait les priver l'un et l'autre, pensait-elle, de toute consolation ; c'est pourquoi elle lui dit immédiatement que sa présence à Cleveland lui était nécessaire, à elle, qu'elle aurait besoin de lui pour sa partie de piquet, le soir, pendant que miss Dashwood serait là-haut auprès de sa sœur, etc., et, le pressa si vivement de rester, que lui-même, qui exauçait le premier désir de son cœur en acceptant, ne put longtemps paraître seulement soulever des objections ; d'autant plus que la prière de Mrs. Jennings fut chaleureusement appuyée par Mr. Palmer, qui paraissait éprouver un soulagement personnel en laissant derrière lui une personne aussi capable d'assister ou de conseiller miss Dashwood en cas d'urgence.

Marianne fut, bien entendu, tenue dans l'ignorance de toutes ces dispositions. Elle ne sut pas qu'elle avait été le motif du renvoi des propriétaires de Cleveland environ sept jours après le moment de leur arrivée. Elle ne fut pas surprise de ne pas voir Mrs. Palmer ; et comme, par ailleurs, elle ne s'en inquiétait pas, elle ne prononça jamais son nom.

Deux jours s'écoulèrent à partir du départ de Mr. Palmer, et l'état de Marianne demeura le même, avec très peu de variation. Mr. Harris, qui venait la voir tous les jours, parlait encore bravement d'un prompt rétablissement, et miss Dashwood était également optimiste ; mais les perspectives des autres n'étaient nullement aussi riantes. Mrs. Jennings s'était persuadé, dès le début de la maladie, que Marianne ne s'en remettrait jamais, et le colonel Brandon, dont la principale utilité consistait à écouter les tristes pressentiments de Mrs. Jennings, n'était pas dans un état d'esprit susceptible de résister à leur influence. Il essaya de se raisonner afin de dissiper des craintes que le jugement différent de l'apothicaire semblait rendre absurdes ; mais les nombreuses heures de chacune de ses journées où il était complètement abandonné à lui-même n'étaient que trop favorables à la pénétration de toute idée mélancolique, et il fut incapable de chasser de son esprit la conviction selon laquelle il ne reverrait plus Marianne.

Le matin du troisième jour, toutefois, leurs sombres pronostics, à tous deux, furent presque dissipés ; car lorsque Mr. Harris arriva, il déclara que sa malade allait nettement mieux. Son pouls était beaucoup plus vigoureux, et tous les symptômes étaient plus favorables que lors de sa visite précédente. Elinor, confirmée dans tous ses espoirs agréables, fut toute gaieté ; elle se réjouit de ce que, dans ses lettres à sa mère, elle s'en fût tenue à son propre jugement, plutôt qu'à celui de son amie, et eût pris à la légère l'indisposition qui les retenait à Cleveland ; et elle fut près de préciser l'époque où Marianne serait en état de voyager.

Mais la journée ne se termina pas sous d'aussi bons auspices qu'elle avait commencé. Vers le soir, Marianne retomba malade, plus accablée, plus agitée, et plus mal à son aise, que précédemment. Sa sœur, pourtant, toujours confiante, était disposée à n'attribuer ce changement à rien de plus qu'à la fatigue de s'être assise pour qu'on lui refît son lit ; et, ayant administré avec soin les cordiaux prescrits, elle la vit enfin tomber dans un assoupissement dont elle espérait les effets les plus bienfaisants. Le sommeil de Marianne, bien qu'il ne fût pas aussi calme qu'Elinor eût désiré le voir, dura un temps considérable ; et, impatiente d'en observer elle-même les résultats, elle résolut de veiller auprès d'elle pendant toute sa durée. Mrs. Jennings, ne sachant rien d'un changement survenu chez la malade, alla se coucher exceptionnellement tôt ; sa femme de chambre, qui était l'une des infirmières principales, se récréait dans la chambre de la femme de charge, et Elinor resta seule auprès de Marianne.

Le repos de celle-ci devint de plus en plus troublé ; et sa sœur, qui suivait avec une attention ininterrompue ses changements continuels de posture, et écoutait les plaintes fréquentes mais inarticulées qui s'échappaient de ses lèvres, eut presque envie de l'arracher à un sommeil aussi douloureux, lorsque Marianne, soudain réveillée par quelque bruit accidentel dans la maison, se redressa en sursaut, et s'écria, d'une voix farouchement fébrile :

– Maman vient-elle ?

– Pas encore, répondit l'autre, dissimulant sa terreur, et aidant Marianne à se recoucher ; mais elle sera ici, je l'espère, avant longtemps. C'est un long trajet, vois-tu, d'ici à Barton.

– Mais il ne faut pas qu'elle fasse le détour par Londres, s'écria Marianne, du même ton empreint de hâte. Je ne la verrai jamais si elle va à Londres.

Elinor perçut avec effroi qu'elle n'avait pas tous ses esprits, et, tout en s'efforçant de la calmer, lui tâta avidement le pouls. Il était plus faible et plus rapide que jamais ; et comme Marianne continuait à parler follement de maman, l'effroi d'Elinor s'accrut si vite qu'elle résolut de faire appeler à l'instant Mr. Harris, et d'envoyer un messager à Barton pour ramener sa mère. Consulter avec le colonel Brandon quant au meilleur moyen de réaliser ce dernier projet, ce fut là une idée qui succéda immédiatement à la décision qu'elle avait prise, de l'effectuer ; et aussitôt qu'elle eut sonné pour appeler la servante qui devait la remplacer auprès de sa sœur, elle descendit bien vite dans la salle à manger, où elle savait qu'on pouvait généralement trouver le Colonel à une heure beaucoup plus avancée que la présente.

L'heure n'était pas aux hésitations. Elle lui exposa immédiatement ses craintes et ses difficultés. Quant à ses craintes, il manquait de courage et de confiance pour tenter de les dissiper : il les écouta avec un accablement silencieux ; mais ses difficultés, il y remédia à l'instant, car, avec un empressement qui semblait proclamer que l'occasion et le service étaient préparés par avance dans son esprit, il s'offrit à être le messager qui irait chercher Mrs. Dashwood. Elinor n'opposa point de résistance qui ne fût facile à vaincre. Elle le remercia avec une gratitude fervente, quoique brève, et, tandis qu'il allait dépêcher son domestique avec un message pour Mr. Harris, et une commande immédiate de chevaux de poste, elle écrivit quelques mots à sa mère.

Le réconfort, en cet instant, d'un ami comme le colonel Brandon, – d'un tel compagnon pour sa mère, – avec quelle gratitude elle en eut conscience ! – d'un compagnon dont le jugement la guiderait, dont la présence devait la soulager, et dont l'amitié pourrait l'apaiser ! – dans la mesure où le choc d'un semblable appel *pouvait* être amoindri pour elle, sa présence, ses façons, son assistance, l'amoindriraient en effet !

Quant à lui, cependant, quoi qu'il pût éprouver, il agit avec toute la fermeté d'un esprit recueilli, prit toutes les dispositions nécessaires de la façon la plus expéditive, et calcula avec exactitude le moment où elle pouvait s'attendre à son retour. Pas un instant ne fut perdu en délai d'aucune sorte. Les chevaux arrivèrent, plus tôt même qu'on ne l'espérait, et le colonel Brandon, se contentant de presser la main d'Elinor avec un regard empreint de solennité, et de lui dire quelques mots à voix trop basse pour qu'ils parvinssent à son oreille, se hâta de monter en voiture. Il était alors environ minuit, et elle retourna dans la chambre de sa sœur pour attendre l'arrivée de l'apothicaire, et veiller auprès d'elle le restant de la nuit. Ce fut une nuit de souffrances presque égales pour l'une et pour l'autre. Les heures succédèrent aux heures, dans une insomnie douloureuse et de délire, en ce qui concerne Marianne, et dans l'inquiétude la plus cruelle, quant à Elinor, avant que ne parût Mr. Harris. Les appréhensions d'Elinor, une fois suscitées, compensèrent, par leur excès, toute sa sécurité antérieure ; et la servante qui veillait avec elle, – car elle ne voulut pas qu'on appelât Mrs. Jennings, – ne fit que la tourmenter davantage, par ses insinuations de ce qu'avait toujours pensé sa maîtresse.

Les idées de Marianne étaient toujours, par intervalles, fixées d'une façon incohérente sur sa mère, et chaque fois qu'elle prononçait son nom, il occasionnait un tiraillement douloureux au cœur d'Elinor, qui, se reprochant d'avoir pris à la légère tant de journées de maladie, et malheureuse de ne pouvoir donner quelque soulagement, s'imaginait que tout apaisement risquait bientôt d'être vain, que tout avait été trop longtemps retardé, et se représentait sa mère douloureuse arrivant trop tard pour voir cette enfant bien aimée, ou pour la voir douée de sa raison.

Elle était sur le point de faire appeler de nouveau Mr. Harris, ou, s'il lui était impossible de venir, de chercher conseil par ailleurs, lorsqu'il arriva, – mais alors qu'il était déjà plus de cinq heures. Son avis, toutefois, racheta quelque peu son retard, car, bien qu'il reconnût chez sa malade un changement fort inattendu et désagréable, il ne voulut pas admettre que le danger fût considérable, et parla du soulagement que devait donner un nouveau mode de traitement, avec une confiance qui, à un degré moindre, se communiqua à Elinor. Il promit de revenir au bout de trois ou quatre heures, et quitta la malade et son infirmière soucieuse dans un état plus calme qu'il ne les avait trouvées.

Ce fut avec beaucoup d'inquiétude, et avec force reproches de ce qu'on ne l'eût pas appelée à la rescousse, que Mrs. Jennings apprit, le lendemain matin, ce qui s'était passé. Ses appréhensions primitives, ranimées à présent avec plus de raison, ne lui laissèrent nul doute quant à l'événement ; et bien qu'elle essayât de dire des paroles réconfortantes à

Elinor, la conviction qu'elle avait du danger de sa sœur ne lui permit pas d'offrir la consolation de l'espoir. Elle avait le cœur sincèrement meurtri. L'affaiblissement rapide, la mort prématurée, d'une fille aussi jeune, aussi ravissante, que Marianne, eût certes frappé d'anxiété une personne moins intéressée. Mais elle avait d'autres titres à la compassion de Mrs. Jennings. Elle avait été depuis trois mois sa compagne, elle était encore confiée à sa garde, et l'on savait qu'elle avait été gravement meurtrie, et depuis longtemps malheureuse. La détresse de sa sœur, aussi, – tout particulièrement sa préférée – était étalée à ses yeux ; et quant à leur mère, quand Mrs. Jennings songeait que Marianne pourrait probablement être pour elle ce qu'était Charlotte pour elle-même, elle éprouvait pour la douleur de Mrs. Dashwood une sympathie fort sincère.

Mr. Harris fut ponctuel dans sa seconde visite, – mais il vint pour être déçu dans ses espérances de ce que produirait la première. Les médicaments avaient échoué ; la fièvre n'était pas tombée ; et, Marianne, simplement plus calme, – mais non revenue à elle-même – demeurait dans une pesante stupeur. Elinor, à qui se communiquèrent à l'instant toutes ses craintes, et au-delà, proposa d'avoir recours à un autre consultant. Mais il le jugea superflu ; il avait encore quelque chose à essayer, quelque application nouvelle, en le succès de laquelle il avait autant confiance qu'en la précédente, et sa visite se termina sur des assurances encourageantes qui parvinrent à l'oreille de miss Dashwood, mais ne purent lui pénétrer dans le cœur. Elle resta calme, sauf quand elle songeait à sa mère, mais elle était presque privée d'espoir ; et elle continua dans cet état jusqu'à midi, ne quittant guère d'un pouce le lit de sa sœur, tandis que ses pensées erraient d'une image douloureuse, d'un ami souffrant, à un autre, et que son courage était oppressé au maximum par la conversation de Mrs. Jennings, qui ne se fit pas scrupule d'attribuer la gravité et le danger de cette attaque aux nombreuses semaines d'indisposition qu'avait entraînées la déception de Marianne. Elinor fut sensible à tout ce qu'avait de raisonnable cette idée, et ses réflexions en reçurent une amertume nouvelle.

Vers midi, cependant, elle commença – mais avec une prudence, une crainte des déceptions, qui pendant quelque temps la tint silencieuse, même envers son amie – à s'imaginer, à espérer qu'elle percevait une légère amélioration dans le pouls de sa sœur ; elle attendit, l'observa et l'examina mainte et mainte fois ; et enfin, avec une agitation plus difficile à enfouir sous son calme extérieur que toute sa détresse antérieure, elle se hasarda à communiquer ses espoirs. Mrs. Jennings, bien qu'elle fût contrainte de reconnaître, à l'examen, une reprise temporaire, essaya de retenir sa jeune amie de se laisser aller à croire qu'elle se prolongerait ; et Elinor, étudiant chacune de ses injonctions à la méfiance, s'ordonna de même de ne pas espérer. Mais il était trop tard. L'espoir était déjà entré en elle ; et, en ressentant tous les tressaillements inquiets, elle se pencha sur sa sœur pour guetter – elle savait à peine quoi. Une demi-heure s'écoula, et le symptôme favorable continuait à manifester sa bienfaisante présence. Il s'en présenta d'autres pour le confirmer. Son souffle, sa peau, ses lèvres, – tout flatta les yeux d'Elinor avec des indices de mieux, et Marianne fixa les yeux sur elle avec un regard de raison, quoique languissant. L'angoisse et l'espoir l'oppressèrent à présent à parts égales, et ne lui laissèrent nul moment de tranquillité jusqu'à l'arrivée de Mr. Harris, à quatre heures, – lorsque ses assurances, ses félicitations à l'occasion d'un rétablissement, chez sa sœur, qui dépassait même son attente, amenèrent chez elle la confiance, le réconfort, et des larmes de joie.

Marianne allait nettement mieux, sous tous les rapports, et il la déclara complètement hors de danger. Mrs. Jennings, peut-être satisfaite de la justification partielle de ses tristes pressentiments qui s'étaient trouvés vérifiés dans leurs craintes récentes, se laissa aller à se fier au jugement de Mr. Harris, et reconnut avec une joie non feinte, et bientôt avec une gaieté sans équivoque, la probabilité d'un rétablissement intégral.

Elinor ne pouvait pas être gaie. Sa joie était d'une autre catégorie, et conduisait à tout, hormis à la gaieté. Marianne rendue à la vie, à la santé, à ses amis, et à sa mère qui l'aimait à la folie, c'était là une idée bien faite pour lui emplir le cœur de sensations de bien-être exquis, et pour le gonfler d'une gratitude fervente ; mais elle n'amena aucune démonstration extérieure de joie, pas de paroles, pas de sourires. C'est dans la poitrine d'Elinor qu'était toute la satisfaction, silencieuse et forte.

Elle demeura auprès de sa sœur, presque sans interruption, tout l'après-midi, apaisant toutes les craintes, satisfaisant chacune des démarches de son esprit abattu, donnant tous les secours, et observant presque chaque regard et chaque souffle. La possibilité d'une rechute intervenait, bien entendu, par instants, pour lui rappeler ce qu'était l'inquiétude, – mais lorsqu'elle s'aperçut, à des examens fréquents et minutieux, que tous les symptômes de la guérison se prolongeaient, et qu'elle vit Marianne, à six heures, tomber dans un sommeil tranquille, régulier, et, selon toute apparence, bienfaisant, elle fit taire tous ses doutes.

L'heure approchait, à présent, où l'on pouvait s'attendre au retour du colonel Brandon. À dix heures, espérait-elle, ou du moins, pas beaucoup plus tard, sa mère serait soulagée de l'incertitude affreuse dans laquelle elle devait effectuer le voyage qui la rapprochait d'elles. Le Colonel aussi, – peut-être à peine moins digne de pitié ! Ah, comme il avançait lentement, le temps qui les maintenait encore dans l'ignorance !

À sept heures, laissant Marianne toujours plongée dans un doux sommeil, elle rejoignit Mrs. Jennings pour prendre le thé au salon. Au déjeuner, elle avait été retenue de manger beaucoup par ses craintes, et au dîner, par leur renversement soudain ; c'est pourquoi la collation actuelle, avec les sentiments de satisfaction qu'elle y apportait, fut particulièrement bienvenue. Mrs. Jennings eût voulu, le repas terminé, la persuader de prendre un peu de repos avant l'arrivée de sa mère, et de lui laisser le soin de la remplacer auprès de Marianne ; mais Elinor n'avait à ce moment aucun sentiment de fatigue, aucune aptitude au sommeil, et elle ne put pas être tenue éloignée de sa sœur un instant de trop. Aussi Mrs. Jennings, l'accompagnant là-haut dans la chambre de la malade, afin de se satisfaire que tout continuait à bien aller, l'y laissa-t-elle à ses soins et à ses pensées, et se retira-t-elle dans sa propre chambre pour écrire des lettres et pour dormir.

La nuit était froide et tempêtueuse. Le vent mugissait autour de la maison, et la pluie fouettait les fenêtres ; mais Elinor, toute à son bonheur intérieur, n'y prêta aucune attention. Marianne dormait, au milieu de tous les coups de vent, et quant aux voyageurs, ils avaient devant eux une riche récompense en retour de chacun des désagréments actuels.

La pendule sonna huit heures. Si c'eût été dix heures, Elinor eût été convaincue qu'elle entendait une voiture s'approcher de la maison ; et elle en eut si vivement l'impression, en dépit de la quasi-impossibilité qu'ils fussent déjà arrivés, qu'elle se rendit dans le cabinet de toilette contigu, et ouvrit un volet de fenêtre, afin d'en avoir le cœur net. Elle vit immédiatement que ses oreilles ne l'avaient pas trompée. Les feux vacillants des lanternes d'une voiture étaient là, sous ses yeux. À leur lueur incertaine, elle crut discerner qu'elle était attelée de quatre chevaux ; ce qui, tout en accusant l'excès des craintes de sa pauvre mère, expliquait dans une certaine mesure une rapidité aussi inattendue.

Jamais, au cours de sa vie, Elinor n'avait éprouvé une telle difficulté à rester calme, qu'en cet instant. Sachant ce que devait ressentir sa mère au moment où la voiture s'arrêtait à la porte, – ses doutes, – son effroi – peut-être son désespoir ! – et ce qu'elle avait à dire, elle ! – sachant tout cela, il était impossible d'être calme. Tout ce qui restait à faire, c'était d'agir rapidement ; c'est pourquoi, ne restant là que le temps qu'il fallut pour laisser la servante de Mrs. Jennings auprès de sa sœur, elle se hâta de descendre.

L'affairement dans le vestibule, tandis qu'elle traversait une antichambre intérieure, lui donna l'assurance qu'ils étaient déjà dans la maison. Elle s'élança vers le salon, – elle y entra, – et ne vit que Willoughby.

XLIV

Elinor, reculant en sursaut, avec un regard d'horreur, à sa vue, obéit à la première impulsion de son cœur, en faisant aussitôt demi-tour pour sortir de la pièce, et sa main était déjà sur la serrure, lorsque son geste fut arrêté du fait qu'il s'avançât à la hâte, en disant, d'une voix qui était plutôt celle d'un commandement que d'une prière :

– Miss Dashwood – une demi-heure, – dix minutes, – je vous supplie de rester !

– Non, monsieur, répondit-elle avec fermeté, je ne resterai pas. Vous ne pouvez avoir à me parler, à moi. Les domestiques ont dû oublier de vous dire que Mr. Palmer n'est pas dans la maison.

– S'ils m'avaient dit, s'écria-t-il avec véhémence, que Mr. Palmer et tous les siens étaient chez le diable, cela ne m'aurait pas fait faire demi-tour à la porte. C'est avec vous que j'ai affaire, et avec vous seule.

– Avec moi ! – au comble de la stupéfaction – eh bien, monsieur, – soyez bref, – et, si vous le pouvez, moins violent.

– Asseyez-vous, et je serai l'un et l'autre.

Elle hésita ; elle ne savait que faire. Il lui vint à l'idée qu'il serait possible que le colonel Brandon arrivât et le trouvât là. Mais elle avait promis de l'entendre, et sa curiosité, non moins que son honneur, était engagée. C'est pourquoi, après s'être recueillie un instant, elle conclut que la prudence exigeait la célérité, et que son acquiescement serait ce qu'il y aurait de mieux pour la favoriser ; elle se dirigea donc en silence vers la table, et s'assit. Il prit la chaise en vis-à-vis, et, pendant une demi-minute, ni l'un ni l'autre ne prononça une parole.

– Dépêchez-vous, monsieur, je vous en prie, dit Elinor, avec impatience ; je n'ai pas de temps à gaspiller.

Il était assis dans une attitude de méditation profonde, et semblait ne pas l'entendre.

– Votre sœur, dit-il brusquement au bout d'un instant, est hors de danger. Je l'ai appris par le domestique. Dieu en soit loué ! Mais est-ce vrai ? – est-ce véritablement vrai ?

Elinor fut incapable de parler. Il répéta sa demande avec une impatience encore accrue.

– Pour l'amour de Dieu, dites-le moi : est-elle hors de danger, ou ne l'est-elle pas ?

– Nous espérons qu'elle l'est.

Il se leva, et traversa la pièce.

– Si j'avais su cela, il y a une demi-heure... ! Mais puisque je suis effectivement ici, – parlant avec une vivacité forcée, tandis qu'il reprenait son siège, – qu'importe ? Pour une fois, miss Dashwood, – ce sera la dernière fois, peut-être, – soyons joyeux ensemble. Je suis vraiment en humeur de gaieté. Dites-moi sincèrement – une rougeur plus profonde lui empourprant les joues – me prenez-vous plutôt pour un scélérat, ou pour un imbécile ?

Elinor le regarda avec plus d'étonnement que jamais. Elle commençait à croire qu'il devait avoir bu ; l'étrangeté d'une telle visite, et de semblables façons, ne semblait pas pouvoir s'expliquer autrement ; et cette impression l'incita à se lever immédiatement, en disant :

– Mr. Willoughby, je vous conseille à présent de retourner à Combe. Je n'ai pas le loisir de rester plus longtemps avec vous. Quelle que soit l'affaire dont vous avez à m'entretenir, elle s'expliquera mieux et avec plus de calme demain.

– Je vous entends, répondit-il, avec un sourire expressif, et d'une voix parfaitement calme. Oui, je suis fort gris. Il a suffi d'une pinte de porter[1] avec mon bœuf froid, à Marlborough, pour me chavirer.

– À Marlborough ! s'écria Elinor, de plus en plus incapable de

---

[1] C'est une bière brune et forte. *(N. du Tr.)*

comprendre où il voulait en venir.

– Oui, j'ai quitté Londres ce matin, à huit heures, et les seules dix minutes que j'aie passées hors de ma chaise de poste, depuis ce moment, m'ont permis de déjeuner à Marlborough.

La fermeté de sa manière, et l'intelligence de son regard, tandis qu'il parlait, ayant convaincu Elinor que, quelle que pût être l'impardonnable folie quelconque qui l'amenait à Cleveland, il n'y était pas amené par l'ivresse, elle dit, après un instant de recueillement :

– Mr. Willoughby, vous *devriez* sentir, et moi, je le sens effectivement, qu'après ce qui s'est passé, il faut, pour que vous veniez ici de cette façon et que vous vous imposiez à mon attention, une excuse toute spéciale. Qu'est-ce que vous entendez par là ?

– J'entends, dit-il, avec une énergie pleine de sérieux, faire en sorte, si je le peux, que vous me haïssiez tant soit peu moins que vous ne le faites à présent. J'entends vous offrir une espèce d'explication, – des excuses, en quelque sorte – pour le passé ; – vous ouvrir tout mon cœur, et, en vous convainquant que, si j'ai toujours été un imbécile, je n'ai pas toujours été un scélérat, obtenir quelque chose qui ressemble à un pardon de la part de Ma..., de la part de votre sœur.

– C'est là la véritable raison de votre venue ?

– Oui, sur mon âme, répondit-il, avec une chaleur qui rappela au souvenir d'Elinor tout le Willoughby de jadis, et l'obligea, malgré elle, à le croire sincère.

– Si c'est là tout, vous pouvez déjà être satisfait, car Marianne vous pardonne, elle vous a pardonné depuis longtemps.

– C'est vrai ? s'écria-t-il, du même ton pénétré d'ardeur. Alors, elle m'a pardonné avant qu'elle n'eût dû le faire. Mais elle me pardonnera à nouveau, et pour des motifs plus raisonnables. Voulez-vous m'écouter, à présent ?

Elinor inclina la tête en signe d'assentiment.

– Je ne sais, dit-il, après un silence d'expectative de la part d'Elinor, et de recueillement, de la sienne, comment vous avez pu, quant à vous, expliquer ma conduite envers votre sœur, ni quel motif diabolique vous avez pu m'imputer. Peut-être votre opinion sur moi ne sera-t-elle guère améliorée, – mais cela vaut la peine d'essayer, et vous entendrez tout. Au début de mes relations d'intimité avec votre famille, je n'avais d'autre intention, d'autre but, à cette connaissance, que de passer agréablement le temps que j'étais obligé de consacrer au Devonshire, – plus agréablement que je ne l'avais encore jamais fait. La personne ravissante et les façons intéressantes de votre sœur ne pouvaient faire autrement que me plaire ; et son attitude envers moi, dès le début, fut d'un genre... Il est étonnant quand je songe à ce qu'était cette attitude, et à ce qu'elle était, *elle*, que mon cœur ait été aussi insensible ! Mais au début, je l'avoue, ma vanité seule y trouva quelque aliment. Insouciant de son bonheur, ne songeant qu'à mon propre amusement, me laissant aller à des sentiments auxquels je n'avais toujours été que trop habitué à m'abandonner, je m'efforçai, par tous les moyens en mon pouvoir, de me rendre agréable pour elle, sans nul dessein de payer son affection de retour.

Miss Dashwood, à ce point de son récit, tourna sur lui les yeux, chargés du mépris le plus courroucé, et l'arrêta, en disant :

– Il n'est guère utile, Mr. Willoughby, que vous poursuiviez votre récit, ni que j'en entende davantage. Un début tel que celui-là ne peut comporter aucune suite. Épargnez-moi la peine d'en entendre plus long à ce sujet.

– J'insiste pour que vous en entendiez la totalité, répondit-il. Ma fortune n'a jamais été considérable, et j'ai toujours été dépensier, j'ai toujours été habitué à me mêler à des gens de revenus supérieurs au mien. Chaque année, depuis ma majorité, ou même plus tôt, je crois, a accru mes dettes ; et bien que la mort de ma vieille cousine, Mrs. Smith, dût me libérer, comme cet événement était incertain, et peut-être fort éloigné, j'avais eu depuis quelque temps l'intention de me remettre à flot en épousant une femme possédant de la fortune. Il ne pouvait donc être question de m'attacher à votre sœur, et c'est avec une absence de générosité, un égoïsme, une cruauté – qu'aucun regard indigné, aucun air méprisant, même de votre part, miss Dashwood, ne pourra jamais réprouver exagérément, – que j'agissais de cette façon, essayant d'engager son affection, sans la moindre idée de la payer de retour. Mais il y a une chose à dire en ma faveur, même en cet état détestable de vanité égoïste : je ne connaissais pas l'étendue du mal que je méditais, parce que je ne savais pas, *alors*, ce que c'est qu'aimer. Mais l'ai-je jamais su ! On peut, à bon droit, en douter ; car, si j'avais véritablement aimé, aurais-je pu sacrifier mes sentiments à la vanité, à la cupidité ? Ou, qui plus est, aurais-je pu sacrifier les siens ? – Mais je le fis. Afin d'éviter une relative pauvreté, que son affection et sa compagnie auraient privée de toutes ses horreurs, j'ai, en me haussant à la richesse, perdu tout ce qui pouvait en faire un bienfait.

– Vous vous êtes donc cru, à un certain moment, dit Elinor, légèrement radoucie, attaché à elle ?

– Avoir résisté à de tels attraits, être resté insensible à une telle tendresse ! Y a-t-il un homme au monde qui l'eût pu ? Oui, je me suis découvert, peu à peu, sincèrement attaché à elle ; et les moments les plus heureux de ma vie ont été ceux que j'ai passés avec elle, alors que je sentais que mes intentions étaient strictement honorables, et mes sentiments irréprochables. Même à ce moment, toutefois, alors que j'étais pleinement résolu à lui faire ma cour, je me suis laissé aller, d'une façon fort peu convenable, à remettre de jour en jour l'instant de le faire, parce que j'hésitais à m'engager pendant que ma situation matérielle était si gravement embarrassée. Je ne veux pas raisonner ici, – et je ne veux pas, non plus, m'arrêter pour vous permettre d'insister – sur l'absurdité, – et pis encore, – qu'il y avait, de ma part, à me faire scrupule d'engager ma foi là où j'étais déjà engagé par l'honneur. Les événements ont prouvé que j'étais un imbécile plein de ruse, recherchant avec beaucoup de circonspection une occasion possible de me rendre méprisable et misérable à jamais. Enfin, pourtant, ma résolution fut prise, et je m'étais décidé, dès que je pourrais m'assurer un entretien seul à seul avec elle, à justifier les attentions dont je l'avais aussi invariablement comblée, et à l'assurer ouvertement d'une affection que j'avais déjà eu tant de mal à manifester. Mais entre temps – dans l'espace des heures fort peu nombreuses qui devaient s'écouler avant que je n'eusse l'occasion de lui parler en tête à tête, – il se produisit un événement, un événement malencontreux, qui mit à mal toutes mes résolutions, et avec elles toute ma tranquillité. On avait fait une découverte... ; ici, il hésita, et baissa les yeux ; Mrs. Smith avait, d'une façon ou d'une autre, eu vent, – j'imagine que ce devait être par quelque parent éloigné, qui avait intérêt à me priver de ses bonnes grâces, – d'une affaire... d'une liaison... mais il est inutile que je m'explique davantage, ajouta-t-il, la regardant, le teint plus empourpré et l'œil interrogateur ; votre intimité toute spéciale... vous avez probablement appris depuis longtemps toute l'histoire.

– En effet, répliqua Elinor, rougissant de même, et se durcissant de nouveau le cœur à l'encontre de toute compassion pour lui. J'ai tout appris. Et comment vous comptez vous laver d'une part de votre culpabilité dans cette affreuse affaire, voilà qui, je l'avoue, dépasse mon entendement.

– Rappelez-vous, s'écria Willoughby, de qui vous en tenez le récit. Pouvait-il être impartial ? Je reconnais que la situation et la réputation de la personne auraient dû être respectées de moi. Je n'ai pas l'intention de me justifier, mais en même temps je ne puis vous laisser dans la supposition que je n'ai aucun argument à faire valoir, – que parce qu'elle a été lésée, elle était irréprochable ; et que, parce que j'ai été un libertin, il faut qu'elle soit une sainte. Si la violence de sa passion, la faiblesse de son intelligence... Mais je n'ai pas l'intention de me défendre. Son affection pour moi méritait d'être mieux traitée, et c'est avec de vifs reproches envers moi-même que je me rappelle souvent la tendresse qui, pendant un temps très court, a eu le pouvoir de se faire payer de retour. Je voudrais – je voudrais de tout mon cœur – que cela n'eût jamais été. Mais elle n'est pas la seule à qui j'aie fait du tort ; et j'ai blessé une personne dont l'affection pour moi (puis-je le dire ?) était à peine moins ardente que la sienne, et dont l'esprit était – oh, à quel point supérieur !

– Mais votre indifférence à l'égard de cette malheureuse fille – il faut que je le dise, quelque désagréable que puisse être pour moi la discussion d'un pareil sujet – votre indifférence n'excuse pas la négligence cruelle que vous avez eue pour elle. Ne vous croyez excusé par aucune faiblesse, aucun défaut naturel de compréhension de sa part, dans la cruauté si manifeste de la vôtre. Vous deviez savoir que, pendant que vous vous amusiez dans le Devonshire, à la poursuite de nouveaux projets, toujours gai, toujours heureux, elle était réduite à l'indigence la plus extrême.

– Mais, sur mon âme, je l'ignorais, répondit-il avec feu ; je ne me suis pas souvenu que j'avais omis de lui donner mon adresse ; et le bon sens aurait pu lui indiquer le moyen de la découvrir.

– Eh bien, monsieur, – et qu'a dit Mrs. Smith ?

– Elle m'a immédiatement reproché mon offense, et je vous laisse à deviner ma confusion. La pureté de sa vie, le formalisme de ses idées, son ignorance du monde, – tout était contre moi. Le fait en soi, je ne pouvais pas le nier, et tous mes efforts en vue de l'adoucir ont été vains. Elle était disposée par avance, me semble-t-il, à douter de la moralité de ma conduite en général, et était, en outre, mécontente du peu d'attention, de la très petite portion de mon temps, que je lui avais consacrées, au cours de ma visite du moment. Bref, cela se termina par une rupture totale. J'aurais pu me sauver par une seule mesure. Dans l'altitude de sa moralité, – excellente femme ! – elle offrit de pardonner le passé, si je consentais à épouser Eliza. Cela ne se pouvait pas, – et elle me signifia officiellement mon congé, me bannissant de ses faveurs et de sa maison. La nuit qui suivit cette affaire, – je devais partir dans la matinée – je la passai à délibérer sur ce qu'allait être ma conduite future. La lutte fut vive, mais elle se termina trop tôt. Mon affection pour Marianne, ma conviction profonde de l'attachement qu'elle éprouvait pour moi, – tout cela fut insuffisant à contrebalancer cette crainte de la pauvreté, ou à vaincre ces idées fausses de la nécessité de la richesse, que j'étais actuellement porté à entretenir, et qu'avaient accrues les fréquentations coûteuses. J'avais lieu de me croire sûr de celle qui est actuellement ma femme, s'il me plaisait de m'adresser à elle, et je me persuadai qu'il ne me restait pas autre chose à faire, en prudence élémentaire. Une scène pénible m'attendait cependant, avant que je ne pusse quitter le Devonshire ; je devais dîner chez vous le jour même, et il était donc nécessaire de présenter quelque excuse du fait que je ne tiendrais pas ce rendez-vous. Mais fallait-il faire ces excuses par écrit, ou les présenter en personne, – Ce fut là un point longuement débattu. Il serait affreux, je le sentais, de voir Marianne, et je doutai même de pouvoir la revoir et m'en tenir à ma résolution. Sur ce point, toutefois, je sous-estimais ma propre magnanimité, comme les événements le confirmèrent : car je m'y rendis, je la vis, je la vis malheureuse, et je la quittai malheureuse, – je la quittai, en espérant ne jamais la revoir.

– Pourquoi êtes-vous venu, Mr. Willoughby ? dit Elinor, d'un ton de reproche ; un billet eût entièrement fait l'affaire. Pourquoi était-il nécessaire de venir en personne ?

– C'était nécessaire à mon propre orgueil. Je ne pouvais supporter de quitter la région d'une façon qui pût vous inciter, vous ou les autres gens du voisinage, à soupçonner aucune part de ce qui s'était effectivement passé entre Mrs. Smith et moi, et je résolus, en conséquence, de passer par votre maisonnette, en route pour Honiton. Mais la vue de votre chère sœur me fut réellement fort pénible ; et pour comble de malchance, je la trouvai seule. Vous étiez toutes sorties, je ne sais où. Je n'étais parti que la veille au soir, si pleinement, si totalement résolu en moi-même à bien agir ! Quelques heures de plus, et je devais me lier à elle à jamais ; et je me souviens de mon bonheur, de tout mon entrain et de ma gaieté, tandis que je m'étais rendu depuis la maisonnette jusqu'à Allenham, satisfait de moi-même, ravi de tout le monde ! Mais, dans cette entrevue, la dernière de notre amitié, je l'abordai avec un sentiment de culpabilité qui me priva presque de toute faculté de feindre. Sa douleur, sa déception, ses regrets profonds, lorsque je lui eus dit que j'étais contraint de quitter si promptement le Devonshire, – je ne les oublierai jamais ; et joints, encore, à une telle foi, à une telle confiance en moi ! Ah, grand Dieu ! Quel scélérat au cœur de pierre j'ai été !

Ils gardèrent tous deux le silence pendant quelques instants. Elinor fut la première à parler.

– Lui avez-vous dit que vous reviendriez bientôt ?

– Je ne sais pas ce que je lui ai dit, répondit-il avec impatience ; moins que ne le méritait le passé, sans aucun doute, et, en toute probabilité, plus que ne le justifiait l'avenir. Je ne puis y songer, – c'est impossible. Puis votre chère mère est arrivée, pour me torturer davantage, avec toute sa bonté et sa confiance. Le ciel en soit loué, j'en fus torturé, en effet ! J'ai été affreusement malheureux. Miss Dashwood, vous ne pouvez vous faire une idée du réconfort que j'éprouve à revoir rétrospectivement ma propre détresse. Je m'en veux tellement, de cette folie stupide et scélérate de mon propre cœur, que toutes les souffrances passées qu'elle m'a fait subir ne me sont plus à présent que triomphe de joie délirante. Enfin, je partis, je quittai tout ce que j'aimais, pour aller trouver ceux à qui, en mettant les choses au mieux, j'étais simplement indifférent. Mon voyage à Londres – voyage effectué avec mes propres chevaux, et, partant, si lent ! – personne à qui parler, – mes propres réflexions si joyeuses – quand je regardais en avant, toutes choses si attrayantes ! – quand je regardais en arrière, vers Barton, un tableau si apaisant ! – ah, oui, ce fut un voyage béni !

Il se tut.

– Eh bien, monsieur, dit Elinor, qui, bien qu'elle eût pitié de lui, devenait impatiente de le voir partir, est-ce là tout ?

– Tout ! Non, – avez-vous oublié ce qui s'est passé à Londres ? Cette lettre infâme ! Vous l'a-t-elle montrée ?

– Oui, j'ai vu chacun des billets échangés.

– Quand le premier des siens m'est parvenu (comme il l'a fait immédiatement, car je n'ai pas quitté Londres, de tout ce temps), ce que j'ai ressenti ne saurait s'exprimer, – pour me servir d'une locution courante ; pour en employer une plus simple, – trop simple, peut-être, pour susciter aucune émotion, – mes sentiments ont été fort, fort douloureux. Chacune des lignes, chacun des mots était – selon la métaphore rebattue que la chère épistolière interdirait si elle était là – un poignard enfoncé dans mon cœur. Savoir que Marianne était à Londres, ce fut pour moi – dans le même langage – un coup de tonnerre. Coups de tonnerre et poignards ! Quelle réprimande elle m'eût faite ! Son goût, ses opinions, – je crois qu'ils me sont mieux connus que les miens, et je suis sûr qu'ils me sont plus chers !

Le cœur d'Elinor, qui avait subi bien des changements au cours de cette conversation extraordinaire, fut à présent radouci ; elle sentit pourtant qu'il était de son devoir de mettre un frein, chez son compagnon, à des idées comme la dernière.

– Voilà qui n'est pas bien, Mr. Willoughby. Souvenez-vous que vous êtes marié. Ne rapportez que ce qu'en conscience vous estimez nécessaire pour moi d'entendre.

– Le billet de Marianne, en m'assurant que je lui étais toujours aussi cher qu'autrefois, – que malgré les semaines nombreuses, si nombreuses, pendant lesquelles nous avions été séparés, elle était aussi constante dans ses propres sentiments, et aussi pleine de foi que jamais en la constance des miens, réveilla tous mes remords. Je dis « réveilla », parce que le temps, et Londres, les affaires et la dissipation, les avaient calmés dans une certaine mesure, et j'étais devenu un beau coquin endurci, m'imaginant indifférent envers elle, et me plaisant à m'imaginer qu'elle devait, elle aussi, être devenue indifférente envers moi ; me parlant à moi-même de notre affection passée comme d'une simple bagatelle oiseuse, haussant les épaules pour bien me le prouver, et taisant chaque reproche, surmontant chaque scrupule, en disant secrètement de temps à autre : « Je serai sincèrement heureux d'apprendre qu'elle est bien mariée. » Mais ce billet m'apprit à me mieux connaître. Je sentis qu'elle m'était infiniment plus chère qu'aucune autre femme au monde, et que je me conduisais honteusement envers elle. Mais tout venait justement d'être réglé entre miss Grey et moi. Il était impossible de battre en retraite. Tout ce que j'avais à faire, c'était de vous éviter l'une et l'autre. Je ne fis pas de réponse à Marianne, ayant l'intention, de cette façon, de me dérober à toute nouvelle attention de sa part ; et pendant quelque temps je résolus même de ne pas me présenter dans Berkeley Street ; mais en fin de compte, estimant qu'il était plus sage d'affecter l'air d'une connaissance flegmatique et banale qu'autre chose, je vous ai épiées un matin pour être bien sûr que vous étiez sorties de la maison, et j'ai déposé ma carte.

– Vous nous avez épiées pour nous voir sortir de la maison !

– Parfaitement. Vous seriez surprise d'apprendre combien de fois je vous ai observées, combien de fois j'ai été sur le point de vous rencontrer. Je suis entré dans bien des boutiques pour éviter d'être vu par vous, au passage de la voiture. Habitant Bond Street, comme je le faisais, il ne se passa guère de journée, que je n'eusse aperçu l'une ou l'autre de vous ; et il n'a fallu rien de moins que la vigilance la plus constante de ma part, que le désir le plus prépondérant de demeurer hors de votre vue, pour nous séparer si longtemps. J'ai évité autant que possible les Middleton, ainsi que toute autre personne qui aurait présenté des chances d'être une connaissance commune. Toutefois, comme j'ignorais qu'ils fussent à Londres, je suis tombé sur Sir John, le premier jour de son arrivée, je crois bien, et le lendemain de ma visite chez Mrs. Jennings. Il m'a invité à une

321

réunion, une sauterie, chez lui, dans la soirée. Il m'a dit, pour m'allécher, que vous deviez y assister, vous et votre sœur. Le lendemain matin m'apporta un nouveau billet bref de Marianne, – toujours affectueux, franc, sans artifice, confiant, – tout ce qui pouvait rendre ma conduite plus odieuse. Il me fut impossible d'y répondre. J'essayai, mais fus incapable de rédiger une phrase. Mais j'ai pensé à elle, je le crois bien, à chaque instant de cette journée. Si vous pouvez me plaindre, miss Dashwood, plaignez ma situation telle qu'elle était à ce moment ! La tête et le cœur pleins de votre sœur, j'étais contraint de jouer auprès d'une autre femme le rôle de l'amant comblé ! Ces trois ou quatre semaines furent les pires de toutes. Et puis, en fin de compte, comme il est superflu que je vous le dise, votre présence me fut imposée ; et vraiment je devais faire une charmante figure ! Quelle soirée atroce ce fut ! D'un côté, Marianne, belle comme un ange, m'appelant Willoughby d'un tel ton ! – ah, Dieu ! – me tendant la main, me demandant une explication, ces yeux ensorceleurs fixés sur mon visage avec une sollicitude si expressive ! Et, de l'autre, Sophia, jalouse comme un démon, semblable à tout ce qui... Enfin, peu importe ; c'est passé, à présent. Quelle soirée ! J'ai fui devant vous dès que cela m'a été possible, mais non sans avoir vu le charmant visage de Marianne pâle comme la mort. Ce fut là la dernière vision que j'aie jamais eue d'elle, – le dernier aspect sous lequel elle me soit apparue. Ce fut une chose affreuse à voir ! Et pourtant, quand j'ai songé à elle aujourd'hui comme étant véritablement mourante, ce me fut une espèce de réconfort, de savoir exactement comment elle apparaîtrait à ceux qui la verraient pour la dernière fois ici-bas. Elle a été devant moi, constamment devant moi, pendant mon voyage, avec le même aspect et le même teint.

Il s'ensuivit un bref silence de méditation mutuelle. Willoughby, qui fut le premier à se ressaisir, le rompit ainsi :

– Enfin, que je me dépêche, et que je parte ! Votre sœur va certainement mieux ? Elle est certainement hors de danger ?

– On nous l'a assuré.

– Votre pauvre mère, aussi, – folle de Marianne !

– Mais la lettre, Mr. Willoughby, votre lettre, à vous : n'avez-vous rien à dire à ce propos ?

– Si, si, tout particulièrement. Votre sœur m'a écrit de nouveau, vous le savez, dès le lendemain matin. Vous savez ce qu'elle disait. Je déjeunais chez les Ellison ; et l'on m'y apporta, de mon logement, sa lettre, avec quelques autres. Elle se trouva attirer le regard de Sophia avant d'avoir attiré le mien, – et ses dimensions, l'élégance du papier, l'écriture, – tout cela réuni lui donna immédiatement un soupçon. Elle avait vaguement eu vent, précédemment, de mes sentiments à l'égard de quelque jeune personne dans le Devonshire, et ce qu'elle avait pu observer de ses yeux au cours de la soirée précédente lui avait révélé qui était la jeune fille et l'avait rendue plus jalouse que jamais. Affectant, en conséquence, cet air badin qui est charmant chez une femme qu'on aime, elle décacheta aussitôt la lettre, et en lut le contenu. Elle fut bien payée de son impudence. Elle lut ce qui la rendit malheureuse. Sa misère, j'aurais pu la supporter, – mais sa colère, sa méchanceté !... Il fallait, à tout prix, l'apaiser. Et, bref, que pensez-vous du style épistolaire de ma femme, – il était délicat, tendre, véritablement féminin, n'est-ce pas ?

– De votre femme ? La lettre était de votre propre main !

– Oui, mais je n'ai eu à mon actif que d'avoir servilement copié les phrases auxquelles j'ai été honteux d'apposer mon nom. L'original était entièrement d'elle, – ses propres pensées heureuses et sa charmante diction. Mais que pouvais-je faire ? Nous étions fiancés, tout était en cours de préparation, le jour, presque fixé... Mais je parle comme un imbécile. La préparation !... Le jour !... En termes sans ambages, son argent m'était nécessaire, et dans une situation comme la mienne, il fallait tout faire pour éviter une rupture. Et, au surplus, qu'importait à ma réputation auprès de Marianne et de ses amis, le langage dans lequel était rédigée ma réponse ? Elle ne devait avoir qu'un seul but. J'avais à me déclarer moi-même un scélérat, et que je le fisse avec une révérence ou avec bravache, cela avait peu d'importance. « Je suis ruiné à jamais dans son opinion », me suis-je dit en moi-même ; « je suis exclu à jamais de leur compagnie ; elles me prennent déjà pour un individu sans principes, – cette lettre les forcera simplement à me prendre pour un individu ignoble. » C'est ainsi que je raisonnai tandis que, pris d'une sorte d'insouciance désespérée, je recopiais les mots de ma femme, et me séparais des derniers souvenirs de Marianne. Ses trois billets – malheureusement, ils étaient tous dans mon portefeuille, sinon j'en aurais nié l'existence, et les aurais conservés précieusement à jamais ; j'ai été contraint de les produire, et n'ai même pas pu les baiser. Et la mèche de cheveux, – je l'avais toujours portée sur moi, aussi, dans le même portefeuille, qui fut alors fouillé par madame avec la virulence la plus insinuante, – cette mèche si chère, – chacun des souvenirs, tout me fut arraché.

– Vous avez le plus grand tort, Mr. Willoughby, vous êtes fort répréhensible, dit Elinor, dont la voix, malgré elle, trahissait l'émotion chargée de compassion ; vous ne devriez parler de cette façon, ni de Mrs. Willoughby, ni de ma sœur. Vous avez fait vous-même votre choix. Il ne vous a pas été imposé de force. Votre femme a droit à votre politesse, à votre respect, tout au moins. Il faut qu'elle vous soit attachée, sinon elle ne vous aurait pas épousé. La traiter méchamment, parler d'elle en la ravalant, ce n'est point faire amende honorable à Marianne, et je ne puis croire que ce soit un soulagement pour votre conscience.

– Ne me parlez pas de ma femme, dit-il, avec un pesant soupir. Elle ne mérite pas votre compassion. Elle savait que je n'avais aucune tendresse pour elle quand nous nous sommes mariés. Enfin, le mariage a eu lieu, après quoi nous sommes allés à Combe Magna pour être heureux, et revenus ensuite à Londres pour être gais. Et maintenant, me plaignez-vous, miss Dashwood ? – ou bien ai-je dit tout cela en pure perte ? Suis-je – ne fût-ce que d'un degré – moins coupable dans votre opinion, que je ne l'étais auparavant ? Mes intentions n'ont pas toujours été mauvaises. Mes explications ont-elles lavé une part de ma culpabilité ?

– Oui, vous en avez certainement fait disparaître une partie, – un peu. Vous avez démontré que vous êtes, dans l'ensemble, moins coupable que je ne le pensais. Vous avez prouvé que vous aviez le cœur moins méchant, – beaucoup moins méchant. Mais je ne sais pas trop... le malheur que vous avez infligé... je ne sais pas trop ce qui eût pu l'aggraver.

– Voulez-vous répéter à votre sœur, quand elle sera rétablie, ce que je viens de vous dire ? Permettez-moi d'être un peu exonéré dans son opinion aussi, comme dans la vôtre. Vous me dites qu'elle m'a déjà pardonné. Permettez-moi de m'imaginer qu'une meilleure connaissance de mon cœur, et de mes sentiments actuels, tirera d'elle un pardon plus spontané, plus naturel, plus doux, et moins protocolaire. Dites-lui ma détresse et ma pénitence, dites-lui que mon cœur ne lui a jamais été inconstant, et, si vous le voulez, qu'en cet instant elle m'est plus chère que jamais.

– Je lui dirai tout ce qui sera nécessaire à ce qu'on peut appeler, d'un terme relatif, votre justification. Mais vous ne m'avez pas expliqué pour quelle raison particulière vous êtes venu maintenant, ni comment vous avez eu vent de sa maladie.

– Hier soir, dans le vestibule de Drury Lane[1], je suis tombé sur Sir John Middleton, et quand il a vu qui j'étais (pour la première fois depuis ces deux mois écoulés), il m'a parlé. Qu'il m'eût évité depuis mon mariage, c'est là une chose que j'avais remarquée, sans surprise ni ressentiment. À présent, toutefois, son âme bienveillante, honnête, stupide, pleine d'indignation à mon égard, et d'inquiétude pour votre sœur, ne put résister à la tentation de me dire ce qui, il le savait, aurait dû me contrarier affreusement, – encore que, vraisemblablement, il ne crût pas qu'il en serait effectivement ainsi. C'est pourquoi il m'apprit, aussi brutalement qu'il put le dire, que Marianne Dashwood était mourante, atteinte d'une fièvre infectieuse, – une lettre reçue le matin même de Mrs. Jennings la déclarait en danger fort imminent, – les Palmer s'étaient tous enfuis épouvantés, etc. Je fus trop bouleversé pour pouvoir passer pour insensible, même auprès de Sir John, si peu observateur. Son cœur fut radouci en voyant souffrir le mien ; et une si bonne part de sa rancune se dissipa, que, lorsque nous nous séparâmes, il faillit me serrer la main, tandis qu'il me rappelait une vieille promesse au sujet d'un chiot pointer. Quels furent les sentiments que j'éprouvai en apprenant que votre sœur était mourante ! – et mourante, qui plus est, en me croyant le scélérat le plus affreux que la terre eût porté, – pleine de mépris et de haine pour moi dans ses derniers instants, – car comment pouvais-je savoir quels desseins horribles ne me seraient pas imputés ? Une personne, j'en étais sûr, me dépeindrait comme capable de tout. Ce que j'éprouvai fut épouvantable !

------

[1] C'est l'un des plus anciens théâtres de Londres, qui subsiste encore. *(N. du Tr.)*

325

Ma résolution fut bientôt prise, et à huit heures, ce matin, j'étais dans ma voiture. Maintenant, vous savez tout.

Elinor ne fit pas de réponse. Ses pensées étaient fixées en silence sur le dommage irréparable qu'une indépendance trop précoce, avec ses habitudes résultantes d'oisiveté, de dissipation, et de luxe, avait occasionné à l'esprit, au caractère, au bonheur, d'un homme qui joignait à tous les avantages de sa personne et de ses talents, un naturel ouvert et honnête, et un caractère sensible et affectueux. Le monde l'avait rendu prodigue et vaniteux ; la prodigalité et la vanité lui avaient refroidi le cœur et avaient fait de lui un égoïste. La vanité, tout en cherchant son propre triomphe coupable aux dépens d'une autre, l'avait entraîné dans une affection véritable, dont la prodigalité, ou tout au moins son fruit, le besoin, avait exigé le sacrifice. Chacune des propensions répréhensibles, en l'induisant au mal, l'avait induit de même au châtiment. Cette affection, à laquelle, contrairement à l'honneur, au sentiment, à tous les intérêts meilleurs, il s'était, semblait-il, arraché, gouvernait à présent chacune de ses pensées, alors qu'elle n'était plus avouable ; et l'union pour laquelle, avec fort peu de scrupules, il avait abandonné sa sœur à la détresse, allait vraisemblablement se révéler pour lui comme une source de malheur d'une nature bien plus incurable. Elle fut tirée, au bout de quelques minutes, d'une rêverie de ce genre, par Willoughby, qui, s'arrachant à une rêverie au moins aussi douloureuse, se redressa vivement, se préparant à partir, et dit :

– Il est inutile que je reste ici ; il faut que je m'en aille.

– Retournez-vous à Londres ?

– Non ; à Combe Magna. J'y ai affaire ; de là, je repartirai pour Londres dans un jour ou deux. Au revoir.

Il tendit la main. Elle ne put refuser de lui donner la sienne ; et la pressa avec affection.

– Et vous avez un peu meilleure idée de moi qu'auparavant ? dit-il, la laissant retomber, et s'appuyant à la cheminée, comme s'il avait oublié qu'il devait partir.

Elinor lui en donna l'assurance ; disant qu'elle lui pardonnait, qu'elle avait pitié de lui, lui souhaitait du bien, – qu'elle s'intéressait même à son bonheur, – et ajouta quelques conseils bienveillants sur la meilleure conduite en vue de le favoriser. Sa réponse ne fut pas fort encourageante.

– Quant à cela, dit-il, il faudra que je me frotte au monde de mon mieux. Le bonheur domestique est hors de question. Si, toutefois, je puis être autorisé à penser que vous et les vôtres prenez quelque intérêt à mon sort et à mes actes, il se peut que ce soit le moyen – il se peut que cela me mette en garde – du moins, il se peut que cela me donne une raison de vivre. Marianne, assurément, est perdue pour moi à jamais. Si même, par quelque hasard béni, j'étais de nouveau libre...

Elinor l'arrêta d'une réprimande.

– Eh bien, répondit-il, encore une fois, au revoir. Je vais partir maintenant, et je vivrai dans la crainte d'un seul événement.

– Que voulez-vous dire ?

– Le mariage de votre sœur.

– Vous avez tout à fait tort de parler ainsi. Elle ne pourra jamais être plus perdue pour vous qu'elle ne l'est à présent.

– Mais elle sera gagnée par un autre. Et si cet autre se trouvait être celui-là même que, parmi tous, je pourrais le moins supporter... Mais je ne veux plus rester, pour me dépouiller moi-même de toute votre bienveillance chargée de compassion, en laissant voir que c'est là où j'ai causé le plus de mal que je puis le moins pardonner. Au revoir ; que Dieu vous bénisse !

Et sur ces mots, il quitta la pièce, presque en courant.

XLV

Elinor, pendant quelque temps, après qu'il l'eut quittée, pendant quelque temps, même, après que le bruit de sa voiture se fut amorti, demeura trop oppressée par une foule d'idées, fort différentes en soi, mais dont la tristesse était le résultat général, pour songer même à sa sœur.

Willoughby – l'homme que, voici une demi-heure seulement, elle avait eu en horreur comme le plus indigne des hommes, – Willoughby, en dépit de toutes ses fautes, suscitait un degré de commisération pour les souffrances qu'elles avaient produites, qui la contraignait à songer à lui, à présent, comme séparé à jamais de sa famille, avec une tendresse, un regret, proportionnés plutôt, comme elle ne tarda pas à se l'avouer à elle-même, aux désirs de celui-ci qu'à ses mérites. Elle sentait que l'influence de cet homme sur son esprit était rehaussée par des circonstances qui ne devaient, raisonnablement, avoir aucun poids ; par ce physique exceptionnellement attirant, – ces façons ouvertes, affectueuses, et vives, dont la possession ne constituait point un mérite ; et par cet amour encore ardent pour Marianne, auquel il n'était même pas innocent de s'abandonner. Mais elle sentit qu'il en était ainsi, bien longtemps avant qu'il lui fût capable d'être moins sensible à son influence.

Lorsque enfin elle retourna auprès de Marianne sans connaissance, elle la trouva qui se réveillait tout juste, restaurée, conformément à ses espérances, par un sommeil si long et si bienfaisant. Le cœur d'Elinor débordait. Le passé, le présent, l'avenir, – la visite de Willoughby, le salut de Marianne, et l'arrivée attendue de sa mère, tout cela réuni la jeta dans une agitation d'esprit qui éloignait toute indication de fatigue, et lui donnait simplement la crainte de se trahir devant sa sœur. Mais le délai pendant lequel cette crainte pouvait l'affecter fut bref, car, moins d'une demi-heure après que Willoughby eut quitté la maison, elle fut de nouveau appelée en bas par le bruit d'une autre voiture. Désireuse d'épargner à sa mère le moindre instant superflu d'incertitude affreuse, elle courut immédiatement au vestibule, et arriva à la porte extérieure juste à temps pour recevoir et soutenir sa mère, au moment où celle-ci y pénétrait.

Mrs. Dashwood, dont la terreur, à mesure qu'ils se rapprochaient de la maison, avait presque été promise à la conviction que Marianne n'était plus, n'avait point de voix pour s'enquérir à son sujet, point de voix, même, pour Elinor ; mais celle-ci, sans attendre ni salutation ni interrogation, donna immédiatement le soulagement joyeux ; et sa mère, s'en saisissant avec toute son ardeur habituelle, fut à l'instant vaincue par son bonheur, tout autant qu'elle venait de l'être par ses craintes. Elle fut soutenue, pour entrer au salon, entre sa fille et son ami ; et là, versant des larmes de joie, quoique encore incapable de parler, elle embrassa mainte et mainte fois Elinor, se détournant d'elle de temps à autre pour presser la main du colonel Brandon, avec un regard qui exprimait à la fois sa gratitude et la conviction qu'il partageait avec elle la félicité du moment. Il la partageait, toutefois, dans un silence encore plus total que le sien.

Aussitôt que Mrs. Dashwood se fut ressaisie, son premier désir fut de voir Marianne ; et en deux minutes elle fut auprès de son enfant bien-aimée, – que son absence, son malheur, et son danger lui avaient rendue plus chère que jamais. Le ravissement d'Elinor, lorsqu'elle vit ce qu'elles éprouvèrent l'une et l'autre à se revoir, ne fut tenu en bride que par l'appréhension que Marianne n'en fut frustrée de sommeil ; mais Mrs. Dashwood sut être calme, elle sut même être prudente, quand la vie de son enfant était en jeu, et Marianne, satisfaite de savoir que sa mère était près d'elle, et se rendant compte qu'elle était trop faible pour causer, se soumit volontiers au silence et au calme prescrits par toutes les personnes de son entourage qui lui prodiguaient leurs soins. Mrs. Dashwood tint à veiller toute la nuit à son chevet, et Elinor, cédant aux supplications de sa mère, alla se coucher. Mais le repos, qu'une nuit d'insomnie totale et tant d'heures d'inquiétude la plus harcelante, semblaient rendre nécessaire, fut tenu éloigné par les irritantes préoccupations de son esprit, Willoughby, « le pauvre Willoughby », comme elle se laissait aller, à présent, à l'appeler, était constamment dans ses pensées ; elle n'eût voulu, pour rien au monde, avoir manqué d'entendre sa défense, et elle se reprochait tantôt, et tantôt s'absolvait, de l'avoir jugé si durement auparavant. Mais sa promesse de tout conter à sa sœur lui fut invariablement douloureuse. Elle en redoutait l'accomplissement, et redoutait l'effet qu'il pourrait avoir sur Marianne ; elle doutait qu'après une telle explication, elle pût jamais être heureuse avec un autre, et, un instant, elle eût voulu que Willoughby fût veuf ; puis, se souvenant du colonel Brandon, elle s'adressa des reproches, elle se dit que sa sœur était la récompense due aux souffrances et à la constance de celui-ci, bien plus qu'à celles de son rival, et souhaita tout plutôt que la mort de Mrs. Willoughby.

Le choc de la mission du colonel Brandon à Barton avait été considérablement adouci pour Mrs. Dashwood par ses craintes antérieures ; car si grande était son inquiétude au sujet de Marianne, qu'elle avait déjà résolu de partir pour Cleveland le jour même, sans attendre d'autres nouvelles ; et elle avait pris à tel point toutes ses dispositions pour son voyage, dès avant l'arrivée du Colonel, qu'on attendait d'un moment à l'autre les Carey, qui devaient emmener Margaret, car sa mère ne voulait pas qu'elle l'accompagnât là où il pourrait y avoir risque de contagion.

L'état de Marianne continua à s'améliorer de jour en jour, et la gaieté resplendissante de la mine et du moral de Mrs. Dashwood la proclamait, comme elle le déclara elle-même à mainte reprise, l'une des femmes les plus heureuses du monde. Il était impossible à Elinor d'entendre cette déclaration, et d'en constater les preuves, sans se demander parfois si sa mère se souvenait jamais d'Edward. Mais Mrs. Dashwood, se fiant au récit fort modéré de la déception d'Elinor, que celle-ci lui avait adressé, était amenée, par l'exubérance de sa joie, à ne songer qu'à ce qui pouvait l'accroître. Marianne lui était rendue, tirée d'un danger dans lequel, elle avait à présent commencé à le sentir, le jugement erroné dont elle avait elle-même fait preuve en encourageant ce malheureux attachement à l'égard de Willoughby, avait contribué à la faire tomber ; et elle avait, dans son rétablissement, encore une autre source de joie, insoupçonnée d'Elinor. Elle lui fut communiquée ainsi, dès que se présenta une occasion d'entretien privé entre elles :

– Nous voici enfin seules. Mon Elinor, tu ne connais pas encore tout mon bonheur. Le colonel Brandon aime Marianne ; il me l'a dit lui-même.

Sa fille, se sentant tour à tour à la fois contente et peinée, surprise et non surprise, fut toute attention silencieuse.

– Tu n'es jamais comme moi, ma chère Elinor, sinon je m'étonnerais du calme dont tu fais preuve maintenant. Si j'avais délibérément exprimé un souhait de tout le bien possible pour les miens, j'aurais indiqué comme objet le plus désirable que le colonel Brandon pût épouser l'une de vous. Et je crois que Marianne sera, de vous deux, la plus heureuse avec lui.

Elinor fut à demi tentée de lui demander pour quelle raison elle le croyait, parce qu'elle savait qu'il n'en pourrait être donné aucune qui fût fondée sur une considération impartiale de leur âge, de leur caractère, ou de leurs sentiments ; mais il fallait toujours que sa mère se laissât emporter par son imagination quand il s'agissait de n'importe quel sujet intéressant ; aussi, au lieu de poser une question, laissa-t-elle passer cette affirmation avec un sourire.

– Il m'a ouvert tout son cœur, hier, pendant le voyage. Cela s'est révélé d'une façon absolument inopinée, sans aucune préméditation. Moi, comme tu le croiras facilement, je ne pouvais parler d'autre chose que de mon enfant, – lui, il ne pouvait pas dissimuler sa détresse ; je vis qu'elle était égale à la mienne ; et lui, estimant peut-être que la simple amitié, du train dont va à présent le monde, ne justifierait pas une sympathie aussi ardente, – ou plutôt, sans rien penser du tout, je le suppose – m'a fait connaître son affection sincère, constante, et tendre pour Marianne. Il l'aime, mon Elinor, depuis le premier instant où il l'a vue.

Toutefois, Elinor perçut là, non pas le langage, non pas les assurances du colonel Brandon, mais les embellissements naturels de l'imagination active de sa mère, qui façonnait à son gré tout ce qui lui était éminemment agréable.

– Son affection pour elle, qui surpasse infiniment tout ce qu'a jamais ressenti ou feint Willoughby, comme étant beaucoup plus ardente, plus sincère ou plus constante – quelque nom que nous lui décernions, – a subsisté, durant tout le temps où il a eu connaissance du malheureux engouement de notre chère Marianne pour cet indigne jeune homme ! – et sans égoïsme, – sans qu'un espoir l'ait encouragé !... Aurait-il pu la voir heureuse avec un autre ? Quelle noblesse d'esprit, quelle franchise, quelle sincérité ! Personne ne peut être déçu.

331

– La réputation du colonel Brandon, dit Elinor, en tant qu'homme excellent, est solidement établie.

– Je le sais, dit gravement sa mère, sinon, après un tel avertissement, je serais bien la dernière à encourager son affection, ou même à la voir d'un bon œil. Mais le fait qu'il soit venu me chercher comme il l'a fait, avec une amitié aussi active, aussi serviable, suffit à prouver qu'il est l'un des plus dignes des hommes.

– Sa réputation, cependant, répondit Elinor, ne repose pas sur *un seul* acte de bonté, auquel l'eût incité son affection pour Marianne, en mettant hors de cause ses sentiments d'humanité. Mrs. Jennings, et les Middleton, le connaissent depuis longtemps, et intimement ; ils ont pour lui un respect égal à leur amour ; et moi-même, bien que je n'aie appris à le connaître que récemment, j'ai de lui une connaissance considérable ; et je le prise et l'estime si hautement, que, si Marianne peut être heureuse avec lui, je serai aussi disposée que vous à penser que notre alliance sera le plus grand bienfait qui soit au monde. Quelle réponse lui avez-vous donnée ? Lui avez-vous permis d'espérer ?

– Oh, ma chérie ! Je ne pouvais, alors, parler d'espoir, ni à lui, ni à moi-même. Marianne pouvait à ce moment même être mourante ! Mais il ne demandait ni espoir ni encouragement. Sa confidence a été involontaire, – l'effusion incoercible à une amie consolatrice, – et non une demande adressée à une mère. Pourtant, au bout de quelque temps, je lui ai dit effectivement, – car, au début, j'ai été complètement abasourdie, – que, si elle vivait, comme je l'espérais, certes, mon plus grand bonheur serait de favoriser leur mariage ; et depuis notre arrivée, depuis notre délicieuse sécurité, je le lui ai répété d'une façon plus complète, je lui ai donné tous les encouragements en mon pouvoir. Le temps, un temps fort court, lui dis-je, fera tout ; le cœur de Marianne ne doit pas être gaspillé à jamais au profit d'un homme comme Willoughby. Il faudra bien que ses propres mérites se l'assurent promptement.

– Pourtant, à en juger d'après l'entrain du colonel, vous ne lui avez pas encore communiqué le même optimisme.

– Non. Il croit que l'affection de Marianne est trop profondément enracinée pour qu'elle subisse d'ici longtemps aucun changement ; et même en supposant que son cœur soit de nouveau libre, ce que sa trop grande modestie à son propre égard lui interdit de croire, il doute, avec une telle différence d'âge et de caractère, de pouvoir jamais se l'attacher. Mais en cela, il se trompe du tout au tout. Son âge ne dépasse celui de Marianne que de ce qu'il faut pour constituer un avantage, pour que son caractère et ses principes soient stabilisés ; et son humeur, j'en suis bien convaincue, est exactement ce qui convient pour rendre ta sœur heureuse. Et sa personne, ses façons, aussi, sont entièrement en sa faveur. Ma partialité ne m'aveugle pas ; il n'est certainement pas aussi beau que Willoughby ; mais, d'autre part, sa physionomie a quelque chose de beaucoup plus agréable. Il y a toujours eu quelque chose, rappelle-toi, dans les yeux de Willoughby, qui ne me plaisait pas.

Elinor fut incapable de s'en souvenir ; mais sa mère, sans attendre son assentiment, poursuivit :

– Et ses façons – les façons du Colonel – sont pour moi non seulement plus agréables que ne l'ont jamais été celles de Willoughby, mais elles sont d'un genre qui, je le sais fort bien, les rendra plus solidement attachantes pour Marianne. Leur douceur, leurs égards authentiques pour autrui, et leur simplicité virile et non étudiée, s'accordent beaucoup mieux avec le caractère véritable de ta sœur, que la vivacité, souvent artificielle, et souvent importune, de l'autre. Je suis bien sûre que si Willoughby s'était révélé aussi véritablement aimable qu'il s'est démontré être tout le contraire, Marianne n'aurait cependant jamais été aussi heureuse avec lui, qu'elle le sera avec le colonel Brandon.

Elle se tut un instant. Sa fille ne pouvait être tout à fait de son avis ; mais son désaccord ne se fit pas entendre, et n'offensa donc personne.

– À Delaford, elle sera, pour moi, à une distance qui la rendra facilement accessible, ajouta Mrs. Dashwood, même si je reste à Barton ; et, en toute probabilité, car il paraît que c'est un grand village, – voire, il doit certainement y avoir quelque petite maison ou chaumière à proximité, qui nous conviendrait tout aussi bien que notre résidence actuelle.

Pauvre Elinor ! Voici que se présentait un nouveau projet pour l'amener à Delaford ! Mais son courage fut inébranlable.

– Et sa fortune, aussi ! Car, à mon âge, vois-tu, c'est une chose dont tout le monde se préoccupe ; et bien que je ne sache ni ne désire en savoir le chiffre exact, je suis sûre qu'elle doit être sérieuse.

Elles furent alors interrompues par l'entrée d'une tierce personne, et Elinor se retira pour réfléchir à tout cela à tête reposée, pour souhaiter plein succès à son ami, et pourtant, tout en le souhaitant, pour éprouver un frémissement douloureux pour Willoughby.

XLVI

La maladie de Marianne, bien qu'elle l'eût affaiblie en raison même de sa nature, n'avait pas été assez longue pour rendre son rétablissement lent ; et, aidé par sa jeunesse, sa vigueur naturelle, et la présence de sa mère, il se poursuivit avec une régularité suffisante pour qu'elle pût, quatre jours après l'arrivée de celle-ci, se transporter dans le cabinet de toilette de Mrs. Palmer. Lorsqu'elle y fut, à sa propre requête instante, car elle était impatiente de donner libre cours à ses remerciements au colonel Brandon pour être allé chercher sa mère, il fut alors invité à lui faire une visite.

Son émotion en entrant dans la pièce, en voyant la mine altérée de la jeune fille, et en recevant la main pâle qu'elle lui tendit immédiatement, fut telle que, selon les conjectures d'Elinor, elle devait provenir d'autre chose que de son affection pour Marianne, ou de la conscience qu'elle était connue des autres ; et elle ne tarda pas à découvrir, dans l'œil mélancolique du Colonel et dans son teint changeant, cependant qu'il regardait la jeune fille, le retour probable dans son esprit, de bien des incidents pénibles du passé, ramenés par la ressemblance entre Marianne et Eliza, déjà avouée, et à présent renforcée par l'œil cave, la peau maladive, la posture étendue qui trahissait sa faiblesse, et l'aveu chaleureux d'une obligation toute particulière.

Mrs. Dashwood, non moins observatrice de ce qui se passait que sa fille, mais l'esprit fort différemment influencé, et, partant, observant avec un effet bien différent, ne vit, dans l'attitude du Colonel, rien qui ne provînt des sensations les plus simples et les plus évidentes en soi, tandis qu'elle se persuadait de penser que, dans les actes et les paroles de Marianne, il naissait déjà quelque chose de plus que la gratitude.

Au bout d'un jour ou deux, Marianne prenant visiblement des forces avec chaque période de douze heures, Mrs. Dashwood, poussée également par ses propres désirs et par ceux de sa fille, commença à parler de

335

regagner Barton. Des mesures qu'elle comptait prendre dépendaient celles de ses deux amis ; Mrs. Jennings ne pouvait pas quitter Cleveland pendant le séjour des Dashwood, et le colonel Brandon fut bientôt amené, par leurs prières communes, à y considérer sa propre résidence comme également indiquée, sinon comme également indispensable. En retour, à la requête conjointe de celui-ci et de Mrs. Jennings, Mrs. Dashwood se laissa persuader d'accepter l'usage de la voiture du Colonel pour son voyage de retour, afin que son enfant malade fût mieux à l'aise ; et le Colonel, sur l'invitation conjointe de Mrs. Dashwood et de Mrs. Jennings, que sa bonté agissante rendait amicale et hospitalière pour les autres aussi bien que pour elle-même, s'engagea avec plaisir, en compensation, à se rendre en visite à la maisonnette dans un délai de quelques semaines.

Le jour de la séparation et du départ arriva ; et Marianne, après avoir pris congé, d'une façon toute spéciale et prolongée, de Mrs. Jennings, – congé aussi plein de reconnaissance sérieuse, de respect, et de bons souhaits, que paraissait le mériter son propre cœur, en raison d'un aveu secret d'un manque d'égards passé, – et après avoir fait au colonel Brandon des adieux empreints de la cordialité d'une amie, reçut son aide empressée pour monter dans la voiture, dont il semblait tenir à ce qu'elle occupât au moins la moitié. Mrs. Dashwood et Elinor l'y suivirent ensuite, et les autres restèrent seuls, à parler des voyageurs, et à prendre conscience de leur propre ennui, jusqu'à ce que Mrs. Jennings fût appelée à prendre place dans sa chaise de poste pour se consoler, par les bavardages de sa femme de chambre, de la perte de ses deux jeunes compagnes ; et le colonel Brandon, aussitôt après, reprit sa route solitaire pour se rendre à Delaford.

Les Dashwood mirent deux jours à effectuer le trajet, et Marianne supporta son voyage de l'une et de l'autre journées sans fatigue excessive. Tout ce que pouvaient faire l'affection la plus zélée, les soins les plus empressés, pour augmenter son confort, fut le rôle de chacune de ses compagnes vigilantes, et chacune trouva sa récompense dans son bien-être corporel et le calme de ses esprits. Elinor fut particulièrement heureuse de constater ce dernier point. Elle, qui l'avait vue, semaine sur semaine, souffrant si constamment, oppressée par une angoisse du cœur qu'elle n'avait ni le courage d'exprimer en paroles, ni la force d'âme de dissimuler, elle voyait à présent, avec une joie que nulle autre ne pouvait partager à titre égal, une apparente tranquillité d'esprit, qui, étant le résultat, espérait-elle, de méditations sérieuses, devait finalement l'amener au contentement et à la gaieté.

À mesure qu'elles s'approchaient de Barton et pénétraient dans des décors dont chacun des champs, chacun des arbres, apportait quelque souvenir particulier ou douloureux, elle devenait silencieuse et pensive, et, détournant son visage à leurs regards, restait à contempler avec gravité le paysage au-delà de la fenêtre. Mais Elinor ne vit rien là qui suscitât l'étonnement ou le blâme ; et lorsqu'elle vit, en aidant Marianne à descendre de voiture, qu'elle avait pleuré, elle n'y perçut qu'une émotion trop naturelle en soi pour rien susciter de moins tendre que la pitié, et, dans sa discrétion, digne de louange. Dans toutes ses façons ultérieures, elle reconnut l'ordonnance d'un esprit éveillé à un effort raisonnable ; car à peine eurent-elles pénétré dans leur petit salon commun, que Marianne y promena les yeux avec un air de fermeté résolue, comme si elle était déterminée à la fois à s'accoutumer à la vue de chacun des objets auxquels pouvait se rattacher le souvenir de Willoughby. Elle parla peu, mais chacune de ses phrases tendait à la gaieté, et, bien qu'il lui échappât parfois un soupir, il ne s'évanouissait jamais sans qu'elle le rachetât d'un sourire. Après le dîner, elle voulut essayer son pianoforte. Elle s'y dirigea ; mais la musique sur laquelle son regard se posa tout d'abord fut un opéra, que lui avait procuré Willoughby, renfermant quelques-uns de leurs duos préférés, et portant sur son feuillet extérieur son propre nom, écrit de la main du jeune homme. Cela ne convenait pas. Elle hocha la tête, écarta la musique, et, après avoir fait courir ses doigts sur les touches, l'espace d'une minute, se plaignit de la faiblesse de ses mains, et referma l'instrument ; tout en déclarant, cependant, avec fermeté, qu'elle étudierait beaucoup à l'avenir.

Le lendemain matin n'apporta aucun affaiblissement à ces symptômes heureux. Au contraire, l'esprit et le corps également fortifiés par le repos, elle avait une mine et une parole empreintes d'un entrain plus authentique, goûtant par avance le plaisir du retour de Margaret, et parlant du cher cercle de famille qui allait alors se trouver reconstitué, de leurs occupations respectives et de leur joyeuse compagnie, comme du seul bonheur qui valût d'être souhaité.

– Quand le temps se sera mis au beau, et que j'aurai repris des forces, dit-elle, nous ferons tous les jours de longues promenades ensemble. Nous irons à la ferme en bordure de la colline, et nous verrons ce que deviennent les enfants ; nous irons voir les nouvelles plantations de Sir John à Barton Cross, et les terres abbatiales ; et nous irons souvent aux ruines anciennes du Prieuré, pour essayer d'en retrouver les fondations, aussi loin qu'elles s'étendaient, dit-on, jadis. Je sais que nous serons heureuses. Je sais que l'été s'écoulera dans le bonheur. J'ai l'intention de ne jamais me lever plus tard que six heures, et depuis ce moment jusqu'au dîner, je partagerai tous mes instants entre la musique et la lecture. J'ai établi mon plan, et je suis décidée à faire des études sérieuses. Notre propre bibliothèque m'est trop familière pour que j'y aie recours pour autre chose que la simple distraction. Mais il y a, au Park, de nombreux ouvrages qui méritent bien d'être lus ; et il y en a d'autres, de date plus récente, que je pourrai emprunter, je le sais, au colonel Brandon. En lisant seulement six heures par jour, je gagnerai au cours d'une année beaucoup d'instruction qui, je le sens, me manque à présent.

Elinor lui sut gré d'un plan qui débutait aussi noblement ; bien qu'elle sourît de voir la même imagination ardente qui l'avait conduite à l'extrême de l'indolence languissante et du désespoir égoïste, à présent à l'œuvre pour introduire des excès dans un projet d'occupations aussi rationnel et de maîtrise de soi aussi vertueuse. Son sourire se changea pourtant en un soupir quand elle se souvint que sa promesse à Willoughby n'était pas encore tenue, car elle craignait d'avoir à communiquer à Marianne ce qui pourrait de nouveau lui troubler l'esprit, et ruiner, pour quelque temps tout au moins, cette belle perspective de tranquillité bien remplie. Aussi, désireuse de retarder cette heure mauvaise, résolut-elle d'attendre que la santé de sa sœur fût plus solidement rétablie, avant de la choisir. Mais cette résolution ne fut prise que pour être rompue.

Marianne était rentrée chez elle depuis deux ou trois jours avant que le temps ne fût assez beau pour qu'une convalescente comme elle l'était pût s'aventurer au dehors. Mais enfin, une matinée douce et bienveillante fit son apparition, propre à tenter les désirs de la fille et la confiance de la mère, et Marianne, s'appuyant au bras d'Elinor, fut autorisée à se promener aussi longtemps qu'elle le pourrait sans fatigue dans le chemin, devant la maison.

Les sœurs se mirent en route, d'un pas aussi lent que l'exigeait la faiblesse de Marianne, pour se livrer à un exercice qui n'avait point encore été essayé depuis sa maladie ; et elles ne s'étaient éloignées de la maison que jusqu'en un point d'où l'on avait une vue complète sur la colline, l'importante colline située à l'arrière, lorsque, s'arrêtant, les yeux tournés de ce côté, Marianne dit avec calme :

– C'est là, exactement là, – pointant d'une main, – sur ce monticule en saillie, – c'est là que je suis tombée ; et c'est là que j'ai vu pour la première fois Willoughby.

Sa voix se fit plus basse en prononçant le mot, mais, se ranimant bientôt, elle ajouta :

– Je rends grâce au ciel, de pouvoir contempler cet endroit avec aussi peu de douleur ! Parlerons-nous jamais de ce sujet-là, Elinor ? – cela fut dit d'un ton hésitant. Ou bien sera-ce mal ? Je suis *capable* d'en parler, maintenant, je l'espère, comme il le faudrait.

Elinor l'invita tendrement à être franche.

– Quant aux regrets, dit Marianne, j'en ai terminé, en ce qui le concerne, *lui*. Je n'ai pas l'intention de te parler de ce qu'étaient mes sentiments envers lui, mais de ce qu'ils sont à présent. Maintenant, si je pouvais être rassurée sur un point, – si je pouvais avoir le droit de penser qu'il ne jouait pas *constamment* un rôle, qu'il ne me trompait pas *constamment*, – mais surtout, si je pouvais être sûre qu'il n'a jamais été aussi foncièrement pervers que mes craintes l'ont parfois imaginé, depuis le récit de cette fille infortunée...

Elle se tut, Elinor se pénétra joyeusement de ses paroles, tandis qu'elle répondait :

– Si tu pouvais en être assurée, tu crois que tu serais tranquillisée ?

– Oui. L'apaisement de mon esprit y est doublement intéressé ; car non seulement il est affreux de soupçonner de pareils desseins une personne qui a été pour moi ce qu'il a été, lui, – mais sous quel rôle cela me fait-il apparaître moi-même ? Qu'est-ce donc, dans une situation comme la mienne, sinon une affection bien honteusement imprudente, qui a pu m'exposer à...

– Comment, alors, demanda sa sœur, expliquerais-tu sa conduite ?

– Je le supposerais... oh, avec quel bonheur je le supposerais... simplement inconstant, très, très inconstant.

Elinor ne dit plus rien. Elle se livrait à un débat intérieur, se demandant s'il convenait de commencer immédiatement son récit, ou de le retarder jusqu'à ce que Marianne fût plus forte, – et elles s'avancèrent lentement quelques minutes en silence.

– Je ne lui souhaite pas trop de bien, dit enfin Marianne, avec un soupir, en souhaitant que ses réflexions secrètes ne soient pas plus désagréables que les miennes. Il y trouvera suffisamment de souffrance.

– Compares-tu ta conduite à la sienne ?

– Non. Je la compare à ce qu'elle aurait dû être ; je la compare à la tienne.

– Nos situations ont eu peu de ressemblance.

– Elles en ont eu plus que notre conduite. Ma bien chère Elinor, ne permets pas à ta bonté de défendre ce que ton jugement, je le sais, doit blâmer. Ma maladie m'a fait réfléchir ; elle m'a donné le loisir et le calme nécessaires au recueillement sérieux. Bien avant que je ne fusse suffisamment remise pour pouvoir parler, j'étais parfaitement capable de réfléchir. J'ai songé au passé : je n'ai vu dans ma propre conduite, depuis le début de notre connaissance avec lui, l'automne dernier, qu'une série d'imprudences envers moi-même, et de manques de bonté envers les autres. J'ai vu que mes propres sentiments avaient préparé mes souffrances, et que mon manque de force morale sous leur fardeau m'avait presque menée au tombeau. Ma maladie, je le savais bien, avait été entièrement de mon fait, causée par une négligence à l'égard de ma propre santé, que j'avais bien sentie, sur le moment, être coupable. Si j'étais morte, c'eût été un suicide. Je n'ai connu mon danger que lorsqu'il eût été dissipé ; mais avec des sentiments tels que m'en donnèrent ces réflexions, je m'étonne de ma guérison, – je m'étonne que l'ardeur même de mon

340

désir de vivre, d'avoir le temps de me racheter devant mon Dieu et devant vous tous, ne m'ait pas tuée immédiatement. Si j'étais morte, dans quelle détresse toute spéciale je t'aurais laissée, toi, mon infirmière, mon amie, ma sœur ! – Toi, qui avais vu tout l'égoïsme tourmenté de mes jours récents ; qui avais connu tous les murmures de mon cœur ! – Sous quelle forme aurais-je vécu dans ton souvenir ?... Et ma mère, aussi ! Comment aurais-tu pu la consoler ? – Je ne puis exprimer l'horreur que je m'inspirais à moi-même. Chaque fois que je me tournais vers le passé, je voyais quelque devoir négligé, ou quelque défaut auquel j'avais cédé. Tout le monde semblait lésé par moi. La bonté, la constante bonté de Mrs. Jennings, je l'avais récompensée d'un mépris ingrat. Envers les Middleton, les Palmer, les Steele, même envers chacune de nos connaissances courantes, je m'étais montrée insolente et injuste, le cœur durci à l'encontre de leurs mérites, et l'humeur irritée par leurs égards mêmes. Quant à John, à Fanny, – oui même à eux, quelque peu qu'ils méritent, – je leur avais donné moins que leur dû. Mais c'est toi, par-dessus tous, plus que ma mère, – qui avais été lésée par moi. Moi, et moi seule, je connaissais ton cœur et ses chagrins ; et pourtant, en quoi cela m'avait-il influencée ? Certes, à nulle compassion qui eût pu profiter à toi ni à moi. J'avais ton exemple devant les yeux : mais à quoi m'avait-il servi ? En avais-je plus d'égards pour toi et pour ton réconfort ? Avais-je imité ta longanimité, ou diminué tes contraintes, en participant à ces services de complaisance générale ou de gratitude particulière que tu avais jusque-là été laissée seule à effectuer ? Non ! Et quand j'avais su que tu étais malheureuse, non moins que quand j'avais cru que tu étais tranquille, je m'étais tout autant détournée de l'accomplissement de tous mes devoirs et de toute manifestation d'amitié ; je n'avais guère permis à la douleur d'exister, sauf pour moi, je n'avais regretté que ce cœur unique qui m'avait abandonnée et meurtrie, en te laissant, toi, pour qui je professais une affection sans bornes, à te rendre malheureuse par amour pour moi.

Elle arrêta là le flot rapide de l'humeur accusatrice qui la poussait à s'adresser à elle-même des reproches ; et Elinor, impatiente de la réconforter, quoique trop honnête pour la flatter, lui prodigua immédiatement les louanges et l'appui que méritaient si bien sa franchise et sa contrition. Marianne lui pressa la main et répondit :

– Tu es très bonne. C'est l'avenir qui doit me servir de justification. J'ai établi mon plan, et si je suis capable de m'y conformer, mes sentiments seront tenus en bride, et mon caractère amélioré. Ils n'irriteront plus les autres, ni ne me tortureront. Je vivrai maintenant dans une large mesure pour ma famille. C'est toi, ma mère, et Margaret, qui devrez dorénavant être tout au monde pour moi ; c'est vous qui partagerez entre vous toutes mes affections. Je n'aurai plus jamais la moindre incitation à m'éloigner de vous, et de mon foyer ; et si je me mêle jamais parmi une autre compagnie, ce sera uniquement pour montrer que ma fierté est humiliée, mon cœur amendé, et que je suis capable de pratiquer avec douceur et longanimité les civilités et les devoirs secondaires de la vie. Quant à Willoughby, il serait oiseux de dire que je l'oublierai bientôt, ou même jamais. Son souvenir ne pourra être vaincu par aucun changement de circonstances ou d'opinions. Mais il sera réglé, il sera tenu en bride par la religion, par la raison, par des occupations constantes.

Elle se tut un instant, et ajouta, d'une voix plus basse :

– Si seulement je pouvais connaître son cœur, tout deviendrait facile.

Elinor, qui avait alors réfléchi depuis quelque temps sur la question de savoir s'il convenait, ou non, de hasarder sans tarder son récit, entendit ces mots sans se sentir en aucune façon plus proche d'une décision qu'au début ; et, se rendant compte que la réflexion était inopérante, résolut d'en venir au fait.

Elle se tira de son récit, espérait-elle, avec adresse ; elle prépara avec prudence son auditrice inquiète ; conta simplement et honnêtement les points principaux sur lesquels Willoughby fondait son plaidoyer ; rendit justice à son repentir, et se contenta d'adoucir ses protestations d'affection actuelle. Marianne ne prononça pas un mot ; elle était tremblante, ses yeux étaient fixés au sol, et ses lèvres se firent plus blanches que la maladie elle-même ne les avait laissées. Mille questions lui surgissaient du cœur, mais elle n'osait en poser aucune. Elle aspira chaque syllabe avec une avidité haletante ; sa main, à son insu, pressa étroitement celle de sa sœur, et les larmes lui inondèrent les joues.

Elinor, redoutant qu'elle ne fût fatiguée, la ramena vers le foyer ; et, jusqu'à ce qu'elles eussent atteint la porte de la maisonnette, imaginant sans peine quelle devait être sa curiosité, encore que nulle interrogation ne fût autorisée à l'exprimer, ne parla que de Willoughby et de la conversation qu'ils avaient eue ensemble ; et elle détailla soigneusement toutes les particularités de sa parole et de sa mine, là où elle pouvait se laisser aller sans danger aux détails. Aussitôt qu'elles furent entrées dans la maison, Marianne, avec un baiser de reconnaissance, et ces quelques mots, à peine articulés au travers de ses larmes : « Dis-le à maman », s'éloigna de sa sœur et monta lentement à l'étage. Elinor se refusa à tenter de troubler une solitude aussi raisonnable que celle qu'elle recherchait à présent ; et, l'esprit occupé à en disposer par avance, non sans inquiétude, les résultats, et résolue à revenir sur ce sujet si Marianne omettait de le faire, elle se dirigea vers le salon pour obéir à l'injonction finale de sa sœur.

XLVII

Mrs. Dashwood n'entendit pas sans émotion le plaidoyer de son ancien préféré. Elle se réjouit de le savoir lavé d'une part de la culpabilité qu'elle lui avait imputée ; elle eut pitié de lui ; elle lui souhaita du bonheur. Mais il lui fut impossible de retrouver les sentiments d'autrefois. Rien ne pouvait le rétablir, dans l'esprit de Marianne, avec une foi intacte, une réputation sans tache. Rien ne pouvait dissiper la conscience de ce que celle-ci avait souffert à cause de lui, ni effacer la culpabilité de sa conduite à l'égard d'Eliza. Rien ne pouvait donc le replacer dans son estime d'autrefois, ni nuire aux intérêts du colonel Brandon.

Si Mrs. Dashwood avait, comme sa fille, entendu le récit de Willoughby de sa bouche même, – si elle avait été témoin de sa détresse, et subi l'influence de sa physionomie et de ses façons, il est probable que sa compassion eût été plus grande. Mais il n'était ni au pouvoir d'Elinor, ni conforme à son désir, de susciter chez une autre, par son explication répétée, des sentiments pareils à ceux qui avaient dès l'abord pris naissance chez elle. La réflexion avait conféré du calme à son jugement, et atténué sa propre opinion de ce que méritait Willoughby ; elle désirait, en conséquence, s'en tenir à l'exposé de la simple vérité, et ne révéler que les faits auxquels avait réellement droit la réputation du jeune homme, sans aucun embellissement de tendresse qui pût égarer l'imagination.

Dans la soirée, lorsqu'elles furent toutes réunies, Marianne commença, volontairement, à reparler de lui ; mais ce ne fut pas sans un effort, comme le faisaient voir nettement l'attitude pensive, inquiète, tourmentée, qu'elle avait gardée quelque temps au préalable, la rougeur qui empourpra sa joue lorsqu'elle parla, et sa voix mal assurée.

– Je veux vous donner l'assurance, à toutes les deux, dit-elle, que je vois tout... comme vous pouvez désirer que je le voie.

Mrs. Dashwood l'aurait interrompue à l'instant, avec une tendresse apaisante, si Elinor, qui désirait véritablement entendre l'opinion impartiale de sa sœur, ne l'eût, d'un geste plein d'ardeur, invitée au silence. Marianne reprit lentement :

– Ce m'est un grand soulagement – ce qu'Elinor m'a dit ce matin – j'ai maintenant appris exactement ce que je souhaitais d'entendre. Pendant quelques instants, sa voix se perdit ; mais, se ressaisissant, elle ajouta, et avec plus de calme qu'auparavant : Je suis maintenant parfaitement satisfaite. Je ne souhaite aucun changement. Je n'aurais jamais pu être heureuse avec lui, en sachant tout cela, – comme je l'aurais nécessairement su tôt ou tard. Je n'aurais pas eu de confiance, pas d'estime. Rien n'aurait pu en débarrasser mes sentiments.

– Je le sais ! Je le sais ! s'écria sa mère. Heureuse, avec un homme qui s'adonne au libertinage ! Qui a troublé à tel point la paix du plus cher de nos amis, et du meilleur des hommes ! Non, – ma Marianne n'a pas un cœur qui puisse être rendu heureux par un tel homme ! Sa conscience, sa conscience si sensible, aurait ressenti tout ce qu'eût dû ressentir celle de son mari.

Marianne soupira, et répéta :

– Je ne souhaite aucun changement.

– Tu considères l'affaire, dit Elinor, exactement comme doit la considérer un bon esprit et une intelligence saine ; et je suppose que tu perçois, tout comme moi, non seulement sur ce point, mais en bien d'autres circonstances, des raisons suffisantes pour te convaincre que ton mariage t'aurait nécessairement entraînée à des ennuis et à des déceptions nombreux et certains, dans lesquels tu aurais été maigrement soutenue par une affection beaucoup moins certaine de sa part. Si tu t'étais mariée, tu aurais nécessairement été pauvre, toujours. Ses habitudes dépensières sont reconnues, même de lui, et toute sa conduite proclame que le renoncement est un mot qu'il comprend à peine. Ses exigences, jointes à ton inexpérience, en ce qui concerne un petit revenu, – très petit, – auraient amené fatalement des misères qui ne seraient pas *moins* pénibles pour toi du fait qu'elles eussent été entièrement inconnues et insoupçonnées au préalable. *Ton* sentiment de l'honneur et *ton* honnêteté t'auraient portée, je le sais, une fois que tu aurais pris conscience de la situation, à tenter toute l'économie qui t'eût paru possible ; et peut-être, tant que ta frugalité n'eût

345

porté atteinte qu'à ton propre bien-être, aurais-tu pu être autorisée à la pratiquer ; mais, en dehors de là, – et combien mince pourrait être l'effet de ta direction unique pour enrayer la ruine qui avait commencé avant ton mariage ! – en dehors de là, si tu avais essayé, quelque raisonnablement, de retrancher à ses plaisirs, à lui, n'est-il pas à craindre qu'au lieu de l'emporter sur des sentiments assez égoïstes pour y consentir, tu eusses amoindri ta propre influence sur son cœur, et lui eusses fait regretter l'union qui l'aurait entraîné dans de pareilles difficultés ?

Les lèvres de Marianne eurent un frémissement, et elle répéta le mot « égoïste ? » d'un ton qui sous-entendait : « Tu le crois réellement égoïste ? »

– L'ensemble de sa conduite, répondit Elinor, depuis le début jusqu'à la fin de l'affaire, a été fondé sur l'égoïsme. C'est l'égoïsme, dès l'abord, qui l'a amené à jouer avec ton affection, – qui, ensuite, quand la sienne eût été engagée, l'a poussé à en différer l'aveu, et qui l'a finalement éloigné de Barton. Son propre plaisir ou ses aises personnelles, – tel a été, dans chaque cas particulier, son principe directeur.

– Il est bien vrai. Il n'a jamais eu en vue mon bonheur, à moi.

– À présent, reprit Elinor, il regrette ce qu'il a fait. Et pourquoi le regrette-t-il ? Parce qu'il constate que sa conduite n'a pas atteint son but, en ce qui le concerne. Elle ne l'a pas rendu heureux. Sa situation financière, actuellement, n'est pas embarrassée, – il ne souffre d'aucun mal de ce genre, et il se dit seulement qu'il a épousé une femme de caractère moins aimable que toi. Mais en résulte-t-il que s'il t'avait épousée, il eût été heureux ? Les désagréments auraient été autres. Il aurait alors souffert des embarras financiers qu'il compte à présent pour rien, parce qu'ils lui ont été évités. Il aurait eu une femme dont le caractère ne lui aurait pas donné lieu de se plaindre, mais il aurait toujours été besogneux, toujours pauvre ; et il n'aurait sans doute pas tardé à considérer les agréments innombrables d'un domaine libre d'hypothèques et d'un bon revenu comme bien plus importants, même pour le bonheur domestique, que le simple caractère d'une épouse.

– Je n'en doute pas, dit Marianne ; et je n'ai rien à regretter, – rien, que ma propre sottise.

– Dis plutôt : l'imprudence de ta mère, mon enfant, dit Mrs. Dashwood ; c'est elle qui doit en porter la responsabilité.

Marianne ne voulut pas la laisser poursuivre ; et Elinor, satisfaite que chacune sentit sa propre erreur, voulait éviter tout retour d'ensemble sur le passé, qui pût affaiblir le courage de sa sœur : aussi, reprenant le sujet primitif, continua-t-elle immédiatement :

– Il y a une observation qu'on peut, me semble-t-il, tirer équitablement de toute cette histoire, – que toutes les difficultés de Willoughby sont nées de sa première faute contre la vertu, de sa conduite à l'égard d'Eliza Williams. Ce crime-là a été l'origine de chacun des autres, plus minimes, et de toutes ses déconvenues actuelles.

Marianne acquiesça avec beaucoup d'émotion à cette remarque ; et sa mère fut amenée à partir de là à faire une énumération des doléances et des mérites du colonel Brandon, aussi chaleureuse que l'amitié la pouvait dicter. Sa fille, toutefois, ne donnait pas l'impression d'en avoir entendu grand-chose.

Elinor, comme elle s'y était attendue, nota, les deux ou trois jours suivants, que Marianne ne continuait pas à reprendre des forces comme elle l'avait fait ; mais, alors que sa résolution était inébranlable, et qu'elle essayait encore de paraître joyeuse et libre de soucis, sa sœur put s'en remettre avec sécurité à l'effet du temps sur sa santé.

Margaret revint, et tous les membres de la famille se trouvèrent de nouveau rendus les uns aux autres, installés tranquillement dans la maisonnette, et sinon poursuivant leurs études habituelles avec tout autant de vigueur que lors de leur arrivée à Barton, du moins en projetant une poursuite vigoureuse dans l'avenir.

Elinor devenait impatiente de nouvelles d'Edward. Elle n'avait plus entendu parler de lui depuis son départ de Londres, ne savait rien de ses projets, ni même rien de certain au sujet de son domicile actuel. Elle avait échangé quelques lettres avec son frère, lors de la maladie de Marianne ; et dans la première qu'elle avait reçue de John avait figuré cette phrase : « Nous sommes sans nouvelles de notre malheureux Edward, et ne pouvons chercher à nous renseigner sur un sujet aussi interdit, mais nous en concluons qu'il est toujours à Oxford » ; ce qui constituait la totalité des renseignements relatifs à Edward que lui avait fournis cette correspondance, car son nom n'était même pas cité dans aucune des lettres suivantes. Cependant, elle ne devait pas demeurer longtemps dans l'ignorance de ses faits et gestes.

Leur domestique avait été dépêché un matin à Exeter, pour quelque affaire ; et lorsque, tandis qu'il servait à table, il eut satisfait aux interrogations de sa maîtresse au sujet de sa commission, il fit volontairement cette communication :

– Madame sait, sans doute, que Mr. Ferrars est marié ?

Marianne eut un sursaut violent, fixa les yeux sur Elinor, la vit pâlir, et retomba sur sa chaise, atteinte d'hystérie. Mrs. Dashwood, dont les yeux, tandis qu'elle répondait à l'interrogation du domestique, avait intuitivement pris la même direction, fut navrée de percevoir, d'après la physionomie d'Elinor, à quel point elle souffrait véritablement, et, l'instant d'après, également bouleversée par l'état de Marianne, ne sut pas à laquelle de ses enfants elle devait consacrer le principal de son attention.

Le domestique, qui vit seulement que miss Marianne était prise d'un malaise, eut l'esprit d'appeler l'une des servantes, qui, avec l'aide de Mrs. Dashwood, la soutint jusque dans la pièce voisine. À ce moment, Marianne se trouvait plutôt mieux, et sa mère, la laissant aux soins de Margaret et de la servante, revint auprès d'Elinor, qui, encore que fort troublée, avait suffisamment retrouvé l'usage de sa raison et de sa voix pour se disposer à interroger Thomas quant à la source de ses renseignements. Mrs. Dashwood prit aussitôt sur elle cette peine ; et Elinor eut le bénéfice de l'information sans l'effort de la rechercher.

– Qui vous a dit que Mr. Ferrars était marié, Thomas ?

– C'est moi que j'l'ai vu moi-même, madame, c'matin à Exeter, avec sa dame, aussi, qu'était miss Steele. Ils étaient arrêtés, dans une chaise, à la porte de l'auberge New London, quand j'y suis entré avec un message de Sally, qu'est en service au Park, à son frère, qu'est l'un des postillons. J'levais justement les yeux en passant d'vant la chaise, alors j'ai vu tout de suite que c'était la cadette des d'moiselles Steele ; alors j'ai tiré mon chapeau, et elle m'a r'connu, et m'a d'mandé d'vos nouvelles, madame, et d'ces d'moiselles, surtout d'miss Marianne, et elle m'a dit d'faire ses compliments, et ceux d'Mr. Ferrars, – leurs meilleurs compliments et leurs devoirs, et qu'i's r'grettaient bien qu'i's ayent pas l'temps d'venir vous voir, – vu qu'i's étaient fort pressés d'continuer leur route, parc'qu'i's s'en allaient plus loin pour que'q'temps, – mais qu'en r'venant, i's n'manqu'raient pas d'venir vous voir.

– Mais vous a-t-elle dit qu'elle était mariée, Thomas ?

– Oui, madame. Elle a souri, et elle a dit qu'elle avait changé d'nom d'puis qu'elle était dans ces parages. Elle a toujours été une personne bien affable et libre de ses paroles, et fort comme i' faut. Alors, je m'suis permis d'lui souhaiter bien du bonheur.

– Mr. Ferrars était-il dans la voiture avec elle ?

– Oui, madame ; je l'ai tout juste aperçu, adossé dans l'fond, mais i' n'a pas levé les yeux, – il a jamais été un gentleman fort porté sur les paroles.

Le cœur d'Elinor n'eut pas de mal à expliquer pourquoi il ne s'était pas mis en avant ; et Mrs. Dashwood trouva probablement la même explication.

– Il n'y avait personne d'autre dans la voiture ?

– Non, madame, rien qu'eux deux.

– Savez-vous d'où ils venaient ?

– I's venaient tout droit d'Londres, comme me l'a dit miss Lucy – Mrs. Ferrars.

– Et ils se dirigent plus loin vers l'ouest ?

– Oui, madame, mais pas pour y rester longtemps. I's r'viendront bientôt, et alors i's pass'ront sûr'ment par ici, qu'elle a dit.

Mrs. Dashwood regarda alors sa fille ; mais Elinor était trop avisée pour s'attendre à leur venue. Elle reconnut tout Lucy dans ce message, et sentait bien qu'Edward ne viendrait jamais à proximité d'elles. Elle dit à sa mère, à voix basse, qu'ils se rendaient probablement chez Mr. Pratt, près de Plymouth.

Il semblait que les renseignements de Thomas fussent épuisés. Elinor avait l'air de désirer en savoir davantage.

– Les avez-vous vus se mettre en route, avant votre départ ?

– Non, madame ; on am'nait tout juste les ch'vaux, mais j'ai pas pu rester plus longtemps, vu qu'javais peur d'être en r'tard.

– Mrs. Ferrars avait-elle bonne mine ?

– Oui, madame, et même qu'elle a dit qu'elle allait très bien ; et pour mon compte, j'ai toujours trouvé qu' c'était une très belle personne, – et elle avait l'air joliment contente.

Mrs. Dashwood était à court de questions supplémentaires, et Thomas, ainsi que la nappe, également inutiles à présent, furent congédiés peu de temps après. Marianne avait déjà fait dire qu'elle ne mangerait plus rien ; l'appétit de Mrs. Dashwood et d'Elinor était également coupé, et Margaret put s'estimer fort heureuse, étant données toute l'inquiétude qui était récemment advenue à ses deux sœurs, et toutes les raisons qu'elles avaient souvent eues de ne point se soucier des repas, de n'avoir encore jamais été contrainte de se passer de dîner.

Lorsque le dessert et le vin eurent été disposés, et que Mrs. Dashwood et Elinor demeurèrent en tête à tête, elles gardèrent longtemps toutes les deux le même silence pensif. Mrs. Dashwood craignait de hasarder aucune remarque, et n'osait pas offrir de consolations. Elle découvrit à présent qu'elle s'était trompée en s'en rapportant à la façon dont Elinor s'était dépeinte elle-même ; et elle en conclut à juste titre que tout avait été expressément radouci à l'époque, afin de lui éviter un surcroît de chagrin, alors qu'elle souffrait à cause de Marianne. Elle constata qu'elle avait été induite en erreur par les soins attentifs et chargés d'égards de sa fille, au point d'avoir cru que cette affection, qu'elle avait jadis si bien comprise, était en réalité beaucoup plus légère qu'elle n'avait été portée à le penser, ou qu'elle ne se révélait l'être à présent. Elle craignit que, dans cette conviction, elle n'eût été injuste, chiche d'égards, – voire presque méchante envers son Elinor, – que la douleur de Marianne, parce qu'elle était plus avouée, plus immédiatement établie devant ses yeux, n'eût trop accaparé sa tendresse, et ne l'eût amenée à oublier qu'elle pût avoir en Elinor une fille qui souffrait presque autant, et, certainement avec moins de responsabilité personnelle et plus de force d'âme.

XLVIII

Elinor éprouvait à présent la différence entre l'attente d'un événement désagréable, quelle que fût la certitude avec laquelle il pût s'imposer à l'esprit, et cette certitude elle-même. Elle constata qu'en dépit d'elle-même, elle s'était toujours permis un espoir, tant qu'Edward restait célibataire, qu'il pût se présenter quelque chose qui l'empêchât d'épouser Lucy ; qu'il se présenterait chez lui quelque résolution, quelque médiation chez des amis, ou quelque occasion, pour la dame, de s'établir plus avantageusement, circonstances qui aideraient au bonheur de tous. Mais il était marié, maintenant, et elle prononça une condamnation à l'encontre de son cœur, pour avoir toléré cette arrière-pensée flatteuse qui rehaussait d'autant la douleur de la nouvelle.

Qu'il fût marié si promptement, avant (s'imagina-t-elle) d'avoir pu entrer dans les ordres, et, partant, avant d'avoir pu prendre possession du bénéfice, – cela la surprit un peu, tout d'abord. Mais elle se rendit bien vite compte que Lucy, dans son empressement à pourvoir à ses propres fins, dans sa hâte de s'assurer de lui, avait dû négliger toutes choses, sauf le risque d'un retard. Ils étaient mariés, mariés à Londres, et accouraient à présent chez l'oncle de Lucy. Qu'avait éprouvé Edward, en se sachant à quatre milles de Barton, en voyant le domestique de Mrs. Dashwood, en entendant le message de Lucy !

Bientôt, supposait-elle, ils seraient installés à Delaford, – Delaford, ce lieu auquel tant de choses conspiraient à l'intéresser, – qu'elle désirait connaître, et voulait pourtant éviter. Elle les vit, au bout d'un instant, dans leur presbytère ; elle vit en Lucy la directrice active et adroite, joignant à un désir d'apparence coquette la frugalité la plus complète, et rougissant qu'on la soupçonnât de la moitié de ses pratiques d'économie, – recherchant son intérêt personnel dans chacune de ses pensées, quémandant la faveur du colonel Brandon, de Mrs. Jennings, et de tous ses amis riches. Quant à Edward, – elle ne savait pas ce qu'elle voyait en lui, ni ce qu'elle désirait voir : heureux ou malheureux, rien ne lui plaisait ; elle détourna la tête de toute esquisse de lui.

Elinor se flattait de ce que quelqu'une de leurs relations, à Londres, leur écrirait pour annoncer l'événement et leur donner des détails complémentaires ; mais les journées se succédèrent, et n'apportèrent aucune lettre, aucune nouvelle. Mais, encore qu'elle ne fût pas sûre que quelqu'un méritât des reproches, elle s'en prit à chacun de ses amis absents. Ils étaient tous légers ou indolents.

– Quand écrirez-vous au colonel Brandon, madame ? – ce fut là une interrogation que suscita l'impatience où était son esprit, de sentir qu'il se passait quelque chose.

– Je lui ai écrit la semaine dernière, ma chérie, et je m'attends plutôt à le voir qu'à recevoir une nouvelle lettre de lui. J'ai vivement insisté, dans ma lettre, pour qu'il vienne nous voir, et ne serais pas surprise de le voir entrer ici aujourd'hui ou demain, ou n'importe quel jour.

C'était là un gain, – c'était du moins quelque chose à attendre. Le colonel Brandon devait avoir des renseignements à donner.

À peine avait-elle déterminé qu'il en était bien ainsi, que la silhouette d'un homme à cheval attira ses yeux vers la fenêtre. Il s'arrêta devant leur portillon. C'était un gentleman ; c'était le colonel Brandon lui-même. Elle allait, à présent, en apprendre plus long, – et elle trembla dans cette attente. Mais ce n'était pas le colonel Brandon, – cet homme n'avait ni son air, ni sa taille. Si ç'avait été possible, elle eût cru que ce devait être Edward. Elle regarda à nouveau. Il venait de mettre pied à terre, – elle ne pouvait pas s'y tromper, – c'était effectivement Edward. Elle s'éloigna de la fenêtre, et s'assit. « Il vient de chez Mr. Pratt, tout exprès pour nous voir. Je *veux* être calme ; je *veux* être maîtresse de moi. »

Au bout d'un instant, elle se rendit compte que les autres avaient également perçu leur erreur. Elle vit sa mère et Marianne qui changeaient de teint ; elle les vit qui la regardaient, et qui se murmuraient l'une à l'autre quelques phrases. Elle eût donné tout au monde pour pouvoir parler, – et pour leur faire comprendre qu'elle espérait que nulle froideur, nul affront, n'apparaîtrait dans leur attitude envers lui ; mais elle était privée de l'usage de la parole, et fut obligée de tout laisser à leur discrétion.

Pas une syllabe ne fut échangée à haute voix. Elles attendirent toutes en silence l'apparition de leur visiteur. On entendit le bruit de ses pas sur le sentier de gravier ; au bout d'un instant, il fut dans le couloir, – un instant de plus, et il fut devant eux.

Son visage, au moment où il entra dans la pièce, ne respirait pas un bonheur excessif, même aux yeux d'Elinor. Son teint était pâle d'agitation, et il semblait redouter la réception qui l'attendait, et avoir conscience qu'il n'en méritait point d'aimable. Mrs. Dashwood, cependant, se conformant, espérait-elle, aux désirs de cette fille par laquelle elle avait alors l'intention, dans l'ardeur de son cœur, de se laisser guider en toute chose, l'accueillit d'un air de satisfaction forcée, lui donna la main, et lui souhaita de la joie.

Il rougit, et bégaya une réponse inintelligible. Les lèvres d'Elinor avaient remué avec celles de sa mère, et quand le moment de l'action fut passé, elle regretta de ne pas lui avoir serré la main, elle aussi. Mais il était trop tard, et, avec un visage qui voulait être franc, elle se rassit et parla du temps qu'il faisait.

Marianne avait battu en retraite autant que possible, pour ne pas être vue, et dissimuler sa détresse ; et Margaret, se rendant compte d'une partie de l'affaire, mais non de sa totalité, estima qu'il lui incombait de prendre une attitude digne, et s'assit donc aussi loin de lui qu'elle le put, et garda strictement le silence.

Quand Elinor eut cessé de se réjouir de la sécheresse de la saison, il se produisit un silence fort embarrassant. Il y fut mis fin par Mrs. Dashwood, qui se sentit obligée de dire qu'elle espérait qu'il avait laissé Mrs. Ferrars en bonne santé. Il répondit hâtivement par l'affirmative.

Nouveau silence.

Elinor, se décidant à faire un effort, bien qu'elle redoutât le son de sa propre voix, dit alors :

– Mrs. Ferrars est-elle à Longstaple ?

– À Longstaple ! répondit-il d'un air de surprise. Non, ma mère est à Londres.

– Je voulais, dit Elinor, prenant un ouvrage sur la table, m'informer au sujet de Mrs. *Edward* Ferrars.

Elle n'osa pas lever les yeux ; mais sa mère et Marianne dirigèrent l'une et l'autre les yeux sur lui. Il rougit, parut embarrassé, les regarda d'un air de doute, et, après une certaine hésitation, dit :

– Peut-être voulez-vous dire... mon frère... vous voulez parler de Mrs... de Mrs. *Robert* Ferrars.

– Mrs. Robert Ferrars ! Le nom fut répété par Marianne et par sa mère, d'un accent qui trahissait la plus grande stupéfaction ; et bien qu'Elinor fût incapable de parler, ses yeux, eux aussi, se fixèrent sur lui avec le même étonnement impatient. Il se leva de son siège, et alla à la fenêtre, ne sachant apparemment que faire ; il prit une paire de ciseaux qui étaient là, et, tout en les détériorant, eux et leur étui, en coupaillant ce dernier pendant qu'il parlait, il dit, d'une voix pressée :

– Peut-être ne savez-vous pas – il se peut que n'ayez pas appris... que mon frère a épousé récemment la – la cadette – Miss Lucy Steele.

Ses paroles furent reprises en écho, avec un étonnement indicible, par toutes, sauf Elinor, qui resta là, la tête penchée sur son ouvrage, dans un tel état d'agitation qu'elle savait à peine où elle était.

– Oui, dit-il, ils se sont mariés la semaine dernière, et sont maintenant à Dawlish.

Elinor n'y tint plus. Elle sortit de la pièce presque en courant, et aussitôt que la porte fut refermée, fondit en larmes de joie, qui, crut-elle d'abord, ne cesseraient jamais. Edward, qui avait, jusque-là, regardé de n'importe quel côté plutôt que de diriger les yeux sur elle, la vit qui partait en hâte, et remarqua peut-être, – ou entendit même, – son émotion ; car aussitôt après il tomba dans une rêverie que ne put pénétrer aucune remarque, aucune interrogation, aucune parole affectueuse, de Mrs. Dashwood ; et enfin, sans mot dire, il quitta la pièce et sortit en direction du village, laissant les autres dans le plus grand étonnement et la plus grande perplexité en raison d'un changement si merveilleux et si inattendu dans sa situation, – perplexité qu'elles n'avaient d'autre moyen de diminuer que par leurs propres conjectures.

XLIX

Quelque inexplicables, cependant, que pussent paraître à toute la famille les circonstances de sa libération, il était certain qu'Edward était libre ; et à quoi serait employée cette liberté, c'est là un point qui fut facilement déterminé d'avance par tout le monde ; car, après avoir éprouvé par l'expérience, durant plus de quatre ans, les bienfaits de fiançailles imprudentes, nouées sans le consentement de sa mère, on ne pouvait espérer rien de moins, de sa part, en présence de leur échec, que la conclusion de fiançailles nouvelles.

Sa mission à Barton, à dire vrai, était fort simple. Il s'agissait simplement de demander à Elinor de l'épouser ; et, étant donné qu'il n'était pas absolument inexpérimenté en pareille matière, il pourrait sembler étrange qu'il se sentît aussi embarrassé, en l'espèce, qu'il l'était effectivement, – qu'il eût un tel besoin d'encouragement et d'air pur.

Combien de temps il lui fallut marcher, toutefois avant de prendre une résolution convenable, au bout de combien de temps il se présenta une occasion de la mettre à exécution, de quelle façon il s'exprima, et comment il fut reçu, – point n'est besoin de le conter en détail. Tout ce qu'il suffit de dire, le voici : – lorsqu'ils prirent tous place à table, à quatre heures, environ trois heures après son arrivée, il s'était assuré sa dame, il avait obtenu le consentement de la mère de celle-ci, et se trouvait non seulement dans l'état délicieux de l'amoureux, mais était encore, dans la réalité de la raison et de la vérité, l'un des hommes les plus heureux qui fussent. Sa situation était, en effet, plus qu'ordinairement joyeuse. Il avait bien autre chose que le triomphe banal de l'amour accepté, pour lui gonfler le cœur et retrouver son entrain. Il était libéré, sans aucun reproche dont on pût lui faire grief, d'une liaison qui était depuis longtemps son tourment, d'une femme qu'il avait depuis longtemps cessé d'aimer, – et il se trouvait élevé du même coup à cette sécurité auprès d'une autre, à laquelle il avait dû songer avec désespoir, aussitôt qu'il avait appris à la considérer avec quelque désir. Il était passé, non pas du doute ou de l'incertitude, mais de la détresse profonde, au bonheur ; et ce changement s'exprima par une gaieté authentique, débordante, et reconnaissante, telle que ses amies n'en avaient encore jamais vu chez lui.

Son cœur s'ouvrit à présent à Elinor, – il en confessa toutes les faiblesses, toutes les erreurs, et traita tout son amour de jouvenceau pour Lucy avec toute la dignité philosophique de ses vingt-quatre ans.

– Ce fut de ma part une inclination sotte et oiseuse, dit-il, due à mon ignorance du monde, et à mon manque d'occupation. Si ma mère m'avait donné quelque profession active quand on m'a retiré, à dix-huit ans, de chez Mr. Pratt, je crois – non, je suis sûr – que ce ne serait jamais arrivé ; car, bien que j'eusse quitté Longstaple avec ce que je croyais, à l'époque, une préférence absolument invincible pour sa nièce, si cependant j'avais eu alors quelque activité, quelque objet pour occuper mon temps et me tenir éloigné d'elle pendant quelques mois, j'aurais surmonté sans tarder cette affection imaginée, surtout en me mêlant davantage au monde, comme je l'aurais fait nécessairement en un cas pareil. Mais au lieu d'avoir quelque chose à faire, au lieu qu'on m'eût choisi une profession, ou permis d'en choisir une pour moi-même, je rentrai à la maison pour y rester dans l'oisiveté complète ; et pendant la première année qui suivit, je n'eus même pas l'occupation que m'eût donnée le fait d'appartenir à l'université, car je ne fus inscrit à Oxford que lorsque j'atteignis mes dix-neuf ans. Je n'avais donc absolument rien à faire, qu'à m'imaginer amoureux ; et comme ma mère ne rendait pas mon foyer agréable sous tous les rapports, – comme je n'avais pas d'ami, pas de compagnon, en mon frère, et ne me plaisais pas aux connaissances nouvelles, il n'y a rien eu que de naturel à ce que je fusse très souvent à Longstaple, où je me sentais toujours chez moi, et où j'étais sûr d'être le bienvenu ; aussi y ai-je passé la majeure partie de mon temps, de dix-huit à dix-neuf ans. Lucy m'apparut comme étant tout ce qu'il y a d'aimable et d'obligeant. Elle était jolie, aussi, – du moins, je le croyais, à l'époque ; et je connaissais si peu les autres femmes, que je ne pouvais faire de comparaisons, ni voir de défauts. Tout compte fait, donc, quelque sottes qu'aient été nos fiançailles, quelque sottes qu'elles se soient révélées depuis lors, j'espère qu'elles n'étaient pas, à cette époque, une folie invraisemblable, ni inexcusable.

Le changement que ces quelques heures avaient opéré dans l'esprit et le bonheur des Dashwood était tel, et d'une telle ampleur, qu'il leur promettait à toutes une nuit d'insomnie. Mrs. Dashwood, trop heureuse pour être à son aise, ne savait comment aimer suffisamment Edward ni louanger Elinor, – comment rendre suffisamment grâces de sa libération sans froisser sa délicatesse, ni comment, à la fois, leur donner le loisir de s'entretenir tous les deux sans retenue, tout en jouissant à l'envi de la vue et de la compagnie de l'un et de l'autre.

Marianne fut incapable d'exprimer son bonheur autrement que par des larmes. Les comparaisons persistaient à se produire, les regrets, à se présenter ; et sa joie, bien qu'elle fût sincère, comme son amour pour sa sœur, était d'un genre tel qu'elle ne lui donnait ni entrain ni paroles.

Quant à Elinor, comment décrire les sentiments qu'elle éprouvait ? Depuis l'instant où elle avait appris que Lucy était mariée à un autre, qu'Edward était libre, jusqu'à celui où il avait justifié les espoirs qui en étaient immédiatement résultés, elle avait passé tour à tour par tous les états d'âme, hormis la tranquillité. Mais, le second moment passé, – lorsqu'elle eut découvert que tout doute, toute inquiétude, étaient dissipés, – qu'elle eut comparé sa situation à ce qu'elle avait si récemment été, – qu'elle le vit honorablement libéré de ses engagements antérieurs, – qu'elle le vit à l'instant profiter de cette libération pour lui adresser ses hommages et lui déclarer une affection aussi tendre, aussi constante, qu'elle l'avait jamais supposée, – elle fut oppressée, elle fut submergée par sa propre félicité ; et, tout heureusement disposé que soit l'esprit humain à se familiariser facilement avec tout changement en mieux, il fallut plusieurs heures pour donner du calme à ses idées, ou quelque tranquillité à son cœur.

Edward se trouva à présent établi à la maisonnette au moins pour huit jours ; car quelles que fussent les obligations qu'il pouvait avoir par ailleurs, il était impossible que moins d'une semaine fût consacrée à jouir de la compagnie d'Elinor, ou suffît à dire la moitié de ce qu'il y avait à dire sur le passé, le présent, et l'avenir ; car, bien que fort peu d'heures passées au dur travail qui consiste à causer sans arrêt liquideront plus de sujets qu'il n'en peut véritablement en exister entre deux êtres raisonnables quelconques, il en va différemment des amoureux. Entre eux, aucun sujet n'est épuisé, aucune communication n'est même faite, qu'ils n'aient été effectués pour le moins à vingt reprises différentes.

Le mariage de Lucy, l'étonnement incessant et raisonnable chez eux tous, constitua, bien entendu, l'une des premières discussions entre les amoureux ; et la connaissance que possédait Elinor de chacun des intéressés faisait, à ses yeux, de cet événement l'un des plus extraordinaires et des plus inexplicables dont elle eût jamais entendu parler. Comment ils avaient pu nouer ensemble des relations, et par quel attrait Robert avait pu être incité à épouser une jeune fille de la beauté de laquelle elle l'avait elle-même entendu parler sans admiration aucune, – une jeune fille, qui plus est, déjà fiancée à son frère, et à cause de laquelle ce frère avait été renié par les siens, – voilà qui dépassait sa compréhension. Pour son cœur, c'était une affaire délicieuse ; pour son imagination, c'en était une ridicule ; mais pour sa raison, pour son jugement, c'était une énigme totale.

Edward ne put tenter une explication qu'en supposant que, s'étant peut-être rencontrés accidentellement, la vanité de l'un avait été à tel point travaillée par la flatterie de l'autre, que tout le reste en était graduellement résulté. Elinor se souvint de ce que lui avait dit Robert dans Harley Street, touchant son opinion de ce qu'eût pu accomplir sa propre médiation dans les affaires de son frère, si l'on s'était adressé à lui en temps utile. Elle le répéta à Edward.

– C'est bien là du Robert tout pur, fit-il immédiatement. Et il se peut, ajouta-t-il au bout de quelques instants, qu'il ait eu cela en tête au moment où ils ont noué connaissance. Et peut-être, au début, Lucy a-t-elle pu ne songer qu'à s'assurer ses bons offices en ma faveur. D'autres desseins ont pu naître par la suite.

Mais quant à savoir combien de temps ce commerce s'était poursuivi entre eux, voilà ce qu'il était aussi incapable qu'elle de discerner ; car à Oxford, où il avait préféré demeurer depuis son départ de Londres, il n'avait eu d'autre moyen de recevoir des nouvelles d'elle, que d'attendre celles qu'elle lui donnait elle-même, et ses lettres, jusqu'à la toute dernière, n'étaient ni moins fréquentes, ni moins affectueuses, que d'ordinaire. Il n'avait donc été préparé par le moindre soupçon, à ce qui s'en était suivi ; et lorsque enfin la chose lui fut brutalement révélée par une lettre de Lucy elle-même, il avait été quelque temps, croyait-il, à demi stupéfié entre l'émerveillement, l'horreur, et la joie d'une semblable délivrance. Il remit la lettre entre les mains d'Elinor :

« Monsieur, – Étant bien sûre d'avoir perdu depuis longtemps vos affections, je me suis crue libre d'octroyer les miennes à un autre, et je ne doute point d'être aussi heureuse avec lui que j'ai cru jadis pouvoir l'être avec vous ; mais je dédaigne d'accepter une main tandis que le cœur appartenait à une autre. Vous espère sincèrement heureux dans votre choix, et ce ne sera pas ma faute si nous ne sommes pas toujours bons amis, comme le rend convenable à présent notre proche parenté. Je peux dire sans crainte que je ne vous en veux pas, et je suis sûre que vous serez trop généreux pour nous faire du mal. Votre frère a entièrement gagné mes affections, et comme nous ne pouvions pas vivre l'un sans l'autre, nous revenons à l'instant de l'autel, et sommes maintenant en route pour Dawlish pour quelques semaines, – localité que votre cher frère est très curieux de voir ; mais ai cru bon de vous infliger tout d'abord ces quelques lignes, et resterai toujours

» Votre amie et sœur bien intentionnée,

» Lucy Ferrars.

» J'ai brûlé toutes vos lettres, et vous rendrai votre portrait à la première occasion. Prière de détruire mes griffonnages ; mais la bague, avec mes cheveux, vous pouvez les garder de bon cœur. »

Elinor la lut et la lui rendit sans aucun commentaire.

– Je ne vous demanderai pas votre opinion là-dessus en tant qu'exercice de style, dit Edward. Je n'aurais voulu, pour rien au monde, que vous vissiez une lettre d'elle, autrefois. Chez une sœur, c'est suffisamment pénible, mais chez une épouse ! Comme j'ai rougi en lisant les pages de son écriture ! Et je crois pouvoir dire que, depuis les six premiers mois de notre sotte... affaire, c'est là la seule lettre que j'aie jamais reçue d'elle, dont la substance ait compensé pour moi le défaut du style.

– De quelque façon que cela se soit produit, dit Elinor, au bout d'un silence, ils sont certainement mariés. Et votre mère s'est attiré un châtiment fort approprié. Les dispositions qu'elle a prises pour assurer à Robert une fortune indépendante, par ressentiment envers vous, lui ont donné la possibilité de faire son propre choix ; et elle a bel et bien octroyé à l'un de ses fils un appât de mille livres par an pour qu'il commette l'acte même pour l'intention duquel elle a déshérité l'autre. Elle ne sera guère moins froissée, je le suppose, du fait que Robert épouse Lucy, qu'elle ne l'eût été si vous l'aviez épousée, vous.

– Elle en sera plus froissée, car Robert a toujours été son préféré. Elle en sera plus froissée, et, d'après le même principe, elle lui pardonnera beaucoup plus tôt.

Quelle était présentement la situation de l'affaire entre eux, Edward n'en savait rien, car il n'avait encore tenté aucune communication avec personne de sa famille. Il avait quitté Oxford moins de vingt-quatre heures après l'arrivée de la lettre de Lucy, et, n'ayant en vue qu'un seul objectif, – la route la plus proche pour se rendre à Barton, – n'avait eu aucun loisir pour constituer un plan de conduite avec lequel cette route ne se trouvât pas posséder les liens les plus étroits. Il ne pouvait rien faire, tant qu'il ne serait pas assuré de son sort auprès de miss Dashwood ; et, par sa rapidité à rechercher ce sort, il est à supposer, en dépit de la jalousie dont avaient jadis été empreintes ses pensées à l'égard du colonel Brandon, – en dépit de la modestie avec laquelle il estimait ses propres mérites, et de la politesse avec laquelle il parlait de ses doutes, – que, dans l'ensemble, il ne s'attendait pas à une réception fort cruelle. Son rôle était, toutefois, de dire le contraire, et il le dit fort joliment. Ce qu'il pourrait dire à ce sujet, un an plus tard, c'est là une chose pour laquelle il faut s'en remettre à l'imagination des maris et des femmes.

Que Lucy eût certainement eu le dessein de tromper, de s'en aller avec un panache de malveillance à l'encontre d'Edward, dans le message dont elle avait chargé Thomas, voilà qui était parfaitement clair pour Elinor ; et Edward lui-même, à présent complètement renseigné sur son caractère, ne se fit pas scrupule de la croire capable de la dernière mesquinerie, quant à la malveillance gratuite. Bien que ses yeux eussent été ouverts depuis longtemps, même avant qu'il n'eût fait la connaissance d'Elinor, à l'ignorance de Lucy et au manque de générosité de certaines de ses opinions, il avait également imputé ces traits à son manque d'instruction ; et, jusqu'à ce que sa dernière lettre lui fût parvenue, il avait déjà cru qu'elle était une personne bien disposée, douée d'un bon cœur, et foncièrement attachée à lui. Il n'avait fallu rien de moins qu'une telle conviction pour l'empêcher de mettre fin à des fiançailles qui, bien avant que leur découverte n'eût suscité contre lui la colère de sa mère, avaient été pour lui une source continuelle d'inquiétude et de regrets.

– J'ai cru qu'il était de mon devoir, dit-il, quels que fussent mes sentiments, de lui laisser l'option de maintenir ou non les fiançailles, une fois que ma mère m'eut renié, et que je me trouvais, selon toute apparence, sans un ami au monde pour m'aider. Dans une telle situation, alors qu'il semblait qu'il n'y eût rien pour tenter la cupidité ou la vanité d'aucun être vivant, comment pouvais-je supposer, quand elle insistait si sérieusement, si chaleureusement pour partager mon sort, quel qu'il pût être, qu'elle y était incitée par autre chose que l'affection désintéressée ? Et même à présent, je ne puis comprendre pour quel motif elle a agi, ni quel avantage imaginé il pouvait y avoir pour elle à être enchaînée à un homme pour qui elle n'éprouvait pas la moindre affection, et qui ne possédait que deux mille livres au monde. Elle ne pouvait prévoir que le colonel Brandon me donnerait un bénéfice.

– Non, mais elle a pu supposer qu'il se produirait quelque chose en votre faveur ; que votre propre famille pourrait, le temps aidant, se radoucir. Et, en tout cas, elle ne perdait rien en prolongeant les fiançailles, car elle a démontré qu'elles n'enchaînaient ni son inclination, ni ses actes. Cette attache était certainement respectable, et lui valait probablement de la considération de la part de ses amis ; et s'il ne se présentait rien de plus avantageux, il valait mieux pour elle vous épouser, vous, que de rester fille.

Edward fut naturellement tout de suite convaincu que rien n'eût pu être plus naturel que la conduite de Lucy, ni plus évident en soi que le motif qui y avait présidé.

Elinor le gronda durement, comme les dames rabrouent toujours l'imprudence qui constitue pour elles un compliment, d'avoir passé tant de temps auprès d'elles à Norland, alors qu'il eût dû sentir sa propre inconstance.

– Votre conduite a certainement été fort coupable, dit-elle, car, – sans parler de ma conviction, – nos parents ont été ainsi complètement induits en erreur, au point d'imaginer et d'attendre ce qui, dans la situation où vous étiez alors, ne pouvait jamais être.

Il ne put que plaider l'ignorance de son propre cœur, et une confiance erronée dans la force de sa promesse de mariage.

– J'étais assez naïf pour croire que, parce que ma foi était engagée auprès d'une autre, il ne pouvait y avoir de danger à ce que je fusse avec vous ; et que la conscience de ma promesse devait me garder le cœur aussi sûr et aussi sacré que mon honneur. Je sentais bien que je vous admirais, mais je me disais que ce n'était que de l'amitié ; et jusqu'au moment où je me suis mis à faire des comparaisons entre vous et Lucy, je ne savais pas à quel point j'étais épris. Après cela, sans doute, j'ai effectivement eu tort de rester si longtemps dans le Sussex, et les arguments au moyen desquels je me suis rallié à la convenance d'agir ainsi n'ont rien de plus valable que ceux-ci : c'est un danger pour moi seul ; je ne fais de mal à personne, qu'à moi-même.

Elinor sourit, et hocha la tête.

Edward apprit avec plaisir que le colonel Brandon était attendu dans la maisonnette, car il désirait réellement, non seulement faire plus ample connaissance avec lui, mais avoir l'occasion de le convaincre qu'il ne lui en voulait plus, de lui donner la cure de Delaford.

– Bénéfice qu'à présent, dit-il, après des remerciements présentés avec autant de mauvaise grâce que l'ont été les miens sur le moment, il doit croire que je ne lui ai jamais pardonné de m'avoir offert.

Il se sentit lui-même étonné, à présent, de ne s'être jamais rendu sur place. Mais il s'était si peu intéressé à la question, qu'il devait toute la connaissance qu'il possédait sur la maison, le jardin, la terre assignée au bénéfice, l'étendue de la paroisse, la condition des terres, et le montant des dîmes, à Elinor elle-même, qui en avait tant appris de la bouche du colonel Brandon, et l'avait appris avec tant d'attention, qu'elle était entièrement maîtresse du sujet.

Il ne restait, après cela, entre eux qu'une seule question indécise, – une seule difficulté à surmonter. Ils étaient poussés l'un vers l'autre par l'affection mutuelle, avec l'approbation chaleureuse de leurs amis véritables ; la connaissance intime qu'ils avaient l'un de l'autre semblait rendre leur bonheur certain, – et il ne leur manquait que de quoi vivre. Edward possédait deux mille livres, et Elinor, mille, ce qui, avec le bénéfice de Delaford, constituait tout ce qu'ils pouvaient appeler leur bien ; car il était impossible que Mrs. Dashwood avançât quoi que ce fût, et ils n'étaient ni l'un ni l'autre tout à fait assez épris pour croire que trois cent cinquante livres par an leur fourniraient toutes les commodités de l'existence.

Edward n'était pas totalement privé de l'espoir de quelque changement favorable dans l'attitude de sa mère envers lui ; et c'est là-dessus qu'il comptait pour le complément de leur revenu. Mais Elinor ne comptait sur rien de tel ; car, puisqu'Edward serait toujours dans l'impossibilité d'épouser miss Morton, et puisque le fait de l'avoir choisie, elle, avait été désigné, dans le langage flatteur de Mrs. Ferrars, comme étant simplement un moindre mal que son choix de miss Steele, elle craignait que l'offense d'Edward n'eût d'autre effet que d'enrichir Fanny.

Environ quatre jours après l'arrivée d'Edward, le colonel Brandon fit son apparition, pour compléter la satisfaction de Mrs. Dashwood, et lui donner la dignité d'avoir, pour la première fois depuis qu'elle habitait Barton, plus de compagnie autour d'elle que n'en pouvait tenir la maison. Edward fut autorisé à retenir le privilège du premier occupant, et le colonel Brandon, en conséquence, partit à pied, chaque soir, reprendre son ancienne chambre au Park ; d'où il revenait d'ordinaire le matin, assez tôt pour interrompre le premier tête-à-tête des amoureux avant le déjeuner.

Une résidence de trois semaines à Delaford – où, pendant les heures de la soirée tout au moins, il avait peu de chose à faire, si ce n'est de calculer la disproportion entre trente-six et dix-sept – l'amenait à Barton dans un état d'esprit qui avait besoin de toute l'amélioration dans la mine de Marianne, de toute l'amabilité de son accueil, et de tout l'encouragement de la parole de sa mère, pour le rendre joyeux. Mais, au milieu de pareils amis, et de semblables flatteries, il se ranima véritablement. Nulle rumeur du mariage de Lucy ne lui était encore parvenue ; il ne savait rien de ce qui s'était passé, et les premières heures de sa visite furent, en conséquence, occupées à apprendre et à s'émerveiller. Tout lui fut expliqué par Mrs. Dashwood, et il trouva une nouvelle raison de se réjouir de ce qu'il avait fait pour Mr. Ferrars, puisqu'en fin de compte cela servait les intérêts d'Elinor.

Il serait superflu de dire que les gentlemen progressèrent dans la bonne opinion de leur connaissance mutuelle, car il n'en pouvait être autrement. Leur ressemblance quant aux bons principes et à l'intelligence, au caractère et à la façon de penser, eût probablement été suffisante à les unir d'amitié, sans aucune autre attraction ; mais le fait qu'ils fussent épris de deux sœurs, et de deux sœurs qui s'aimaient l'une l'autre, rendit cette affection mutuelle inévitable et immédiate, alors qu'elle eût pu, sans cela, attendre l'effet du temps et du jugement.

Les lettres de Londres, qui eussent, quelques jours auparavant, fait frémir sous leurs transports chacun des nerfs du corps d'Elinor, arrivèrent à présent, pour être lues avec moins d'émotion que de gaieté. Mrs. Jennings écrivit pour conter la merveilleuse histoire, pour donner cours à son honnête indignation à l'encontre de l'inconstante fille, et déverser sa compassion envers ce pauvre Mr. Edward, qui, elle en était sûre, avait été absolument féru de cette indigne coquine, et se trouvait maintenant, au dire de tout le monde, à Oxford, le cœur quasi brisé... « Je crois vraiment, poursuivait-elle, qu'on n'a jamais mené une affaire avec autant de ruse ; car ce n'est que deux jours auparavant, que Lucy est venue me voir et est restée deux heures à causer avec moi. Personne ne soupçonnait rien de l'affaire, pas même Nancy, qui, pauvre âme ! est venue chez moi en larmes le lendemain, en grand-peur des foudres de Mrs. Ferrars, et sans savoir, de plus, comment elle regagnerait Plymouth ; car Lucy, paraît-il, lui avait emprunté tout son argent avant qu'elle ne parte pour se marier, – tout exprès, à ce que nous supposons, pour pouvoir mener grand train, et la pauvre Nancy n'avait même pas sept shillings au monde, – alors j'ai été très contente de lui donner cinq guinées, pour la mener jusqu'à Exeter, où elle compte passer trois ou quatre semaines chez Mrs. Burgess, dans l'espoir, comme je le lui dis, de retrouver le docteur. Et je dois dire que la méchanceté de Lucy, à ne pas l'emmener avec eux dans la chaise de poste, dépasse tout. Pauvre Mr. Edward ! Je ne peux pas m'empêcher de penser à lui ; mais il faut que vous le fassiez venir à Barton, et que miss Marianne essaye de le consoler. »

Les accents de Mr. Dashwood étaient plus solennels. Mrs. Ferrars était la plus malheureuse des femmes, – la pauvre Fanny avait souffert des tourments, à cause de sa sensibilité, – et il considérait l'existence de l'une et de l'autre, sous un coup pareil, avec un émerveillement reconnaissant. L'offense de Robert était impardonnable, mais celle de Lucy était infiniment pire. Le nom de l'un et de l'autre ne devait plus jamais être prononcé devant Mrs. Ferrars ; et même si elle pouvait, par la suite, être amenée à pardonner à son fils, la femme de celui-ci ne pourrait jamais être reconnue comme sa fille, ni être autorisée à paraître devant elle. Le secret avec lequel tout avait été effectué entre eux grandissait énormément leur faute, car si quelque soupçon en avait effleuré les autres, on eût pris des mesures convenables pour empêcher le mariage ; et il conviait Elinor à se joindre à lui pour regretter que la promesse d'union entre Lucy et Edward n'eût pas été tenue, plutôt que de la voir ainsi devenue un moyen de répandre encore le malheur dans la famille. Il poursuivait ainsi :

« Mrs. Ferrars n'a encore jamais prononcé le nom d'Edward, ce qui ne nous surprend pas ; mais, à notre grand étonnement, nous n'avons pas reçu un seul mot de lui à cette occasion. Peut-être, toutefois, la crainte d'offenser le tient-elle silencieux, et je lui insinuerai donc, en lui envoyant un mot à Oxford, que nous croyons tous deux, sa sœur et moi, qu'une lettre de soumission convenable de sa part, adressée peut-être à Fanny, et qu'elle montrerait à sa mère, pourrait n'être pas mal venue ; car nous connaissons tous la tendresse du cœur de Mrs. Ferrars, et nous savons qu'elle ne désire rien autant que d'être en bons termes avec ses enfants. »

Ce paragraphe avait une certaine importance quant à l'avenir et à l'attitude d'Edward. Il le détermina à tenter une réconciliation, bien que ce ne dût point être exactement selon la façon qu'indiquaient leurs frère et sœur.

– Une lettre de soumission convenable ! répéta-t-il. Veulent-ils donc que j'implore le pardon de ma mère en raison de l'ingratitude de Robert envers elle, et de son manquement à l'honneur envers moi ? Je ne puis faire de soumission ; je ne suis devenu ni humble, ni pénitent, par ce qui s'est passé. Je suis devenu très heureux, mais cela n'intéresserait pas. Je ne connais pas de soumission qu'il soit vraiment convenable pour moi de faire.

– Vous pouvez certainement demander à être pardonné, dit Elinor, parce que vous avez offensé ; et il me semble que vous pourriez *maintenant* vous hasarder au point de marquer quelque inquiétude pour avoir jamais contracté l'engagement qui vous a attiré la colère de votre mère.

Il reconnut qu'il le pourrait.

– Et quand elle vous aura pardonné, un peu d'humilité pourra peut-être convenir pour lui annoncer un second engagement, presque aussi imprudent, à ses yeux, que le premier.

Il n'avait rien à arguer à l'encontre de cette proposition, mais résistait encore à l'idée d'une lettre de soumission convenable ; aussi, pour lui faciliter la chose, comme il se déclarait beaucoup plus disposé à faire des concessions mesquines de vive voix que sur le papier, fut-il résolu qu'au lieu d'écrire à Fanny, il irait à Londres, et lui demanderait personnellement d'intervenir en sa faveur.

– Et si vraiment ils s'intéressent, dit Marianne, dans son nouveau rôle d'impartialité, à susciter une réconciliation, je croirai que John et Fanny eux-mêmes ne sont pas entièrement démunis de mérite.

Après que la visite du colonel Brandon se fut étendue à trois ou quatre jours seulement, les deux gentlemen quittèrent ensemble Barton. Ils devaient se rendre immédiatement à Delaford, afin qu'Edward pût avoir quelque connaissance personnelle de son foyer futur, et aider son protecteur et ami à décider des améliorations qui y étaient nécessaires ; et de là, après qu'il y aurait passé deux nuits, il devait poursuivre son voyage à Londres.

L

Après une résistance convenable de la part de Mrs. Ferrars, juste assez violente et assez ferme pour la préserver du reproche qu'elle paraissait toujours avoir peur d'encourir, – le reproche d'être trop aimable, – Edward fut admis en sa présence et reconnu de nouveau comme son fils.

Mrs. Ferrars s'efforça d'abord, raisonnablement de le dissuader, par tous les arguments en son pouvoir, d'épouser miss Dashwood, – elle lui dit qu'il aurait en la personne de miss Morton une femme de rang plus élevé et de fortune plus considérable, et renforça cette affirmation en faisant remarquer que miss Morton était la fille d'un noble possédant trente mille livres, alors que miss Dashwood n'était que la fille d'un simple gentleman, et n'en possédait pas plus de trois ; mais lorsqu'elle constata que, tout en reconnaissant parfaitement la vérité de ses arguments, il n'était nullement disposé à se laisser guider par eux, elle estima que le plus sage, d'après l'expérience du passé, était de se soumettre, – et, en conséquence après un délai peu aimable qu'elle devait à sa propre dignité, et qui servit à empêcher tout soupçon de bienveillance, elle promulgua son décret de consentement au mariage d'Edward et d'Elinor.

Il y eut ensuite à examiner ce qu'elle s'engagerait à faire pour augmenter leur revenu : et là, il apparut nettement que, bien qu'Edward fût à présent son fils unique, il n'était nullement l'aîné ; car, alors que Robert était irrévocablement doté de mille livres par an, il n'y eut pas la moindre objection à ce qu'Edward entrât dans les ordres pour en recevoir deux cent cinquante tout au plus ; et rien ne fut promis, ni pour le présent ni pour l'avenir, au-delà des dix mille livres qui avaient été la part de Fanny.

C'était là, toutefois, tout ce qui était désiré, et plus qu'il n'en était attendu, de la part d'Edward et d'Elinor ; et Mrs. Ferrars elle-même, par ses excuses équivoques, parut être la seule personne surprise de ce qu'elle ne donnât pas davantage.

Assurés ainsi d'un revenu bien suffisant pour leurs besoins, ils n'eurent rien à attendre, après qu'Edward eut été investi du bénéfice, que l'aménagement de la maison, à laquelle le colonel Brandon, plein d'un désir empressé d'être agréable à Elinor, apportait des améliorations considérables ; et après avoir attendu quelque temps qu'elles fussent terminées – et avoir éprouvé, comme d'usage, mille déceptions et délais, provenant des lenteurs inexplicables des ouvriers. – Elinor, comme d'usage, contrevint à la première résolution définitive, de ne se marier que lorsque tout serait prêt, et la cérémonie eut lieu dans l'église de Barton au début de l'automne.

Le premier mois après leur mariage fut passé auprès de leur ami, au Manoir, d'où ils purent surveiller l'avancement des travaux du presbytère, et tout ordonner à leur goût, sur place ; ils purent choisir des papiers de tenture, projeter des bosquets, et inventer une courbe du terrain. Les prophéties de Mrs. Jennings, bien qu'un peu entremêlées, furent réalisées dans l'ensemble ; car elle put rendre visite à Edward et à sa femme, dans leur presbytère, dès la Saint-Michel, et elle trouva en Elinor et son mari, croyait-elle vraiment, l'un des couples les plus heureux qui fussent au monde. En vérité, ils n'avaient rien à désirer, que le mariage du colonel Brandon et de Marianne, et un pâturage un peu meilleur pour leurs vaches.

Dès qu'ils furent installés, ils reçurent la visite de presque tous leurs parents et amis. Mrs. Ferrars vint inspecter le bonheur qu'elle avait presque honte d'avoir autorisé ; et les Dashwood eux-mêmes firent la dépense d'un voyage depuis le Sussex pour leur faire honneur.

– Je ne dirai pas que je suis déçu, ma chère sœur, dit John, tandis qu'ils se promenaient ensemble, un matin, devant la grille de Delaford House ; ce serait exagéré, car tu as certainement été l'une des jeunes femmes les plus fortunées du monde, les choses étant ce qu'elles sont. Mais j'avoue que j'aurais grand plaisir à appeler le colonel Brandon « frère ». Son domaine ici, sa situation, sa maison, tout dans un tel état convenable et excellent ! Et ses bois ! Je n'ai vu nulle part dans le Dorsetshire de plus belles grumes qu'il ne s'en dresse maintenant sur le coteau de Delaford ! Et bien que, peut-être, Marianne puisse ne pas sembler être exactement la personne propre à l'attirer, je crois pourtant qu'il serait en tout point convenable que tu les eusses souvent chez toi comme invités, maintenant, car comme le colonel Brandon paraît bien de vos intimes, nul ne peut prévoir ce qui pourra arriver, – car, quand les gens se trouvent souvent réunis, et voient peu d'autres personnes... et il sera toujours en ton pouvoir de la faire valoir avantageusement, et ainsi de suite ; bref, tu pourrais tout aussi bien lui procurer une occasion. Tu me comprends.

Mais bien que Mrs. Ferrars vînt effectivement les voir, et les traitât toujours avec le simulacre d'une affection convenable, ils n'eurent jamais l'insulte de sa faveur et de sa préférence réelles. Ces avantages étaient dus à la folie de Robert et à la ruse de sa femme ; et ils leur furent acquis avant que de nombreux mois se fussent écoulés. La sagacité égoïste de cette dernière, qui avait dès l'abord attiré Robert dans la difficulté, fut le principal instrument qui l'en délivra ; car l'humilité respectueuse de Lucy, ses attentions assidues, et ses flatteries incessantes, dès que se présenta la moindre occasion de les exercer, réconcilièrent Mrs. Ferrars avec le choix de Robert, et la rétablirent complètement dans ses bonnes grâces.

Toute la conduite de Lucy en cette affaire, et la prospérité qui en résulta, peuvent donc être montées en épingle comme un exemple fort encourageant de ce que peut faire une attention sérieuse et incessante à l'intérêt personnel, de quelques obstacles que son chemin puisse se voir encombré, pour s'assurer tous les avantages de la fortune, sans autre sacrifice que celui du temps et de la conscience. Quand Robert avait pour la première fois cherché à faire la connaissance de Lucy, et lui avait rendu visite, à titre privé, dans Bartlett's Buildings, ç'avait été seulement dans le dessein que lui avait imputé son frère. Il se proposait simplement de lui persuader de renoncer à cette promesse de mariage ; et comme il ne pouvait y avoir autre chose à surmonter que l'affection des deux parties, il comptait naturellement qu'un ou deux entretiens régleraient l'affaire. Sur ce point, toutefois, et sur ce point seul, il se trompait ; car, bien que Lucy lui eût bientôt donné l'espoir que son éloquence la convaincrait, le temps aidant, il fallait toujours une autre visite, une autre conversation, pour obtenir cette conviction. Il s'attardait toujours quelques doutes dans son esprit lorsqu'ils se séparaient, doutes qui ne pouvaient être dissipés que par un nouvel entretien d'une demi-heure avec lui. La présence de Robert était ainsi assurée, et le reste suivit son cours. Au lieu de parler d'Edward, ils en vinrent peu à peu à parler de Robert, – sujet sur lequel il avait toujours plus à dire que sur tout autre, et pour lequel elle ne tarda pas à trahir un intérêt égal même au sien ; et, bref, il devint rapidement évident à l'un et à l'autre qu'il avait entièrement supplanté son frère. Il fut fier de sa conquête, fier de jouer un tour à Edward, et très fier de se marier dans l'intimité, sans le consentement de sa mère. Ce qui s'ensuivit immédiatement, on le sait. Ils passèrent quelques mois, dans le plus grand bonheur, à Dawlish ; car elle avait de nombreux parents et de vieilles connaissances à qui il lui convenait de tourner le dos, – et il traça plusieurs plans de maisonnettes magnifiques ; et, retournant de là à Londres, ils se procurèrent le pardon de Mrs. Ferrars, grâce au simple expédient de le demander, – projet qu'à l'instigation de Lucy, elle adopta. Le pardon, tout d'abord, comme il était raisonnable, certes, ne s'étendit qu'à Robert ; et Lucy, qui n'avait eu aucune obligation envers la mère de celui-ci, et n'avait donc pu en transgresser aucune, demeura encore quelques semaines impardonnée. Mais la persévérance dans l'humilité d'attitude, et les messages, dans lesquels elle se condamnait elle-même pour l'offense de Robert, et exprimait sa gratitude de la malveillance avec laquelle elle était traitée, lui procurèrent avec le temps l'attention hautaine qui la vainquit par son amabilité, et l'amena peu après, par des étapes rapides, au plus haut degré d'affection et d'influence. Lucy devint aussi nécessaire à Mrs. Ferrars que Robert ou que Fanny ; et, alors qu'Edward ne fut jamais cordialement absous pour avoir jadis eu l'intention de l'épouser, et qu'Elinor, bien qu'elle lui fût supérieure par la fortune et par la naissance, était citée comme une intruse, *elle* fut considérée en toutes choses, et toujours ouvertement reconnue, comme une enfant préférée. Ils s'installèrent à Londres, reçurent une aide fort libérale de Mrs. Ferrars, entretinrent avec les Dashwood les meilleures rapports imaginables ; et mettant à part les jalousies et la malveillance qui subsistèrent continuellement entre Fanny et Lucy, et auxquelles leurs maris s'associèrent tout naturellement, ainsi que les fréquents désaccords de ménage entre Robert et Lucy eux-mêmes, rien ne pouvait surpasser l'harmonie dans laquelle ils vécurent tous ensemble.

Ce qu'Edward avait fait pour perdre son droit d'aînesse, voilà qui eût pu être pour bien des gens une énigme à élucider, et ce que Robert avait fait pour en hériter les eût pu déconcerter encore davantage. Ce fut toutefois un arrangement justifié par ses effets, sinon dans sa cause ; car rien n'apparut jamais dans le genre de vie de Robert, ni dans ses paroles, pour donner un soupçon de regret, chez lui, quant au montant de son revenu, soit pour déplorer qu'il en restât trop peu pour son frère, soit pour estimer qu'il en avait lui-même trop ; et si l'on pouvait juger Edward d'après l'accomplissement empressé de ses devoirs dans tous leurs détails, d'après un attachement croissant envers sa femme et son foyer, et d'après la gaieté régulière de son humeur, on eût pu le supposer non moins satisfait de son sort, non moins libre de tout désir d'en changer.

Le mariage d'Elinor la sépara aussi peu de sa famille qu'il était raisonnablement possible de le prévoir sans rendre complètement inutile la maisonnette de Barton ; car sa mère et ses sœurs passèrent beaucoup plus de la moitié de leur temps auprès d'elle. Mrs. Dashwood agissait d'après des motifs de politique aussi bien que de plaisir, dans la fréquence de ses visites à Delaford ; car son désir de rapprocher l'un de l'autre Marianne et le colonel Brandon n'était guère moins sérieux, bien qu'il fût plutôt plus généreux, que ne l'avait exprimé John. C'était là, maintenant, le projet qu'elle chérissait. Toute précieuse que lui fût la compagnie de sa fille, elle ne désirait rien tant que d'en abandonner la jouissance constante à son ami estimé, et c'était également le désir d'Edward et d'Elinor, de voir Marianne établie au Manoir. Ils avaient tous le sentiment des chagrins du colonel et de leurs propres obligations, et Marianne, de consentement général, devait en être la récompense commune.

Avec une semblable conspiration contre elle, – avec une connaissance aussi intime de la bonté du Colonel, – avec une conviction de son affection sincère pour elle-même, qui enfin, mais longtemps après qu'elle fût apparente pour tous les autres, éclata à ses yeux, – que pouvait-elle faire ?

Marianne Dashwood était née en vue d'un dessein extraordinaire. Elle devait découvrir la fausseté de ses propres opinions, et agir, par sa conduite, à l'encontre de ses maximes préférées. Elle devait triompher d'une affection conçue à l'âge avancé de dix-sept ans, et, sans autre sentiment supérieur à une forte estime et à une vive amitié, donner volontairement sa main à un autre ! – cet autre étant un homme qui avait souffert non moins qu'elle, sous l'effet d'un amour antérieur, – un homme que, deux ans auparavant, elle avait considéré comme trop vieux pour se marier, et qui recherchait encore la sécurité hygiénique d'un gilet de flanelle !

Mais c'est ainsi qu'il en fut. Au lieu de choir en sacrifice à une passion irrésistible, comme elle s'était jadis follement flattée de s'y attendre, – au lieu de rester même pour toujours auprès de sa mère, et de trouver ses seuls plaisirs dans la retraite et dans l'étude, comme, plus tard, dans son jugement plus calme et plus sobre, elle avait résolu de le faire, – elle se trouva, à dix-neuf ans, se soumettant à de nouvelles affections, s'initiant à des devoirs nouveaux, placée dans un foyer nouveau, – épouse, maîtresse d'une famille, et patronesse d'un village.

Le colonel Brandon était à présent aussi heureux que tous ceux qui l'aimaient le mieux estimaient qu'il méritait de l'être ; en la personne de Marianne il fut consolé de toutes ses afflictions passées ; son affection et sa compagnie rendirent à son esprit l'animation, et à son humeur, la gaieté ; et le fait que Marianne trouvât son propre bonheur en constituant le sien, voilà qui était également la conviction et la joie de chacun de ses amis observateurs. Marianne ne pouvait jamais aimer à demi ; et son cœur entier devint, avec le temps, aussi attaché à son mari qu'il l'avait jadis été à Willoughby.

Willoughby ne put apprendre le mariage de Marianne sans un serrement de cœur ; et son châtiment fut, peu après, complet, par le pardon volontaire de Mrs. Smith, qui, exposant pour motif de sa clémence son mariage avec une femme de caractère, lui donna lieu de croire que, s'il s'était conduit honorablement envers Marianne, il eût pu être à la fois heureux et riche. Point n'est besoin de douter de la sincérité avec laquelle il se repentit de son inconduite, qui entraîna ainsi sa propre punition ; non qu'il pensât longtemps avec envie au colonel Brandon, ni avec regret à Marianne. Mais qu'il fût à jamais inconsolable, – qu'il ait fui le monde, ou contracté une habituelle humeur sombre, ou qu'il soit mort de chagrin, – il n'y faut point compter, car il n'en fit rien. Il vécut pour se démener, et fréquemment pour s'amuser. Sa femme n'était point toujours de mauvaise humeur, ni son foyer toujours inconfortable ; et il trouva une mesure non négligeable de félicité domestique dans son élevage de chevaux et de chiens, et dans la chasse sous toutes ses formes.

Il conserva toujours pour Marianne, toutefois, – en dépit de son manque de courtoisie à survivre à la perte de la jeune fille, – cette nette affection qui l'intéressait à tout ce qui lui advenait, et faisait d'elle sa norme secrète de perfection chez les femmes ; et mainte beauté en herbe se vit ravaler par lui, plus tard, comme ne supportant pas la comparaison avec Mrs. Brandon.

Mrs. Dashwood eut la sagesse de rester dans la maisonnette, sans tenter d'aller s'établir à Delaford ; et heureusement pour Sir John et pour Mrs. Jennings, lorsque Marianne leur fut enlevée, Margaret avait atteint un âge éminemment convenable pour danser, et non point fort inacceptable du fait qu'on lui supposât un amoureux.

Il y eut entre Barton et Delaford ces rapports constants que devait naturellement dicter une forte affection familiale ; et au nombre des mérites et des bonheurs d'Elinor et de Marianne, qu'on ne range pas comme le moins considérable le fait que, quoiqu'elles fussent sœurs, et habitassent presque à portée de vue l'une de l'autre, elles pouvaient vivre sans querelle entre elles et sans occasionner de froid entre leurs maris.

Lightning Source UK Ltd.
Milton Keynes UK
UKHW010628270521
384471UK00001B/250